DRESSLER

Cornelia Funke

HERR DER DIEBE

Mit Illustrationen der Autorin

Cecilie Dressler Verlag · Hamburg

Für Rolf –
und Bob Hoskins,
der genau wie Victor aussieht.

FSC

Mix

Produktgruppe aus vorbildlich
bewirtschafteten Wäldern und
anderen kontrollierten Herkünften

Zert.-Nr. GFA-COC-1223
www.fsc.org
© 1996 Forest Stewardship Council

Cecilie Dressler Verlag GmbH & Co. KG, Hamburg 2005

© Cecilie Dressler Verlag GmbH & Co. KG, Hamburg 2000
Alle Rechte vorbehalten
Illustrationen von Cornelia Funke
Stadtplan von Venedig auf Doppelseite 392 / 93:
Lothar Meier, München
© der Filmbilder: Comet Film GmbH 2005
Einbandgestaltung: Michael van Randeraat
Gesamtherstellung: Clausen & Bosse, Leck
Printed in Germany 2006 / II
ISBN 3-7915-0474-6

www.cecilie-dressler.de

Erwachsene erinnern sich nicht daran, wie es war,
ein Kind zu sein.
Auch wenn sie es behaupten.
Sie wissen es nicht mehr. Glaub mir.
Sie haben alles vergessen.
Wie viel größer die Welt ihnen damals erschien.
Dass es mühsam sein konnte, auf einen Stuhl zu klettern.
Wie fühlte es sich an, immer hochzublicken?
Vergessen.
Sie wissen es nicht mehr.
Du wirst es auch vergessen.
Manchmal reden die Erwachsenen davon, wie schön es war,
ein Kind zu sein.
Sie träumen sogar davon, wieder eins zu sein.
Aber wovon haben sie geträumt, als sie Kinder waren?
Weißt du es?
Ich glaube, sie träumten davon, endlich erwachsen zu sein.

KUNDSCHAFT FÜR VICTOR

Es war Herbst in der Stadt des Mondes, als Victor zum ersten Mal von Prosper und Bo hörte. Die Sonne spiegelte sich in den Kanälen und überzog die alten Mauern mit Gold, aber der Wind blies eisig vom Meer herüber, als wollte er die Menschen daran erinnern, dass der Winter kam. In den Gassen schmeckte die Luft plötzlich nach Schnee, und die Herbstsonne wärmte nur den Engeln und Drachen hoch oben auf den Dächern die steinernen Flügel.

Das Haus, in dem Victor wohnte und arbeitete, stand dicht an einem Kanal, so dicht, dass das Wasser unten gegen die Mauern schwappte. Manchmal träumte Victor nachts, dass das Haus in den Wellen versank, mitsamt der ganzen Stadt. Dass das Meer den Damm fortspülte, mit dem Venedig am Festland hing wie eine Kiste Gold an einem dünnen Faden, und alles verschluckte: die Häuser und Brücken, Kirchen und Paläste, die die Menschen dem Wasser so frech aufs Gesicht gebaut hatten.

Aber noch stand alles fest auf seinen hölzernen Beinen, und Victor lehnte an seinem Fenster und blickte durch die staubige Scheibe nach draußen. Kein anderer Ort auf der Welt konnte so unverschämt mit seiner Schönheit prahlen wie die Stadt des Mondes. Das Sonnenlicht ließ die Spitzen und Bögen, Kuppeln und Türme um die Wette leuchten. Pfeifend kehrte Victor dem Fenster den Rücken zu und trat vor den Spiegel. Genau das richtige Wetter, um den neuen Bart auszuprobieren, dachte er, während die Sonne ihm den stämmigen Nacken wärmte. Erst gestern hatte er sich das Schmuckstück gekauft: einen gewaltigen Schnurrbart, so dunkel und buschig, dass ein Walross ihn darum beneidet hätte. Vorsichtig klebte er ihn unter seine Nase, stellte sich auf die Zehenspitzen, um etwas größer zu erscheinen, wandte sich nach links, dann nach rechts ... und war so versunken in sein Spiegelbild, dass er die Schritte auf der Treppe erst hörte, als sie vor seiner Tür Halt machten. Kundschaft. Verdammt. Musste ihn ausgerechnet jetzt jemand stören?

Mit einem Seufzer setzte er sich hinter seinen Schreibtisch. Vor der Tür flüsterte jemand. Wahrscheinlich bewundern sie mein Schild, dachte Victor. Es war schwarz und glänzend, sein Name stand in goldenen Buchstaben darauf: *Victor Getz, Detektiv. Ermittlungen aller Art.* In drei Sprachen hatte er das prägen lassen, schließlich kamen oft Kunden aus anderen Ländern zu ihm. Den Türklopfer neben dem Schild, einen Löwenkopf mit einem Messingring im Maul, hatte Victor gerade heute Morgen poliert.

Worauf warten die da draußen?, dachte er und trommelte mit den Fingern auf die Stuhllehne. »*Avanti!*«, rief er ungeduldig.

Die Tür ging auf und ein Mann und eine Frau betraten Victors Büro, das gleichzeitig sein Wohnzimmer war. Argwöhnisch sahen sie sich um, musterten seine Kakteen, die Bärtesammlung, den Garderobenständer mit den Mützen, Hüten und Perücken, den riesigen Stadtplan an der Wand und den geflügelten Löwen, der als Briefbeschwerer auf dem Schreibtisch stand. »Sprechen Sie Englisch?«, fragte die Frau, obwohl ihr Italienisch nicht schlecht klang.

»Selbstverständlich!«, antwortete Victor und wies auf die Stühle vor seinem Schreibtisch. »Englisch ist meine Muttersprache. Was kann ich für Sie tun?«

Zögernd nahmen die beiden Platz. Der Mann verschränkte mit mürrischem Gesicht die Arme und die Frau starrte auf Victors Walrossbart.

»Oh. Das. Das ist nur eine neue Tarnung!«, erklärte er und zog sich den Bart von der Oberlippe. »In meinem Beruf ist so etwas unerlässlich. Was kann ich für Sie tun? Irgendetwas verloren, gestohlen, entlaufen?«

Wortlos griff die Frau in ihre Handtasche. Sie hatte aschblondes Haar und eine spitze Nase, und ihr Mund sah nicht so aus, als ob sie ihn allzu oft zum Lächeln benutzte. Der Mann war ein Riese, mindestens zwei Köpfe größer als Victor. Auf seiner Nase schälte sich ein Sonnenbrand und seine Augen waren klein und farblos. Versteht wahrscheinlich keinen Spaß, dachte Victor und legte die Gesichter der beiden in seinem Gedächtnis ab. Telefonnummern konnte er sich schwer merken, aber ein Gesicht vergaß er nie.

»Uns ist etwas verloren gegangen«, sagte die Frau und schob ihm ein Foto über den Schreibtisch. Ihr Englisch war besser als ihr Italienisch.

Zwei Jungen blickten Victor an, der eine blond und klein, mit einem breiten Lächeln auf dem Gesicht, der andere älter, ernst, mit dunklem Haar. Der Größere hatte den Arm um die Schultern des Kleinen gelegt, als wollte er ihn beschützen – vor allem Bösen in der Welt.

»Kinder?« Erstaunt hob Victor den Kopf. »Ich habe ja schon so einiges aufspüren müssen: Koffer, Ehemänner, Hunde, entlaufene Eidechsen, aber Sie sind die Ersten, die zu mir kommen, weil Sie

Ihre Kinder verloren haben, Herr und Frau ...« Fragend sah er die beiden an.

»Hartlieb«, antwortete die Frau. »Esther und Max Hartlieb.«

»Und es sind nicht unsere Kinder«, stellte ihr Mann fest.

Seine spitznasige Frau warf ihm einen ärgerlichen Blick zu. »Prosper und Bonifazius sind die Söhne meiner verstorbenen Schwester«, erklärte sie. »Sie hat die Jungen allein großgezogen. Prosper ist gerade zwölf geworden, Bo ist fünf.«

»Prosper und Bonifazius«, murmelte Victor. »Ungewöhnliche Namen. Bedeutet Prosper nicht ›der Glückliche‹?«

Esther Hartlieb hob irritiert die Augenbrauen. »Tatsächlich? Nun, ich finde, es sind seltsame Namen, um es nett auszudrücken. Meine Schwester hatte eine Vorliebe für alles Seltsame. Als sie vor drei Monaten überraschend starb, haben mein Mann und ich sofort das Sorgerecht für Bo beantragt, da wir selbst leider keine Kinder haben. Seinen größeren Bruder konnten wir unmöglich auch noch zu uns nehmen. Jeder vernünftige Mensch versteht das, aber Prosper hat sich furchtbar aufgeregt. Wie ein Verrückter hat er sich gebärdet! Wir würden ihm seinen Bruder stehlen! Dabei hätte er Bo einmal im Monat besuchen können!« Ihr Gesicht wurde noch blasser, als es ohnehin schon war.

»Vor etwas mehr als acht Wochen sind sie weggelaufen«, fuhr Max Hartlieb fort. »Aus dem Haus ihres Großvaters in Hamburg, wo sie vorübergehend untergebracht waren. Prosper kann seinen kleinen Bruder zu jeder Dummheit überreden, und alles weist darauf hin, dass er Bo hierher geschleppt hat, nach Venedig.«

Victor hob ungläubig die Augenbrauen. »Von Hamburg nach Venedig? Das ist ein langer Weg für zwei Kinder. Haben Sie sich schon an die hiesige Polizei gewandt?«

»Natürlich.« Esther Hartlieb schnappte aufgebracht nach Luft.

»Dort war man alles andere als hilfsbereit. Nichts haben sie herausgefunden, dabei kann es doch nicht so schwer sein, zwei Kinder zu finden, die mutterseelenallein ...«

»... ich muss leider aus beruflichen Gründen dringend zurück nach Hause«, unterbrach sie ihr Mann. »Deshalb möchten wir Sie, Herr Getz, mit der weiteren Suche nach den Jungen beauftragen. Der Portier unseres Hotels hat Ihre Dienste empfohlen.«

»Nett von ihm«, brummte Victor und spielte mit dem falschen Bart. Das Ding sah aus wie eine tote Maus, wie es da so neben dem Telefon lag. »Aber wieso sind Sie so sicher, dass die beiden nach Venedig gekommen sind? Doch wohl kaum zum Gondelfahren ...«

»Ihre Mutter ist schuld.« Esther Hartlieb kniff die Lippen zusammen und warf einen Blick aus Victors staubigem Fenster. Eine Taube hockte aufgeplustert draußen auf dem Balkongitter, die Federn zerzaust vom Wind. »Meine Schwester hat den Jungen ständig von dieser Stadt erzählt. Dass es hier Löwen mit Flügeln gibt und eine Kirche aus Gold, dass auf den Dächern Engel und Drachen stehen und die Treppen an den Kanälen aussehen, als würden nachts Wassermänner hinaufsteigen, um einen Landspaziergang zu machen.« Ärgerlich schüttelte sie den Kopf. »Meine Schwester konnte so etwas auf eine Art erzählen, dass selbst ich ihr fast geglaubt hätte. Venedig, Venedig, Venedig! Bo hat pausenlos Löwen mit Flügeln gemalt und Prosper hat seiner Mutter sowieso jedes Wort von den Lippen gesogen. Wahrscheinlich hat er gedacht, dass er und Bo geradewegs im Märchenland landen, wenn sie hierher kommen! Mein Gott.« Sie rümpfte die Nase und blickte verächtlich hinaus zu den alten Häusern, von denen der Putz bröckelte.

Ihr Mann rückte sich die Krawatte zurecht. »Es hat uns viel Geld gekostet, die Spur der Jungen bis hierher zu verfolgen, Herr

Getz«, sagte er. »Und die beiden sind hier, das versichere ich Ihnen. Irgendwo ...«

»... in diesem Durcheinander«, beendete Esther Hartlieb den Satz. »Nun, wenigstens gibt es hier keine Autos, die sie überfahren könnten«, murmelte Victor, wandte sich seinem Stadtplan zu und musterte das Gewirr der Gassen und Kanäle. Dann drehte er sich wieder um und kratzte mit seinem Brieföffner gedankenversunken Strichmännchen in die Schreibtischplatte. Bis Max Hartlieb sich räusperte.

»Herr Getz, nehmen Sie den Auftrag an?«

Victor betrachtete noch einmal das Foto, die beiden so verschiedenen Gesichter, die ernste Miene des Älteren und das unbeschwerte Lächeln des Jüngeren – und nickte. »Ja, ich übernehme ihn«, sagte er. »Ich werde die beiden schon finden. Sie sehen wirklich noch etwas zu jung aus, um allein zurechtzukommen. Sind Sie als Kinder auch mal weggelaufen?«

»Du meine Güte, nein!« Esther Hartlieb blickte ihn entgeistert an. Ihr Mann schüttelte nur spöttisch den Kopf.

»Ich schon.« Victor klemmte das Foto der beiden Jungen unter den geflügelten Löwen. »Aber allein. Ich hatte leider keinen Bruder. Weder einen kleinen noch einen großen. Lassen Sie mir Anschrift und Telefonnummer hier und kommen wir zu meinem Honorar.«

Während die Hartliebs sich wieder die enge Treppe hinunterquälten, trat Victor auf seinen Balkon hinaus. Der Wind fuhr ihm kalt ins Gesicht, er schmeckte nach Salz vom nahen Meer, und Victor stützte sich fröstelnd auf das rostige Geländer und beobachtete, wie die Hartliebs die Brücke betraten, die zwei Häuser weiter den Kanal überspannte. Es war eine schöne Brücke, aber das bemerkten sie nicht. Mit mürrischen Gesichtern hasteten sie hinüber, ohne einen Blick für den struppigen Hund, der sie von einem vorbeifahrenden Boot ankläffte. Natürlich spuckten sie auch nicht über die Brüstung, wie Victor es immer tat.

»Na ja, wer sagt, dass man seine Auftraggeber mögen muss!«, brummte er und beugte sich über seine zwei Schildkröten, die die faltigen Hälse aus ihrem Pappkarton reckten. »Solche Eltern sind immer noch besser als gar keine Eltern. Oder? Was meint ihr? Haben Schildkröten überhaupt Eltern?« Gedankenversunken blickte Victor den Kanal hinunter, an all den Häusern entlang, deren steinerne Füße Tag und Nacht das Wasser umspülte. Mehr als fünfzehn Jahre lebte er nun schon in Venedig, aber er kannte immer noch nicht alle verborgenen Winkel der Stadt. Niemand tat das. Es würde nicht leicht sein, die zwei Jungen zu finden, wenn sie nicht gefunden werden wollten. So viele Gassen, so viele Schlupfwinkel, enge Straßen mit Namen, die keiner sich merken konnte. Manche hatten nicht einmal einen Namen. Vernagelte Kirchen, leer stehende Häuser. Das lud ja geradezu zum Versteckspielen ein.

Was soll's, Verstecken habe ich auch immer gern gespielt, dachte Victor, und bisher habe ich noch jeden gefunden. Acht Wochen kamen die beiden schon allein zurecht. Du meine Güte. Als er von zu Hause weggelaufen war, hatte er die Freiheit gerade mal einen Nachmittag ausgehalten. Bei Anbruch der Dunkelheit war er reumütig und mit klopfendem Herzen wieder nach Hause geschlichen.

Die Schildkröten zupften an dem Salatblatt, das er ihnen hinhielt.

»Ich glaube, ich muss euch heute Nacht hereinholen«, sagte Victor. »Dieser Wind riecht nach Winter.«

Lando und Paula schauten ihn mit ihren wimpernlosen Augen an. Manchmal verwechselte er sie, aber das schien ihnen nichts auszumachen. Auf dem Fischmarkt hatte er die beiden entdeckt,

13

als er Ausschau nach einer Perserkatze gehalten hatte. Victor hatte die vornehme Katzendame aus einem Fass stinkender Sardinen gefischt, und als er es endlich geschafft hatte, sie kratzsicher in einem Pappkarton zu verstauen, hatte er die zwei Schildkröten gesehen – wie sie ungerührt zwischen all den Menschenfüßen herumstapften. Erst als Victor sie aufsammelte, hatten sie sich erschrocken in ihren Panzern versteckt.

Wo fange ich mit der Suche nach den Jungen an?, dachte Victor. In den Kinderheimen? Den Krankenhäusern? Traurige Orte. Aber die Besuche dort kann ich mir wahrscheinlich sparen. Das haben die Hartliebs bestimmt längst erledigt. Er lehnte sich weit übers Balkongitter und spuckte hinunter in den dunklen Kanal.

Bo und Prosper. Schöne Namen, dachte er, auch wenn sie seltsam sind.

DREI KINDER

Die Hartliebs hatten Recht. Prosper und Bo hatten es wirklich geschafft, bis nach Venedig zu kommen. Weit, weit waren sie gefahren, Tage, Nächte, hatten in ratternden Zügen gehockt und sich versteckt vor Schaffnern und neugierigen alten Damen. Hatten sich in stinkenden Klos eingeschlossen und in dunklen Ecken geschlafen, eng aneinander gepresst, hungrig, müde und durchgefroren. Aber sie hatten es geschafft und sie waren immer noch zusammen.

Als ihre Tante Esther auf dem Stuhl vor Victors Schreibtisch Platz nahm, lehnten die beiden in einem Hauseingang, nur wenige Schritte entfernt von der Rialtobrücke. Der kalte Wind blies auch ihnen um die Ohren und flüsterte ihnen zu, dass es vorbei war mit den warmen Tagen. Doch in einem irrte Esther sich. Prosper und Bo waren nicht allein. Ein Mädchen stand bei ihnen, schmal, mit braunem Haar, das sie zu einem Zopf geflochten trug, der ihr dünn wie ein Stachel bis zur Taille hing. Dem Zopf verdankte sie ihren Namen: Wespe. Einen anderen wollte sie nicht.

Mit gerunzelter Stirn musterte sie einen zerknitterten Zettel, während die Leute vorbeidrängten und ihr Taschen und voll gestopfte Einkaufstüten in den Rücken stießen. »Ich glaube, wir haben alles«, sagte sie mit ihrer leisen rauen Stimme, die Prosper sofort gemocht hatte, selbst als er noch kein Wort von der fremden Sprache verstanden hatte, die ihr so schnell und leicht über die Lippen kam. »Nur die Batterien für Mosca fehlen noch. Wo könnten wir die kriegen?«

Prosper strich sich das dunkle Haar aus der Stirn. »Dahinten in der Seitengasse hab ich ein Elektrogeschäft gesehen«, sagte er und schlug seinem kleinen Bruder den Jackenkragen hoch, als er sah, wie Bo frierend den Kopf zwischen die Schultern zog. Dann schoben sie sich wieder zwischen die Menschen, die vorbeidrängten. Es war Markt am Rialto und in den engen Gassen herrschte noch mehr Betrieb als an anderen Tagen. Alte und Junge, Männer, Frauen und Kinder schoben sich zwischen den Ständen hindurch, zwängten sich aneinander vorbei, bepackt mit Taschen und Tüten. Alte Frauen, die die Stadt noch nie verlassen hatten, und Reisende, die nur für einen Tag kamen, um sie zu bestaunen. Es roch nach Fisch, nach Herbstblumen und getrockneten Pilzen.

»Wespe?« Bo griff nach ihrer Hand und schenkte ihr sein wunderbarstes Lächeln. »Kaufst du mir einen von den kleinen Kuchen da?«

Wespe kniff ihm zärtlich in die Backe, aber sie schüttelte den Kopf. »Nein!«, sagte sie entschieden und schob ihn weiter.

Das Elektrogeschäft, das Prosper entdeckt hatte, war winzig. Im Fenster stand zwischen Kaffeemaschinen und Toastern auch etwas Spielzeug, vor dem Bo fasziniert stehen blieb. »Ich hab aber Hunger!«, murrte er und presste die Hände gegen das Glas.

»Du hast immer Hunger«, stellte Prosper fest, öffnete die Tür und blieb mit Bo neben dem Eingang stehen, während Wespe an den Ladentisch trat.

»Scusi«, sagte sie zu der alten Frau, die ihr den Rücken zuwandte und Radios abstaubte. »Ich brauche Batterien. Zwei Stück, für ein kleines Radio.«

Die Frau packte sie ihr in eine Tüte und schob Wespe eine Hand voll Bonbons über die Theke. »Was für ein süßer kleiner Junge«, sagte sie und zwinkerte Bo zu. »Blond wie ein Engel. Ist das dein Bruder?«

»Nein«, Wespe schüttelte den Kopf, »das sind meine Vettern. Sie sind nur zu Besuch hier.«

Prosper schob Bo hinter seinen Rücken, aber Bo schlüpfte unter seinem Arm durch und holte sich die Bonbons vom Ladentisch. »*Grazie!*«, sagte er, lächelte der alten Frau zu und hüpfte zu Prosper zurück.

»*Un vero angelo!*«, sagte die Verkäuferin, während sie Wespes Geld in die Kasse legte. »Aber seine Mutter sollte ihm mal die Hosen stopfen, und wärmer anziehen müsste sie ihn auch langsam. Der Winter kommt. Habt ihr heute nicht den Wind in den Schornsteinen gehört?«

»Wir richten es aus«, sagte Wespe und zwängte die Batterien in ihre voll gestopfte Einkaufstüte. »Einen schönen Tag noch, Signora.«

»*Angelo!*« Prosper schüttelte spöttisch den Kopf, als sie sich draußen wieder durchs Gedränge schoben. »Warum fallen bloß alle auf deine blonden Haare und dein rundes Gesicht herein, Bo?«

Doch sein kleiner Bruder streckte ihm nur die Zunge heraus, stopfte sich ein Bonbon in den Mund und hüpfte voraus. So schnell, dass die beiden Großen Mühe hatten, ihm zu folgen. Flink wie ein Fisch schlüpfte er zwischen all den Bäuchen und Beinen hindurch.

»Bo, nicht so schnell!«, rief Prosper ihm ärgerlich nach, aber Wespe lachte nur.

»Lass ihn doch!«, sagte sie. »Wir verlieren ihn schon nicht. Siehst du, da vorn ist er.«

Bo schnitt ihnen eine Grimasse und versuchte auf einem Bein um eine heruntergerollte Orange herumzuhüpfen, aber dabei stolperte er und landete in einer Gruppe japanischer Touristen. Erschrocken rappelte er sich wieder auf – und lächelte breit, als zwei Frauen die Fotoapparate zückten. Bevor sie auf den Auslöser drücken konnten, hatte Prosper seinen kleinen Bruder schon unsanft am Kragen gepackt und weitergezerrt.

»Wie oft soll ich dir noch sagen, dass du dich nicht fotografieren lassen sollst?«, zischte er ihm zu.

»Ja, ja.« Bo riss sich von seiner Hand los und hüpfte über eine leere Zigarettenschachtel. »Das waren doch Chinesen. Tante Esther guckt sich doch wohl keine Fotos von Chinesen an, oder? Außerdem hat sie doch längst ein anderes Kind. Hast du selbst gesagt.«

Prosper nickte. »Ja, ja, das stimmt auch«, murmelte er. Aber er sah sich um, als hätte er den Verdacht, dass ihre Tante sich irgendwo in dem Menschengewühl verbarg und nur darauf wartete, Bo zu packen.

Wespe hatte Prospers Blick bemerkt. »Du denkst schon wieder an eure Tante, was?«, sagte sie mit gesenkter Stimme, obwohl Bo längst außer Hörweite war. »Vergiss sie, sie sucht nicht mehr nach euch. Und wenn, dann nicht hier.«

Prosper zuckte die Achseln und musterte unbehaglich ein paar Frauen, die vorbeigingen. »Wahrscheinlich nicht«, murmelte er.

»Bestimmt nicht«, beharrte Wespe leise. »Hör endlich auf, dir Sorgen zu machen.«

Prosper nickte. Obwohl er wusste, dass er nicht damit aufhören konnte. Bo schlief friedlich wie ein Kätzchen, aber Prosper träumte

fast jede Nacht von Esther. Mürrische, ewig hektische, haarspray-
verklebte Esther.

»He, Prop!« Bo stand plötzlich wieder vor ihnen und hielt Prosper ein prall gefülltes Portemonnaie unter die Nase. »Guck mal,
hab ich gefunden.«

Erschrocken nahm Prosper es ihm aus der Hand und zog ihn aus
dem Gedränge in einen dunklen Arkadengang. Erst hinter einem
Stapel von leeren Obstkisten, zwischen denen die Tauben herumpickten, blieb er stehen. »Wo hast du das her, Bo?«

Trotzig schob Bo die Unterlippe vor und lehnte den Kopf gegen
Wespes Arm. »Gefunden! Hab ich doch gesagt. Es ist so einem
Glatzkopf aus der Hosentasche gefallen. Der hat gar nichts ge-
merkt und da hab ich es eben gefunden.«

Prosper stöhnte auf.

Seit sie auf sich gestellt waren, hatte er lernen müssen zu stehlen,
erst etwas zu essen, dann auch Geld. Er hasste es. Er hatte so viel
Angst dabei, dass ihm die Finger zitterten. Bo dagegen hatte Spaß
daran, wie an einem aufregenden Spiel. Aber Prosper hatte ihm
das Stehlen verboten und schimpfte ihn jedes Mal fürchterlich
aus, wenn er ihn dabei erwischte. Schließlich wollte er nicht, dass
Esther behaupten konnte, er, Prosper, habe seinen kleinen Bruder
zum Dieb gemacht.

»Komm, reg dich nicht auf, Prop«, sagte Wespe und drückte Bo
an sich. »Er sagt doch, er hat es nicht gestohlen. Und der Besitzer
ist längst weg. Sieh wenigstens mal nach, wie viel drin ist.«

Zögernd öffnete Prosper das Portemonnaie. Die vielen Fremden,
die in die Stadt des Mondes kamen, um die Paläste und Kirchen zu
bestaunen, verloren ständig etwas. Meist waren es nur Plastikfächer oder billige Karnevalsmasken, die man an jeder Ecke kaufen
konnte. Aber ab und zu riss auch der Riemen eines Fotoapparats,

ein Bündel Wechselgeld rutschte jemandem aus der Jacke oder so ein voll gestopftes Portemonnaie. Mit ungeduldigen Fingern durchsuchte Prosper die Fächer, doch zwischen verknitterten Kassenbelegen, Restaurantrechnungen und Vaporettokarten steckten gerade mal ein paar Tausend-Lire-Scheine.

»Tja, wäre schön gewesen.« Wespe konnte ihre Enttäuschung nicht verbergen, als Prosper das Portemonnaie in eine leere Kiste warf. »Unsere Kasse ist fast leer, hoffentlich kann der Herr der Diebe sie heute Abend wieder füllen.«

»Natürlich kann er das!« Bo blickte Wespe an, als hätte sie bestritten, dass die Erde rund ist. »Und irgendwann helf ich ihm dabei! Irgendwann werde ich auch ein großer Dieb! Scipio wird es mir schon beibringen!«

»Nur über meine Leiche!«, knurrte Prosper und zog Bo unsanft zurück auf die Gasse.

»Ach, lass ihn doch reden!«, flüsterte Wespe Prosper zu, während Bo mit beleidigter Miene vor ihnen hertrottete. »Oder hast du etwa wirklich Angst, dass Scipio ihn mitnehmen könnte?«

Prosper schüttelte den Kopf, aber seine sorgenvolle Miene hellte sich nicht auf. Es war so schwer, auf Bo aufzupassen. Seitdem sie sich aus dem Haus ihres Großvaters geschlichen hatten, fragte Prosper sich mindestens dreimal am Tag, ob es richtig gewesen war, seinen kleinen Bruder mitzunehmen. Wie müde Bo in jener Nacht neben ihm hergetrottet war! Nicht ein einziges Mal hatte er Prospers Hand losgelassen, den ganzen langen Weg zum Bahnhof. Nach Venedig zu kommen war leichter gewesen, als Prosper erwartet hatte. Aber als sie in der Stadt ankamen, wurde es schon Herbst und die Luft war nicht warm und weich, wie er sie sich vorgestellt hatte. Ein feuchter Wind strich ihnen entgegen, als sie die Stufen am Bahnhof hinabstiegen, Seite an Seite, in viel zu dünnen

Sachen, mit nichts als einem Rucksack und einer kleinen Tasche. Prospers Taschengeld war schnell aufgebraucht, und schon nach der zweiten Nacht auf den feuchten Gassen begann Bo zu husten – so furchtbar, dass Prosper ihn bei der Hand nahm und sich auf die Suche nach dem nächsten Polizisten machte. »*Scusi*«, wollte er sagen, mit den paar Brocken Italienisch, die er damals konnte, »wir sind weggelaufen, aber mein Bruder ist krank. Würden Sie meine Tante anrufen, damit sie ihn abholt?«

So verzweifelt war er gewesen. Aber dann tauchte Wespe auf.

Sie nahm Bo und Prosper mit ins Versteck zu Riccio und Mosca, wo sie trockene Sachen und etwas Warmes zu essen bekamen. Und sie erklärte Prosper, dass es mit dem Hunger und dem Stehlen erst mal ein Ende hatte, weil Scipio, der Herr der Diebe, für sie sorgen würde. So wie er es für Wespe und ihre Freunde tat, für Riccio und Mosca.

»Die anderen warten bestimmt schon auf uns.« Wespes Stimme schreckte Prosper so abrupt aus seinen Gedanken, dass er für einen Moment nicht wusste, wo er war. Zwischen den Häusern roch es nach Kaffee, nach süßem Gebäck und Mäusedreck. Zu Hause hatte es ganz anders gerochen.

»Genau. Wir müssen auch noch aufräumen«, meinte Bo. »Scipio mag es nicht, wenn alles so dreckig ist.«

»Na, du hast es gerade nötig!«, spottete Prosper. »Wer hat gestern den Eimer Kanalwasser im Versteck umgekippt?«

»Und den Mäusen legt er heimlich Käse hin.« Wespe kicherte, als Bo ihr ärgerlich den Ellbogen in die Seite stieß. »Dabei hasst der Herr der Diebe nichts so sehr wie Mäusekötel. Leider ist das wunderbare Versteck, das er uns besorgt hat, voll davon, und schwer zu heizen ist es auch. Vielleicht wäre ein weniger herrschaftliches Versteck praktischer gewesen, aber davon will Scipio ja nichts hören.«

»Sternenversteck«, verbesserte Bo und lief den beiden Größeren nach, als sie in eine Gasse einbogen, die nicht von Menschen wimmelte. »Scipio sagt, es heißt ›Sternenversteck‹.«

Wespe verdrehte die Augen. »Pass auf, bald hört Bo nicht mehr auf dich, sondern nur noch auf das, was Scipio sagt«, flüsterte sie Prosper zu.

»Na und? Was soll ich dagegen machen?«, entgegnete Prosper.

Bo wusste genau, dass sie es nur Scipio zu verdanken hatten, dass sie nicht mehr auf der Straße schlafen mussten, jetzt, wo abends der Nebel über den Kanälen hing und feucht und grau durch die Gassen zog. Scipio hatte mit seinen Raubzügen den Geldbeutel gefüllt, mit dem sie heute die Nudeln und das Obst bezahlt hatten. Scipio hatte die Schuhe besorgt, die Bo die kalten Füße wärmten – auch wenn sie ihm etwas zu groß waren. Scipio sorgte dafür, dass sie essen konnten, ohne dafür stehlen zu müssen, und nur durch ihn hatten sie plötzlich wieder ein Zuhause, ohne Esther. Aber Scipio war ein Dieb.

Die Gassen, durch die sie kamen, wurden enger. Still wurde es zwischen den Häusern, und bald waren sie im verborgenen Herzen der Stadt, wo man nur selten auf Fremde stieß. Katzen huschten davon, als sie die Schritte der Kinder hörten. Tauben gurrten von den Dächern, und unter hundert Brücken schwappte das Wasser, leckte an Booten und hölzernen Pfählen und zeigte den Häusern ihre alten Gesichter in seinem schwarzen Spiegel. Tiefer und tiefer hinein in das Gewirr der Gassen liefen die Kinder, an Häusern vorbei, die so dicht standen, als beugten sie sich über sie wie Wesen aus Stein, die sie um ihre Füße beneideten.

Das Haus, in dem ihr Versteck war, stand zwischen den anderen wie ein Kind zwischen Erwachsenen, flach und schmucklos zwischen all den höheren Giebeln. Mit vernagelten Fenstern blickte es auf die Gasse hinaus. An den Mauern klebten verblichene Filmplakate und ein Rollladen, breit und rostig, verschloss die Eingangstür. Große Leuchtbuchstaben hingen schief darüber. STELLA. Leuchten tat er längst nicht mehr, der Name des verlassenen Kinos, das so gar nicht in die alte Stadt zu passen schien. Aber das war denen, die es jetzt beherbergte, nur recht.

Wespe warf einen wachsamen Blick nach links und rechts, Prosper vergewisserte sich, dass auch niemand aus den Fenstern auf sie herabsah, dann verschwanden sie einer nach dem anderen in dem schmalen Durchgang, der nur wenige Schritte entfernt vom Haupteingang des Kinos zwischen den Häusern klaffte.

Sie waren wieder zu Hause.

DAS STERNENVERSTECK

Eine Wasserratte huschte erschrocken davon, als die Kinder sich den engen Gang hinuntertasteten. Der Weg führte zu einem Kanal, wie so viele Gassen und Gänge der Stadt, aber Wespe, Prosper und Bo folgten ihm nur bis zu einer Metalltür, die auf der rechten Seite in der fensterlosen Mauer war. Mit ungelenken Buchstaben hatte jemand *vietato l'ingresso* darauf gepinselt, Betreten verboten. Früher war dies einer der Notausgänge des Kinos gewesen, jetzt verbarg sich hinter der Tür ein Versteck, von dem nur sechs Kinder etwas wussten.

Prosper zog zweimal kräftig an der Schnur, die neben der Tür baumelte, wartete einen Moment und zog dann noch einmal. Das war ihr Zeichen, aber es dauerte eine ganze Weile, bis jemand öffnete. Bo trat schon ungeduldig von einem Fuß auf den anderen, als sie endlich hörten, wie der Riegel zurückgeschoben wurde. Nur einen schmalen Spalt breit öffnete sich die Tür. »Parole?«, fragte eine misstrauische Stimme.

»Komm, Riccio, du weißt doch, dass wir uns die nie merken können!«, raunte Prosper ärgerlich.

Und Wespe trat auf den Spalt zu und zischte hinein: »Siehst du

die Tüten in meiner Hand, Igelchen? Die habe ich vom Rialto-
markt bis hierher geschleppt. Meine Arme sind bald lang wie
Affenarme, also mach endlich auf!«

»Ja, ja, schon gut. Aber wehe, Bo verpetzt mich wieder bei Scipio,
wie letztes Mal!« Mit besorgtem Gesicht öffnete Riccio die Tür.
Mager war er und einen ganzen Kopf kleiner als Prosper, obwohl
er nicht viel jünger war. Zumindest behauptete Riccio das. Sein
braunes Haar stand ihm so struppig vom Kopf ab, dass es ihm seinen Spitznamen eingebracht hatte: Riccio – der Igel.

»Keiner von uns kann sich Scipios Parolen merken!«, schimpfte
Wespe, während sie sich an ihm vorbeischob. »Das Klingelzeichen
reicht doch.«

»Da ist Scipio anderer Meinung.« Sorgfältig schob Riccio wieder
den Riegel vor.

»Dann soll er sich Parolen ausdenken, die man sich leichter merken kann. Weißt *du* etwa noch die vom letzten Mal?«

Riccio kratzte sich den struppigen Kopf. »Warte mal – *Katago di-
deldum est*. Oder so.«

Bo kicherte und Wespe verdrehte die Augen.

»Wir haben schon mit dem Aufräumen angefangen«, erzählte
Riccio, als er ihnen mit der Taschenlampe den dunklen Flur ent-
langleuchtete. »Aber sehr weit sind wir noch nicht gekommen.
Mosca will immer nur an seinem Radio rumbasteln. Und bis vor
einer Stunde haben wir vor dem Palazzo Pisani herumgestanden.
Warum Scipio sich ausgerechnet den Palast für seinen nächsten
Raubzug ausgesucht hat, ist mir ein Rätsel. Fast jeden Abend ist
dort irgendetwas los, Feste, Empfänge, ich glaub, alle vornehmen
Familien der Stadt geben sich da die Klinke in die Hand. Wie will
Scipio da jemals unbeobachtet reinkommen?«

Prosper zuckte nur die Achseln. Ihn und Bo hatte der Herr der

Diebe bisher noch nicht zum Kundschaften geschickt, obwohl Bo Scipio ständig darum anbettelte. Meistens zogen Riccio und Mosca los, wenn es um das Beobachten der Paläste ging, denen Scipio einen nächtlichen Besuch abstatten wollte. Seine Augen nannte er die zwei, während Wespe dafür zuständig war, dass das Geld vom Verkauf seiner Beute nicht zu schnell ausgegeben wurde. Prosper und Bo, als neueste Schützlinge des Herrn der Diebe, hatten bisher höchstens mitkommen dürfen, wenn die Beute verkauft wurde oder Einkäufe erledigt werden mussten, so wie heute. Prosper war das nur recht. Aber Bo wäre zu gern mit Scipio in die vornehmen Häuser der Stadt geschlichen, um all die wunderbaren Dinge zu stehlen, die der Herr der Diebe von seinen Beutezügen mitbrachte.

»Scipio kommt überall rein«, verkündete Bo, während er neben Riccio herhüpfte. Zwei Sprünge auf dem linken Fuß, zwei Hüpfer auf dem rechten – Bo bewegte sich selten vorwärts, ohne zu hüpfen oder zu rennen. »Er hat was aus dem Dogenpalast gestohlen, und keiner hat ihn erwischt. Weil er eben der Herr der Diebe ist.«

»Ja, der Einbruch in den Dogenpalast. Wie könnten wir den vergessen!« Wespe warf Prosper einen spöttischen Blick zu. »Selbst ihr habt die Geschichte doch bestimmt schon hundertmal zu hören bekommen, oder?«

Prosper grinste nur.

»Also, ich könnte sie mir tausendmal anhören«, meinte Riccio und schob einen dunklen, muffig riechenden Vorhang zurück. Der Kinosaal, der dahinter lag, war noch nicht sehr alt und trotzdem in schlechterem Zustand als so manches Haus der Stadt, das schon viele hundert Jahre stand. Dort, wo einmal große Kristallleuchten gehangen hatten, ragten nur noch verstaubte Kabel aus der Wand. Die Kinder hatten ein paar Baulampen aufgestellt, die den Saal notdürftig erleuchteten, aber selbst in ihrem spärlichen Licht konnte man sehen, dass von der Decke an vielen Stellen der Putz bröckelte. Die Sitzreihen waren irgendwann abgebaut und fortgeschafft worden, nur die vordersten drei Reihen standen noch, und in jeder fehlten ein paar Klappsessel. In die weichen roten Polster hatten Mäuse ihre Nester gebaut und an dem sternenbestickten Vorhang, hinter dem sich die Leinwand verbarg, fraßen die Motten. Trotzdem hatte er sich seine alte Pracht erhalten. Das Goldgarn auf dem mattblauen Stoff glitzerte immer noch so verheißungsvoll, dass Bo mindestens einmal am Tag mit der Hand über die gestickten Sterne strich.

Auf dem blanken Boden vor dem Vorhang hockte ein Junge und schraubte an einem alten Radio herum. Er war so versunken in die Arbeit, dass er nicht bemerkte, wie Bo sich an ihn heranschlich. Erst als Bo ihm auf den Rücken sprang, fuhr Mosca erschrocken herum. »Verdammt noch mal, Bo!«, rief er. »Ich hätte mir fast den Schraubenzieher in die Hand gerammt.«

Aber Bo hüpfte schon kichernd davon. Geschickt wie ein Eichhörnchen kletterte er über die Klappsitze.

»Na warte, du kleine Wasserratte!«, brüllte Mosca, während er versuchte, ihm den Weg abzuschneiden. »Diesmal kitzle ich dich durch, bis du platzt, wenn ich dich erwische!«

»Prop, hilf mir!«, rief Bo, aber Prosper stand nur grinsend da und rührte keinen Finger, als Mosca sich seinen kleinen Bruder wie ein Paket unter den Arm klemmte. Mosca war der Größte und Kräftigste von ihnen allen, und sosehr Bo auch strampelte und um sich schlug, Mosca ließ nicht los. Seelenruhig trug er ihn zu den anderen zurück.

»Was meint ihr, soll ich ihn kitzeln oder unter meinem Arm verhungern lassen?«, fragte er.

»Lass los, du Kohlenstaubgesicht!«, schrie Bo. Moscas Haut war so dunkel, dass Riccio immer behauptete, er müsse sich nur in den Schatten stellen und keiner würde ihn je wieder finden.

»Na gut, einmal begnadige ich dich noch, Zwerg!«, sagte Mosca, als Bo immer verzweifelter zappelte, um sich aus seinem Griff zu befreien. »Habt ihr die Farbe für mein Boot mitgebracht?«

»Nein. Wir kaufen sie, wenn Scipio neue Beute bringt«, antwortete Wespe und lud ihre Tüten auf einem der Sessel ab. »Im Moment ist sie zu teuer.«

»Aber wir haben doch noch genug in der Notkasse!« Mosca stellte Bo wieder auf seine eigenen Füße und verschränkte ärgerlich die Arme. »Was willst du mit all dem Geld?«

»Wie oft soll ich euch das noch erklären? Das Geld ist für schlechte Zeiten.« Wespe zog Bo an ihre Seite. »Wie sieht es aus, schaffst du es, die Vorräte vorn in die Truhe zu bringen?«

Bo nickte und schoss so schnell davon, dass er sich fast auf die Nase legte. Eine Tüte nach der anderen schleppte er zu der großen Doppeltür, durch die früher die Zuschauer ins Kino gedrängt waren. Im Eingangsraum dahinter stand immer noch die Truhe für Eis und Getränke. Funktionieren tat sie schon lange nicht mehr, aber als Vorratstruhe war sie noch zu gebrauchen.

Während Bo die schweren Tüten hinausbrachte, kniete Mosca sich enttäuscht wieder vor sein Radio. »Zu teuer!«, schimpfte er. »Wenn wir noch lange mit dem Anstrich warten, ist mein Boot verfault. Aber das ist euch egal, weil ihr alle wasserscheue Landratten seid. Für Wespes Bücher ist immer Geld da.«

Darauf antwortete Wespe nicht. Schweigend begann sie Papier und anderen Müll vom Boden aufzusammeln, während Prosper die Mäusekötel zusammenfegte. Wespe hatte wirklich viele Bücher. Und ab und zu kaufte sie eins, das stimmte, aber die meisten, die sie besaß, waren billige Taschenbücher, die Touristen weggeworfen hatten. Wespe fischte sie aus Mülleimern und Papierkörben, fand sie unter den Sitzen der Vaporetto-Boote oder am Bahnhof. Ihre Matratze war kaum zu sehen, so hoch stapelten sich die Bücher davor.

Sie alle hatten ihren Schlafplatz im hinteren Teil des Kinos, dicht beieinander, denn nachts, wenn sie die Lichter gelöscht und die letzte Kerze ausgeblasen hatten, füllte sich der große, fensterlose Saal mit solcher Schwärze, dass sie sich alle käferklein und verloren fühlten. Gegen das Gefühl half nur die Wärme der anderen.

Riccios Matratze war bedeckt mit zerfledderten Comicheften und in seinem Schlafsack steckten so viele Stofftiere, dass er gerade noch selbst hineinpasste. Moscas Bett erkannte man an der Werkzeugkiste und den Angelruten, zwischen denen er schlief. Außerdem lag unter seinem Kissen sein größter Schatz, sein Glücksbringer: ein kupfernes Seepferd, das genauso aussah wie die Seepferde, die die meisten Gondeln schmückten. Mosca schwor, dass er es keineswegs von einer Gondel gestohlen, sondern aus dem Kanal hinter dem Kino gefischt habe. »Glücksbringer, die man gestohlen hat«, sagte er, »bringen nur Unglück. Das weiß doch jeder.«

Bo und Prosper teilten sich eine Matratze. Dicht aneinander gedrängt schliefen sie darauf. Neben dem Kopfende lag, sorgfältig aufgereiht, Bos Plastikfächersammlung: sechs Stück, alle noch gut erhalten. Am schönsten fand Bo immer noch den, den Prosper am Tag ihrer Ankunft am Bahnhof gefunden hatte.

Der Herr der Diebe schlief nie bei seinen Schützlingen im Sternenversteck. Keiner von ihnen wusste, wo Scipio die Nächte verbrachte, und er redete nicht darüber. Ab und zu machte er geheimnisvolle Andeutungen über eine verlassene Kirche, aber als Riccio ihm einmal nachgeschlichen war, hatte Scipio ihn dabei erwischt und war so wütend geworden, dass niemand seither gewagt hatte, ihm auch nur nachzusehen, wenn er sie verließ. Sie hatten sich daran gewöhnt: Ihr Anführer kam und ging, wie er wollte. Manchmal tauchte er drei Tage hintereinander auf, dann wieder sahen sie ihn fast eine Woche nicht.

Doch heute wollte er kommen. Fest versprochen hatte er es. Und wenn Scipio ankündigte, dass er kam, dann kam er auch. Wann, wusste man allerdings nie. Als Bo schon fast auf Prospers Schoß einschlief und die Zeiger von Riccios Wecker bald elf Uhr zeigten, krochen sie alle unter ihre Decken, und Wespe begann vorzulesen. Sonst tat sie das, damit sie einschliefen, um die Angst vor den Träumen zu verscheuchen, die in der Dunkelheit auf sie warteten. Aber an diesem Abend las Wespe, um sie wach zu halten, bis Scipio endlich kam. Die spannendste Geschichte suchte sie aus ihren Bücherbergen, während die anderen die Kerzen anzündeten, die in leeren Flaschen und Aschenbechern zwischen den Matratzen standen. In den einzigen Leuchter, den sie besaßen, steckte Riccio fünf ganz neue Kerzen, lang und schlank, aus bleichem Wachs.

»Riccio?«, fragte Wespe, als alle schon gespannt um sie herumlagen und auf die Geschichte warteten. »Wo hast du denn die Kerzen her?«

Verlegen vergrub Riccio das Gesicht zwischen seinen Stofftieren. »Aus der Salute-Kirche«, murmelte er. »Da liegen mindestens hundert oder tausend von den Dingern rum, da macht es doch wirklich nichts, wenn ich ab und zu ein paar mitnehme. Was sollen wir dafür unser schönes Geld ausgeben? Ehrenwort ...«, er grinste Wespe an, »ich werf der Jungfrau Maria auch immer für jede Kerze eine Kusshand zu.«

Wespe verbarg seufzend das Gesicht in ihren Händen.

»Ach, komm, fang an zu lesen!«, sagte Mosca ungeduldig. »Kein

Carabiniere wird Riccio dafür verhaften, dass er ein paar Kerzen klaut, oder?«

»Vielleicht aber doch!«, murmelte Bo und schmiegte sich gähnend an Prosper, der sich abmühte, die Löcher in den Hosen seines kleinen Bruders zu stopfen. »Riccios Schutzengel darf ihn nämlich dabei nicht beschützen. Beim Kirchenkerzenklauen, mein ich. Nee, das darf er ganz bestimmt nicht.«

»Ach, was! Blödsinn. Schutzengel!« Riccio verzog verächtlich das Gesicht, aber etwas beunruhigt klang seine Stimme doch.

Fast eine Stunde las Wespe vor, während draußen die Nacht immer schwärzer wurde und all die, die die Stadt am Tag mit Lärm erfüllt hatten, längst in ihren Betten lagen. Aber irgendwann rutschte ihr das Buch aus den Fingern und es fielen auch ihr die Augen zu. So schliefen sie alle tief und fest, als Scipio kam.

DER HERR DER DIEBE

Prosper wusste nicht, was ihn geweckt hatte, Riccios Gemurmel im Schlaf oder Scipios leise Schritte. Als er hochfuhr, löste sich die schmale Gestalt aus der Dunkelheit, als träte sie aus einem bösen Traum. Kinn und Mund leuchteten hell unter der schwarzen Maske, die Scipios Augen verbarg. Die lange, gekrümmte Nase gab ihm das Aussehen eines gespenstischen Vogels. Ähnliche Masken hatten die Ärzte Venedigs getragen, als vor mehr als dreihundert Jahren die Pest in der Stadt wütete. Totenvögel. Lächelnd zog der Herr der Diebe sich das unheimliche Ding vom Gesicht.

»Hallo, Prop«, sagte er und ließ das Licht seiner Taschenlampe über die schlafenden Gesichter der anderen streifen. »Tut mir Leid, dass es so spät geworden ist.«

Prosper schob vorsichtig Bos Arm von seiner Brust und setzte sich auf. »Irgendwann erschreckst du noch jemanden zu Tode mit dieser Maske«, sagte er mit gesenkter Stimme. »Wie hast du dich wieder hier reingeschlichen? Diesmal hatten wir wirklich alles verriegelt.«

Scipio zuckte die Achseln und fuhr sich mit schlanken Fingern durch das pechschwarze Haar. Es war so lang, dass er es meistens zu einem Zopf zusammenband. »Du weißt doch: Wo ich hinein-will, komme ich auch hinein.«

Scipio, der Herr der Diebe.

Er war kaum älter als Prosper, obwohl er gern den Erwachsenen spielte, und ein ganzes Stück kleiner als Mosca, selbst mit den hochhackigen Stiefeln, die er immer trug. Viel zu groß waren sie ihm, aber immer auf Hochglanz poliert, schwarze Lederstiefel, schwarz wie die seltsame lange Jacke, ohne die man ihn nie zu Ge-sicht bekam. Die Schöße reichten ihm bis an die Kniekehlen.

»Weck die anderen!«, befahl Scipio in dem herablassenden Ton, den Wespe so hasste. Prosper beachtete ihn einfach nicht.

»Mich habt ihr schon geweckt!«, brummte Mosca hinter ihnen und richtete sich gähnend zwischen seinen Angelruten auf. »Schläfst du nie, Herr der Diebe?«

Scipio antwortete nicht. Wie ein Gockel schritt er durch den Ki-nosaal, während Mosca und Prosper die anderen wachrüttelten.

»Ich sehe, ihr habt aufgeräumt!«, rief er. »Gut. Letztes Mal sah es hier aus wie in einem Schweinestall.«

»Hallo, Scip!« Bo krabbelte so hastig aus seinem Schlafsack, dass er fast über die eigenen Hände stolperte. Barfuß rannte er auf Scipio zu. Bo war der Einzige, der den Herrn der Diebe Scip nen-nen durfte, ohne dafür einen eisigen Blick zu ernten. »Was hast du diesmal gestohlen?«, fragte er aufgeregt. Wie ein junger Hund sprang er um Scipio herum. Mit einem Lächeln nahm der Herr der Diebe einen schwarzen Beutel von der Schulter.

»Hatten wir diesmal alles richtig ausgekundschaftet?«, fragte Ric-cio und kroch zwischen seinen Stofftieren hervor. »Sag schon.«

»Irgendwann küsst er ihm noch die Stiefel!«, murmelte Wespe, so

33

leise, dass nur Prosper es hörte. »Aber ich für meinen Teil wäre froh, wenn der feine Herr nicht so oft mitten in der Nacht auftauchen würde.« Sie warf Scipio einen nicht sehr freundlichen Blick zu, als sie die dünnen Beine in ihre Stiefel zwängte.

»Ich musste meine Pläne kurzfristig ändern!«, verkündete Scipio, sobald alle um ihn herumstanden, und warf Riccio eine zusammengefaltete Zeitung zu. »Lies vor. Seite vier. Ganz oben.«

Gespannt kniete Riccio sich auf den Boden und blätterte in den großen Seiten. Mosca und Prosper beugten sich über seine Schulter, aber Wespe blieb etwas abseits stehen und spielte mit ihrem Zopf herum.

»*Spektakulärer Einbruch im Palazzo Contarini*«, las Riccio stockend vor. »*Wertvoller Schmuck und diverse Kunstgegenstände geraubt. Keine Spur von den Tätern!*« Erstaunt hob er den Kopf. »Contarini? Wir haben doch den Palazzo Pisani beobachtet.«

Scipio zuckte die Schultern. »Ich habe es mir eben anders überlegt. Der Palazzo Pisani kommt später. Er läuft ja nicht weg, oder? Im Palazzo Contarini ...«, er schwenkte den Beutel, den er mitgebracht hatte, vor Riccios Nase, »... war auch einiges zu holen.«

Einen Augenblick lang weidete er sich an den gespannten Gesichtern um ihn herum, dann hockte er sich im Schneidersitz vor den Sternenvorhang und schüttete den Inhalt des Beutels vor sich auf den Boden. »Den Schmuck habe ich schon verkauft«, erklärte er, während die anderen andächtig näher traten. »Ich hatte noch ein paar Schulden zu begleichen, und neues Werkzeug brauchte ich auch, aber das hier ist für euch.«

Silberne Löffel blitzten auf dem frisch gefegten Boden, ein Medaillon, eine Lupe, um deren Griff sich eine geschuppte Silberschlange wand, und eine goldene Zange, besetzt mit winzigen Steinchen, deren Griff wie eine Rose geformt war.

Bo beugte sich mit großen Augen über Scipios Beute. Vorsichtig, als könnten ihm die Kostbarkeiten zwischen den Fingern zerbrechen, nahm er ein glitzerndes Teil nach dem anderen in die Hand, betastete es und legte es wieder zu den anderen. »Alles ganz echt, oder?«, fragte er und sah Scipio an.

Der nickte nur spöttisch, reckte die Arme, zufrieden mit sich und der Welt, und ließ sich auf die Seite sinken. »Nun, was sagt ihr? Bin ich der Herr der Diebe?«

Riccio nickte nur andächtig, und selbst Wespe konnte nicht verbergen, dass sie beeindruckt war.

»Mann, irgendwann werden sie dich doch noch mal erwischen«, murmelte Mosca, während er die Schlangenlupe bestaunte.

»Ach was!« Scipio rollte sich auf den Rücken und blickte zur Decke hinauf. »Zugegeben, diesmal war es etwas knapp. Die Alarmanlage war nicht so altmodisch, wie ich erwartet hatte, und die Hausherrin ist wach geworden, als ich ihr gerade das Medaillon vom Nachttisch gepflückt habe. Aber ich war schneller auf dem Dach des Nachbarhauses, als die Dame aus ihrem Bett gekommen ist.« Er zwinkerte Bo zu, der sich bewundernd an sein Knie lehnte.

»Wozu braucht man denn das hier?«, fragte Wespe und hielt die Rosenzange hoch. »Zupft man sich damit die Haare aus den Nasenlöchern?«

»Herrgott, nein!« Scipio richtete sich auf und nahm ihr die Zange ungnädig aus den Fingern. »Das ist eine Zuckerzange.«

»Woher du so was alles bloß weißt!« Riccio musterte Scipio mit einer Mischung aus Bewunderung und Neid. »Du bist doch im Waisenhaus aufgewachsen, genau wie ich, aber uns haben die Nonnen nie was von Zuckerzangen oder so erzählt.«

»Nun, es ist ja auch schon eine Weile her, dass ich aus dem Waisenhaus weggelaufen bin«, antwortete Scipio und klopfte sich den

Staub von der schwarzen Jacke. »Außerdem stecke ich im Gegensatz zu dir die Nase nicht den ganzen Tag nur in Comichefte ...«
Verlegen starrte Riccio auf den Boden.

»Also, ich lese nicht nur Comichefte!«, sagte Wespe und legte Riccio den Arm um die Schultern. »Trotzdem habe ich noch nie was von einer Zuckerzange gehört, und wenn, dann wäre ich bestimmt nicht so albern, mir darauf was einzubilden!«

Scipio räusperte sich und wich ihrem Blick aus. Dann murmelte er: »War nicht so gemeint, Riccio. Du kommst auch durchs Leben, ohne zu wissen, was eine Zuckerzange ist. Aber ich sage euch, das kleine Ding ist einiges wert. Deshalb lasst euch diesmal von Barbarossa einen besseren Preis für die Sachen machen, verstanden?«

»Und wie?« Mosca wechselte einen ratlosen Blick mit den anderen. »Letztes Mal haben wir uns wirklich Mühe gegeben, aber der Fettwanst ist einfach zu schlau für uns.«

Zerknirscht sahen sie Scipio an. Seit er ihr Anführer und Versorger war, übernahm er das Stehlen, und ihre Aufgabe war es, seine Beute zu Geld zu machen. Scipio hatte ihnen zwar gesagt, an wen sie sich wenden mussten, aber das Handeln überließ er ihnen. Der Einzige in der Stadt, der Geschäfte mit einer Bande Kinder machte, war Ernesto Barbarossa, der dicke Rotbart, der in seinem Antiquitätenladen billigen Kitsch an die Touristen verkaufte und nebenher ganz unauffällig mit wertvolleren und meistens gestohlenen Dingen handelte.

»Wir können das alle nicht!«, fuhr Mosca fort. »Verhandeln und feilschen und so was. Und das nutzt der Rotbart schamlos aus, wenn ihr mich fragt.«

Scipio runzelte die Stirn und spielte nachdenklich mit der Kordel seines leeren Beutels.

»Prop kann gut feilschen«, sagte Bo plötzlich. »Sehr gut sogar.

Früher, wenn wir was auf dem Flohmarkt verkauft haben, da hat er immer so ein Steingesicht gemacht, dass ...«

»Sei still, Bo!«, unterbrach Prosper seinen kleinen Bruder. Krebsrote Ohren hatte er vor Verlegenheit. »Altes Spielzeug verkaufen ist doch was anderes als so was da ...« Nervös nahm er Bo das kleine Medaillon aus der Hand.

»Wieso ist das was anderes?« Scipio musterte ihn, als könnte er an Prospers Gesicht ablesen, ob Bo Recht hatte oder nicht.

»Also, ich wäre heilfroh, wenn du das übernimmst, Prop«, sagte Mosca.

»Ja.« Wespe schüttelte sich. »Mir wird schon ganz anders, wenn der Rotbart mich nur anguckt mit seinen kleinen Schweinsaugen. Ich denk immer, er lacht uns heimlich aus oder ruft gleich die Polizei oder tut sonst was Gemeines. Ich kann es jedes Mal kaum erwarten, wieder aus seinem Laden rauszukommen.«

Prosper kratzte sich verlegen hinterm Ohr. »Na gut, wenn ihr meint«, murmelte er. »Feilschen kann ich wirklich ganz gut. Aber dieser Barbarossa ist ein gerissener Kerl. Ich war ja letztes Mal dabei, als Mosca ihm was verkauft hat ...«

»Versuch es.« Ohne ein weiteres Wort sprang Scipio auf und hängte sich den leeren Beutel wieder über die Schulter. »Ich muss los. Ich habe noch eine Verabredung heute Nacht. Aber ich komme morgen wieder. Irgendwann ...«, er schob sich die Maske über die Augen, »... am späten Nachmittag. Ich will schließlich hören, was der Rotbart euch für die Sachen gezahlt hat. Wenn er weniger als ...«, nachdenklich blickte er auf seine Beute hinunter, »also, wenn er weniger als zweihunderttausend Lire bietet, dann nehmt das Zeug erst mal wieder mit.«

»Zweihunderttausend?« Riccio blieb vor Ehrfurcht der Mund offen stehen.

»Die Sachen sind bestimmt noch viel mehr wert«, murmelte Prosper.

Scipio drehte sich um. »Wahrscheinlich«, sagte er über die Schulter. Unheimlich sah er aus mit der langen schwarzen Vogelnase, fremd. Die Baulampen warfen seinen Schatten riesig gegen die Wand des Kinos. »Bis dann«, sagte er. Und drehte sich noch einmal um, bevor er hinter dem muffigen Vorhang verschwand. »Brauchen wir eine neue Parole?«

»Nein!«, kam es einstimmig und sehr eilig zurück.

»Gut. Ach ja, Bo …« Scipio wandte sich noch einmal um. »Da hinter dem Vorhang steht ein Pappkarton. Da sind zwei kleine Katzen für dich drin. Jemand wollte sie im Kanal ertränken. Kümmere dich um sie, ja? Gute Nacht allerseits.«

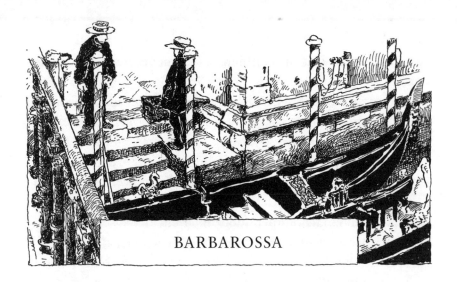

BARBAROSSA

Der Laden, in dem sich schon so manche Beute des Herrn der Diebe in bares Geld verwandelt hatte, lag in einer Gasse unweit der Basilica San Marco, gleich neben einer Pasticceria, hinter deren Fenster sich gebackene Köstlichkeiten jeder Form und Größe stapelten.

»Nun komm schon!«, sagte Prosper ungeduldig, als Riccio sich die Nase an der Scheibe platt drückte, und Riccio ließ sich widerwillig weiterzerren, die Nase voller Mandelduft.

In Barbarossas Laden roch es nicht halb so gut. Von außen unterschied er sich kaum von all den anderen Trödelläden, die es in der Stadt des Mondes gab. *Ernesto Barbarossa* stand in schnörkeliger Schrift auf dem Glas des Schaufensters, *Ricordi di Venezia*. Dahinter thronten auf fadenscheinigem Samt Vasen und wuchtige Kerzenhalter, umstanden von Gondeln und Insekten aus Glas. Dünnwandiges Porzellan stritt mit Stapeln alter Bücher um einen Platz, Bilder in angelaufenen Silberrahmen lehnten sich neben Masken aus Papier. Bei Barbarossa fand jeder, was sein Herz begehrte, und was der Rotbart nicht in seinen Regalen hatte, besorgte er. Wenn nötig, auch auf krummen Wegen.

Als Prosper die Ladentür öffnete, läuteten Dutzende von Glasglöckchen über seinem Kopf. Einige Touristen drängten sich zwischen den voll gestellten Regalen. Sie tuschelten miteinander, so leise und andächtig, als befänden sie sich in einer Kirche. Vielleicht lag es an den Kronleuchtern, die von der dunklen Ladendecke hingen und mit bunten Glasblumen klirrten, oder an all den Kerzen, die in schweren Leuchtern brannten, obwohl draußen die Sonne schien. Mit gesenkten Köpfen drängten Prosper und Riccio sich an den Fremden vorbei. Einer hielt eine kleine Statue in der Hand, die Mosca dem Rotbart vor zwei Wochen verkauft hatte. Als Prosper das Preisschild sah, das unter ihrem Sockel klebte, stieß er fast die große Gipsfigur um, die mitten im Laden stand.

»Weißt du noch, was Barbarossa uns für die Figur da bezahlt hat?«, fragte er Riccio.

»Nein. Du weißt, ich kann mir keine Zahlen merken.«

»Na, jetzt hängen an der Zahl auf jeden Fall zwei Nullen mehr«, flüsterte Prosper. »Kein schlechtes Geschäft für den Rotbart, oder?« Er trat an den Ladentisch und drückte auf den Klingelknopf neben der Kasse, während Riccio der maskierten Dame, die von einem Bild auf sie herablächelte, Grimassen schnitt. Den Spaß machte er sich jedes Mal, denn in der schwarzen Maske der Dame verbarg sich ein Guckloch, durch das Barbarossa beobachtete, ob seine Kundschaft ihn bestahl.

Nur ein paar Sekunden verstrichen, dann raschelte der Perlenvorhang in der Ecke und Ernesto Barbarossa erschien persönlich. Der Rotbart war so dick, dass Prosper sich jedes Mal wunderte, mit welcher Behändigkeit er sich durch den voll gestopften Laden bewegte.

»Ich hoffe, ihr habt diesmal etwas Besseres für mich!«, raunte er ihnen zu, doch weder Prosper noch Riccio entging, dass er die Tasche, die Prosper gegen seine Brust presste, so gierig musterte wie ein hungriger Kater eine fette Maus.

»Ich glaube, Sie werden zufrieden sein!«, antwortete Prosper. Riccio sagte nichts, er starrte Barbarossas fuchsroten Bart an, als erwarte er, dass im nächsten Moment irgendetwas herauskrabbeln könnte.

»Was stierst du meinen Bart so an, du Frettchen?«, knurrte der Rotbart.

»Ach, ich, ich …«, Riccio geriet ins Stottern, »ich hab mich nur gefragt, ob er echt ist. Echt rot, meine ich.«

»Natürlich! Willst du etwa behaupten, ich färbe ihn?«, raunzte Barbarossa ihn an. »Auf was für lächerliche Ideen ihr Zwerge doch kommt.« Er fuhr sich mit seinen dicken, beringten Fingern durch den Bart und wies mit dem Kopf unauffällig zu den Touristen, die immer noch tuschelnd zwischen den Regalen standen. »Ich werde die da so schnell wie möglich abfertigen«, raunte er. »Geht schon mal in mein Büro, aber dass ihr mir ja nichts anrührt, verstanden?«

Prosper und Riccio nickten und verschwanden hinter dem Perlenvorhang.

In Barbarossas Büro sah es völlig anders aus als in seinem Laden. Dort gab es keine Kronleuchter, brennenden Kerzen oder Glaskäfer. Das Licht in dem fensterlosen Raum kam von einer Neonröhre, und außer dem großen Schreibtisch und dem gewaltigen Ledersessel dahinter gab es nur zwei Stühle, deckenhohe Regale voll mit sorgsam beschrifteten Kisten und ein Plakat vom Accademia-Museum, das hinter dem Sessel an der kahlen weißen Wand hing.

Unter Barbarossas Guckloch stand eine gepolsterte Sitzbank. Riccio stieg hinauf und lugte in den Laden. »Das musst du dir ansehen, Prop!«, flüsterte er. »Der Rotbart schnurrt wie ein fetter

Kater um diese Touristen herum! Ich glaube, aus diesem Laden kommt keiner raus, ohne irgendwas gekauft zu haben.«

»Ja, und ganz bestimmt zu teuer.« Prosper stellte die Tasche mit Scipios Beute auf einem Stuhl ab und sah sich um.

»Bestimmt färbt er ihn«, murmelte Riccio, ohne das Auge von dem Guckloch zu nehmen. »Ich hab mit Wespe um drei Comichefte gewettet, dass er es tut.« Barbarossas Kopf war kahl wie eine Christbaumkugel, aber sein Bart wuchs dicht und kraus. Und war rot wie Fuchsfell. »Ich glaub, hinter der Tür da ist ein Bad. Kannst du mal nachsehen, ob er dadrin was zum Färben stehen hat?«

»Wenn es sein muss.« Prosper trat zu der schmalen Tür, von der das Bild einer Madonna herablächelte, und schob den Kopf hindurch. »Mann, hier ist fast so viel Marmor wie im Dogenpalast«, hörte Riccio ihn sagen. »Das vornehmste Klo, das ich gesehen habe.«

Riccio presste wieder ein Auge gegen das Guckloch. »Prosper, komm da wieder raus!«, rief er leise. »Der Rotbart schiebt sie schon aus der Tür und schließt ab.«

Aber Prosper kam nicht. »Er färbt ihn, Riccio!«, rief er. »Die Flasche steht gleich neben seinem stinkenden Rasierwasser. Puh, riecht das widerlich! Soll ich als Beweis ein Stück Klopapier rot färben?«

»Nein! Du sollst da rauskommen!« Riccio sprang von der Sitzbank. »Schnell, er kommt zurück, verdammt noch mal.«

Der Perlenvorhang klimperte – und Prosper und Riccio saßen mit unschuldigen Gesichtern auf den Klappstühlen vor Ernesto Barbarossas Schreibtisch.

»Ich werde euch heute das Geld für einen Glaskäfer abziehen«, verkündete der Rotbart, als er sich in seinen gewaltigen Sessel fallen ließ. »Dein kleiner Bruder«, er warf Prosper einen missbilligenden Blick zu, »hat mir letztes Mal einen zerbrochen.«

»Hat er nicht«, protestierte Prosper.

»Hat er doch«, erwiderte Barbarossa ohne ihn anzusehen und nahm eine Brille aus seiner Schreibtischschublade. »Also, was habt ihr mir heute anzubieten? Ich hoffe, nicht nur Katzengold und minderwertige Silberlöffel?«

Mit ausdrucksloser Miene leerte Prosper seine Tasche auf dem Schreibtisch aus. Barbarossa lehnte sich vor, nahm die Zuckerzange, das Medaillon, die Lupe in die klobigen Finger, drehte und wendete sie, betrachtete sie von allen Seiten, während die Jungen ihn beobachteten. Keine Miene verzog er dabei, legte etwas zur Seite, nahm es noch einmal auf, schob es weg, besah es sich wieder, bis Prosper und Riccio vor Ungeduld mit den Füßen scharrten. Schließlich lehnte Barbarossa sich mit einem Seufzer zurück, legte die Brille auf den Schreibtisch und strich sich über den Bart, als kraule er den Pelz eines Tieres.

»Angebot oder Forderung?«, fragte er.

Prosper und Riccio wechselten einen raschen Blick.

»Angebot«, sagte Prosper und versuchte so auszusehen, als wüsste er ganz genau, wie viel Scipios Beute diesmal wert war.

»Angebot«, wiederholte Barbarossa, legte die Fingerspitzen gegeneinander und schloss für einen Moment die Augen. »Nun gut, ich gebe zu, diesmal sind ein, zwei ganz nette Sachen dabei, deshalb biete ich euch …«, er öffnete die Augen wieder, »… hunderttausend Lire. Weil ihr es seid.«

Riccio hielt ehrfürchtig den Atem an. Er sah all die Kuchen vor sich, die man für hunderttausend Lire bekam. Berge von Kuchen. Aber Prosper schüttelte den Kopf. »Nein«, sagte er und blickte dem Rotbart fest in die Augen. »Fünfhunderttausend, sonst kommen wir nicht ins Geschäft.«

Für einen Moment konnte Barbarossa seine Überraschung nicht

verbergen, aber er hatte sich schnell wieder im Griff und zauberte einen Ausdruck ehrlichster Empörung auf sein Mondgesicht. »Bist du verrückt geworden, Junge?«, polterte er los. »Da mache ich euch ein großzügiges Angebot, ein viel zu großzügiges Angebot, und du kommst mir mit so einer wahnwitzigen Forderung? Richtet dem Herrn der Diebe aus, dass er nicht noch einmal dumme Jungen schicken soll, wenn er weiter Geschäfte mit Barbarossa machen will!«

Riccio zog den Kopf zwischen die Schultern und warf Prosper einen besorgten Blick zu, doch der stand nur wortlos auf, öffnete seine Tasche und stopfte die Beutestücke eins nach dem anderen wieder hinein.

Barbarossa sah ihm ohne eine Regung dabei zu. Aber als Prosper nach der Zuckerzange griff, packte er seine Hand, so plötzlich, dass Prosper zusammenzuckte. »Schluss mit den Spielchen!«, knurrte der Rotbart. »Du bist ein schlaues Kerlchen. Ein bisschen zu schlau für meinen Geschmack. Aber der Herr der Diebe und ich haben bisher gute Geschäfte miteinander gemacht, und deshalb zahle ich euch vierhunderttausend, obwohl das meiste, was ihr da habt, Plunder ist. Die Zange gefällt mir. Richtet dem Herrn der Diebe aus, er soll mir öfter etwas in der Art anbieten, dann bleiben wir im Geschäft, auch wenn seine Boten so unverschämt sind wie du.« Er musterte Prosper mit einem Blick, in dem sich Ärger und Respekt mischten. »Da wäre noch etwas.« Er räusperte sich. »Fragt den Herrn der Diebe, ob er einen Auftrag annehmen würde ...«

»Einen Auftrag?« Die beiden Jungen sahen sich an.

»Ein wichtiger Kunde von mir ...«, Barbarossa schob ein paar Papiere auf seinem Schreibtisch zusammen, »... sucht einen begabten Mann, der ihm etwas, sagen wir, besorgt, das mein Kunde unbedingt besitzen will. Soviel ich verstanden habe, befindet sich der Gegenstand hier in Venedig. Sicherlich ein Kinderspiel für jemanden, der sich selbst gern ...«, Barbarossa lächelte spöttisch, »... der Herr der Diebe nennt. Oder?«

Prosper antwortete nicht. Der Rotbart hatte Scipio noch nie gesehen und dachte sicherlich, dass er es mit einem Erwachsenen zu tun hatte. Er hatte nicht die geringste Ahnung, dass der Herr der Diebe genauso alt war wie die Boten, die er sandte.

Aber Riccio schien das keine Sorgen zu bereiten. »Klar, wir fragen ihn«, sagte er.

»Hervorragend.« Mit zufriedenem Lächeln lehnte Barbarossa sich in seinem Sessel zurück. Die Zuckerzange hielt er in der Hand. Fast zärtlich fuhr er mit seinen dicken Fingern über den fein geschwungenen Rand. »Wenn er den Auftrag übernehmen will, soll er mir einen von euch mit seiner Antwort schicken. Ich werde dann ein Treffen mit meinem Kunden arrangieren. Die Bezahlung ...«, Barbarossa senkte vertraulich die Stimme, »... soll sehr großzügig sein, wie mein Kunde mir versichert hat.«

»Wie Riccio schon gesagt hat, wir richten es aus«, wiederholte Prosper. »Aber jetzt hätten wir gern unser Geld.«

Da lachte Barbarossa, so laut und schallend, dass Riccio zusammenfuhr. »Ja, ja, du bekommst dein Geld!«, schnaufte er und wuchtete sich aus seinem Sessel hoch. »Keine Sorge. Aber jetzt raus mit euch. Ich werde doch nicht meinen Safe öffnen, während ihr kleinen Diebe mir zuseht.«

»Was meinst du, wird Scipio den Auftrag annehmen?«, flüsterte Riccio Prosper zu, als sie draußen am Ladentisch lehnten und auf Barbarossa warteten.

»Am besten, wir erzählen es ihm gar nicht«, antwortete Prosper und musterte das Bild mit der maskierten Frau.

»Wieso das denn nicht?«

Prosper zuckte die Achseln. »Ich weiß nicht. Ist nur so ein Gefühl. Ich trau dem Rotbart nicht.«

In dem Moment schob Barbarossa sich wieder durch den klimpernden Vorhang. »Hier«, sagte er und hielt ihnen ein dickes Bündel Geldscheine hin. »Aber lasst es euch nicht stehlen auf dem Heimweg. Ihr wisst doch, all die Fremden da draußen mit ihren Fotoapparaten und dicken Geldbörsen ziehen die Diebe wie die Fliegen an.«

Die Jungen beachteten sein spöttisches Grinsen nicht. Prosper nahm das Geldbündel entgegen und betrachtete es unschlüssig.

»Du brauchst nicht nachzuzählen«, sagte Barbarossa, als hätte er Prospers Gedanken erraten. »Es stimmt. Ich habe lediglich den Glaskäfer abgezogen, den dein kleiner Bruder zerbrochen hat. Unterschreib mir die Quittung hier. Ich hoffe, du kannst schreiben, oder?«

Prosper warf ihm einen ärgerlichen Blick zu und kritzelte seinen Namen auf den Block, den der Rotbart ihm hinhielt. Bei seinem Nachnamen zögerte er einen Augenblick, dann schrieb er einen falschen hin. »Prosper«, brummte der Rotbart. »Du kommst nicht aus Venedig, was?«

»Nein«, antwortete Prosper, warf sich die leere Tasche über die Schulter und ging zur Ladentür. »Komm, Riccio.«

»Gebt mir so bald wie möglich Nachricht wegen des Auftrags!«, rief Barbarossa ihnen nach.

»Machen wir«, antwortete Prosper, obwohl er fest entschlossen war, Scipio nicht ein Wort von der Sache zu erzählen. Dann zog er die Ladentür hinter sich zu.

EIN BÖSER ZUFALL

Sobald sie aus Barbarossas Laden kamen, zog Riccio Prosper, bevor er protestieren konnte, in die Pasticceria, durch deren Fenster er vor ihrem Besuch bei dem Rotbart so sehnsüchtig gestarrt hatte. Und während die Bedienung nachsichtig auf ihre Bestellung wartete, überredete er Prosper, ein, zwei Scheine aus Barbarossas Geldbündel zu wechseln und davon eine Schachtel Kuchen für alle zu kaufen, zur Feier des Tages sozusagen.

Prosper staunte jedes Mal aufs Neue darüber, mit welcher Sorgfalt die Bäcker in Venedig ihre Kuchen verpackten. Man bekam sie nicht etwa in Tüten über den Ladentisch gereicht, sondern in wunderschönen Schachteln, die mit einem Band verschnürt wurden.

Riccio schien so viel Mühe kalt zu lassen. Kaum traten sie wieder auf die Gasse hinaus, da zog er auch schon ungeduldig sein Taschenmesser hervor und durchschnitt das bunte Band.

»Was soll das?«, fragte Prosper und nahm ihm die Schachtel ab. »Ich denk, die wollen wir den anderen mitbringen?«

»Ach, für die lassen wir schon genug übrig.« Riccio lugte begierig unter den Deckel. »Außerdem haben wir uns jetzt eine Belohnung verdient. *Madonna*, noch nie hat einer von uns es geschafft, dem

Rotbart auch nur eine Lira mehr abzuknöpfen, als er zahlen wollte, und bei dir hat er das Vierfache rausgerückt! Sogar ich kann das ausrechnen. Scipio wird nie wieder einen anderen mit seiner Beute losschicken.«

»Ach, bestimmt waren die Sachen noch viel mehr wert.« Prosper nahm sich einen Kuchen, der so dick mit Puderzucker bestäubt war, dass es ihm beim ersten Bissen weiß auf die Jacke rieselte. Riccio klebte schon Schokoladenglasur an der Nasenspitze. »Auf jeden Fall können wir das Geld gut gebrauchen«, fuhr Prosper fort. »Unsere Kasse ist wieder gut gefüllt und es bleibt auch noch was für Sachen, die wir unbedingt brauchen, jetzt, wo der Winter kommt. Bo und Wespe haben keine warmen Jacken und deine Schuhe sehen aus, als hättest du sie aus einem Kanal gefischt.«

Riccio leckte sich die Schokolade von der Nase und blickte auf seine ausgetretenen Turnschuhe hinab. »Och, die sind doch noch gut«, sagte er. »Aber vielleicht könnten wir uns ja einen klitzekleinen gebrauchten Fernseher kaufen. Mosca würde ihn schon irgendwie angeschlossen kriegen.«

»Du spinnst.« Prosper blieb vor einem Laden stehen, in dem es Zeitungen, Postkarten und Spielzeug zu kaufen gab. Spielzeug nimmt man nicht mit, wenn man wegläuft. Bo besaß nicht mal ein Stofftier, außer dem abgeschabten Löwen, den Riccio ihm überlassen hatte.

»Wie wär's, wenn du Bo die Indianer da schenkst?« Riccio legte das klebrige Kinn auf Prospers Schulter. »Die passen gut zu den Korkencowboys, die Wespe ihm gebastelt hat.«

Prosper runzelte die Stirn und tastete nach dem Geldbündel in seiner Jackentasche. »Nein«, sagte er, drückte Riccio die Kuchenschachtel in die Hand und ging weiter. »Wir brauchen das Geld für andere Sachen.«

Mit einem Seufzer schlenderte Riccio ihm hinterher. »Weißt du was?«, sagte er. »Wenn Scipio den Auftrag nicht will, von dem der Rotbart erzählt hat …«, er senkte die Stimme, »… dann übernehm ich ihn. Du hast doch gehört, was der Dicke über die Bezahlung gesagt hat. Und ich bin auch kein schlechter Dieb, obwohl ich in letzter Zeit etwas wenig Übung hatte. Natürlich würde ich mit euch teilen, Bo würde die Indianer kriegen, Wespe neue Bücher, Mosca die verdammte Farbe für sein Boot, wegen der er dauernd rumschimpft, ich einen klitzekleinen Fernseher und du …« Neugierig sah er Prosper von der Seite an. »Was wünschst du dir eigentlich?«

»Ich brauch nichts.« Prosper zog die Schultern hoch und sah sich unbehaglich um, als wäre ihm der kalte Wind in den Nacken gefahren. »Hör jetzt auf, vom Klauen zu reden. Hast du schon vergessen, wie sie dich das letzte Mal fast erwischt haben?«

»Ja, ja«, murmelte Riccio und schaute einer Frau mit gewaltigen Perlenohrringen nach. Daran wollte er sich nun wirklich nicht erinnern.

»Und Scipio erzählst du auch nichts von dem Auftrag!«, sagte Prosper. »Abgemacht?«

Riccio blieb stehen. »Unsinn. Ich versteh nicht, was du hast! Klar erzähl ich es ihm! Wieso soll die Sache gefährlicher sein als sein Einbruch im Dogenpalast?« Als ein Händchen haltendes Paar sich erstaunt zu ihm umdrehte, senkte er schnell die Stimme. »Oder im Palazzo Contarini!«

Prosper schüttelte nur den Kopf und ging weiter. Er wusste selbst nicht, warum ihm Barbarossas Angebot nicht gefiel. Vielleicht befürchtete er, dass Scipio langsam leichtsinnig wurde. Nachdenklich wich er zwei Frauen aus, die sich mitten auf der Gasse lautstark stritten, und stieß dabei mit einem Mann zusammen, der aus einer

Bar trat, ein Stück Pizza in der Hand. Es war ein stämmiger, kleiner Mann, mit einem Schnurrbart wie ein Walross, an dem etwas Käse klebte. Unwillig drehte er sich um – und starrte Prosper an, als wäre er ein Gespenst.

»*Scusi*«, murmelte Prosper und schob sich hastig weiter, in das dichte Gedränge, das so schnell unsichtbar machte.

»He, was rennst du so?« Riccio hielt ihn an der Jacke fest, im Arm die fast leere Kuchenschachtel.

Prosper sah sich um. »Da hat mich einer so komisch angestarrt.« Beunruhigt musterte er die vorbeidrängenden Leute. Aber der Mann mit dem Walrossbart war nirgends zu entdecken.

»Angestarrt?« Riccio zuckte die Achseln. »Na und? Kam der Kerl dir bekannt vor?«

Prosper schüttelte den Kopf. Und sah sich noch einmal um.

Ein paar Schulkinder, ein alter Mann, drei Frauen mit voll gestopften Einkaufskörben, eine Gruppe Nonnen …

Er griff nach Riccios Arm und zerrte ihn weiter.

»Was ist?« Vor Schreck hätte Riccio fast die Kuchenschachtel verloren.

»Der Kerl folgt uns.« Prosper lief schneller, immer schneller, die Hand auf Barbarossas Geld, damit es ihm nicht aus der Tasche rutschte.

»Was redest du denn da?«, rief Riccio ihm nach.

»Er ist hinter uns her!«, stieß Prosper hervor. »Er hat versucht sich zu verstecken, aber ich hab ihn gesehen.«

Riccio blickte sich nach dem angeblichen Verfolger um, aber alles, was er sah, waren gelangweilte Gesichter, die in die Schaufenster starrten, und Schulkinder, die sich kichernd schubsten.

»Prop, das ist absoluter Blödsinn!« Er holte Prosper ein und verstellte ihm den Weg. »Beruhige dich, klar? Du siehst Gespenster.«

Aber Prosper antwortete nicht. »Komm mit!«, zischte er – und zerrte Riccio in eine Gasse, die so eng war, dass Barbarossa darin stecken geblieben wäre. Der Wind fuhr ihnen entgegen, als hätte er in der dunklen Enge sein Zuhause. Riccio wusste, wohin dieser wenig einladende Gang führte: auf einen versteckten Hof und von dort in ein Labyrinth von Gassen, in dem sich selbst ein Venezianer verirren konnte. Kein schlechter Weg, um einen Verfolger abzuschütteln. Aber Prosper war schon wieder stehen geblieben, presste sich gegen die Mauer und beobachtete die Leute, die sich draußen auf der Gasse vorbeischoben.

»Was soll das nun wieder werden?« Riccio lehnte sich neben ihn und zog sich fröstelnd die Pulloverärmel über die Finger.

»Ich werd ihn dir zeigen, wenn er vorbeikommt.«

»Und dann?«

»Wenn er uns entdeckt, rennen wir.«

»Toller Plan!«, murmelte Riccio und schob nervös die Zunge in die Lücke, die vorn zwischen seinen Zähnen klaffte. Den Zahn, der dort fehlte, hatte er auch bei einer Verfolgungsjagd verloren. »Komm, lass uns einfach verschwinden«, flüsterte er Prosper zu. »Die anderen warten schon auf uns.« Aber Prosper rührte sich nicht.

Die Schulkinder hüpften an ihrem Versteck vorbei, dann kamen die Nonnen in ihren schwarzen Gewändern. Und dann erschien ein Mann: kurz und stämmig, mit großen Füßen und einem Walrossbart. Suchend blickte er sich um, stellte sich auf die Zehenspitzen, reckte den Hals und fluchte.

Die beiden Jungen wagten kaum zu atmen. Dann, endlich, ging der Fremde weiter.

Riccio regte sich zuerst. »Ich kenn den Kerl!«, stieß er hervor. »Lass uns verschwinden, bevor er noch mal zurückkommt!«

Mit klopfendem Herzen stolperte Prosper ihm nach, lauschte den eigenen Schritten, die ihm verräterisch nachhallten. Sie rannten die enge Gasse hinunter, über einen häuserumstandenen Platz, über eine Brücke, dann wieder eine Gasse hinunter. Prosper wusste schon bald nicht mehr, wo sie waren, aber Riccio lief voran, als könnte er sich noch mit verbundenen Augen in dem Gewirr von Gassen und Brücken zurechtfinden. Dann stolperten sie plötzlich ins Sonnenlicht und vor ihnen lag der Canal Grande, der Große Kanal. An seinem Ufer drängten sich die Menschen, und auf dem glitzernden Wasser wimmelte es von Booten.

Riccio zerrte Prosper zu einer Vaporetto-Haltestelle, wo sie sich zwischen den Leuten versteckten, die dort auf das nächste Boot warteten. Die Vaporetti waren die schwimmenden Busse Venedigs, sie schafften die Venezianer zur Arbeit und die Touristen von einem Museum zum anderen, wenn ihre müden Füße es leid waren zu laufen.

Prosper musterte jeden, der vorbeikam, aber ihr Verfolger tauchte nicht auf. Als endlich ein Vaporetto anlegte, ließen die Jungen sich von den Wartenden mit an Bord schieben, und während die anderen Fahrgäste zu den wenigen Sitzplätzen drängten, die im überdachten Teil des Bootes noch frei waren, lehnten Prosper und Riccio sich an die Reling und ließen das Kanalufer nicht aus den Augen.

»Wir haben keine Fahrkarte«, flüsterte Prosper besorgt, als das voll beladene Boot ablegte.

»Macht nichts«, flüsterte Riccio zurück. »Wir steigen an der nächsten Station sowieso wieder aus. Aber guck mal, wer dahinten steht.« Er wies auf die Haltestelle, die sie eben hinter sich gelassen hatten. »Siehst du ihn?«

O ja, Prosper sah ihn ganz genau. Da stand er, der Walrossbart.

Mit zusammengekniffenen Augen starrte er dem davonschlingernden Boot nach. Riccio winkte ihm spöttisch zu.

»Was soll das?« Erschrocken zog Prosper ihm den Arm herunter.

»Wieso? Meinst du, er schwimmt uns nach? Oder holt das Boot ein mit seinen kurzen Beinen? Nein, mein Lieber. Das ist das Gute an dieser Stadt. Wenn dich einer verfolgt, brauchst du bloß die Kanalseite zu wechseln und schon ist der Verfolger aufgeschmissen. Du musst natürlich dafür sorgen, dass nicht gerade eine Brücke in der Nähe ist. Aber über den Canal Grande gibt es nur zwei Brücken, das müsstest inzwischen sogar du wissen.«

Prosper antwortete nicht. Von ihrem Verfolger war längst nichts mehr zu sehen, aber Prosper starrte immer noch so besorgt zum anderen Ufer hinüber, als könnte der Fremde dort jeden Moment wieder auftauchen, zwischen den zierlichen Säulen der Paläste, auf dem Balkon eines Hotels oder auf einem der Boote, die ihnen entgegenkamen.

»He, guck nicht so, wir sind ihn los!« Riccio rüttelte Prosper an der Schulter, bis er sich zu ihm umdrehte. »Ich bin dem Kerl schon mal entwischt, weißt du? Verdammt!« Bestürzt sah er sich um. »Ich glaub, jetzt hab ich bei all dem Gehetze die Kuchenschachtel verloren.«

»Du kennst den Kerl?« Ungläubig sah Prosper ihn an.

Riccio stützte sich auf die Reling. »Ja. Er ist ein Detektiv. Sucht für die Touristen ihre verlorenen Handtaschen und verschwundenen Geldbörsen. Mich hat er mal fast erwischt mit so einem Ding.« Riccio zupfte sich am Ohr und kicherte. »Er ist ja nicht besonders schnell. Aber hinter was er diesmal her war ...« Neugierig blickte er Prosper an. »Du weißt, ich halte mich an unsere Regel: Keinen geht an, was war. Aber ... es sieht wirklich so aus, als wäre der Kerl hinter dir her gewesen. Kennst du jemanden, der einem Detektiv Geld dafür bezahlen würde, dich zu suchen?«

Prosper blickte zum anderen Ufer hinüber. Das Vaporetto steuerte träge auf die nächste Haltestelle zu. »Könnte sein«, antwortete er ohne Riccio anzusehen. Ein Schwarm Möwen erhob sich kreischend von dem dunklen Wasser, als das Boot auf den Anleger zudriftete.

»Lass uns aussteigen«, sagte Riccio. Nacheinander sprangen sie an Land, während schon die nächsten Fahrgäste an Bord drängten.

»Gott, die anderen werden denken, dass wir uns mit Scipios Beute aus dem Staub gemacht haben«, meinte Riccio, als sie dem Canal Grande wieder den Rücken kehrten. »Der Weg zurück zum Versteck ist durch unsere kleine Bootsfahrt nicht gerade kürzer geworden.« Er warf Prosper einen neugierigen Blick zu. »Hast du Lust, mir zu erzählen, wer dir den Detektiv auf den Hals hetzt? Was hast du angestellt? Hast du jemandem was geklaut, was er wiederhaben will?«

»Unsinn. Du weißt, dass ich nicht klaue. Wenn ich's vermeiden kann.« Prosper schob die Hand unter seine Jacke und zog sie beruhigt wieder heraus. Barbarossas Geld war noch da.

»Stimmt.« Riccio runzelte die Stirn und senkte die Stimme. »Ist etwa so ein … so ein Kinderhändler hinter euch her? Sucht euch so einer?«

Prosper sah ihn erschrocken an. »Nein! Verdammt, nein, so schlimm ist es nun auch wieder nicht.« Er blickte zu einer Steinfratze hoch, die von einem Torbogen auf ihn herunterstarrte. »Ich glaub, meine Tante sucht uns. Esther, die Schwester unserer Mutter. Geld genug hätte sie. Sie hat keine Kinder, und als unsere Mutter gestorben ist, wollte sie sich Bo holen. Mich wollte sie in ein Internat stecken. Da sind wir weggelaufen. Was sollte ich sonst machen? Er ist doch mein Bruder.« Prosper blieb stehen. »Denkst du, Esther hätte Bo gefragt, ob er sie als neue Mutter haben will? Er kann sie nicht ausstehen! Er sagt, sie riecht wie giftige Farbe. Und dass sie ...«, er musste lächeln, »... aussieht wie eine von den Porzellanpuppen, die sie sammelt.« Prosper bückte sich und hob einen Plastikfächer auf, der vor einer Hausschwelle lag. Der Griff war angebrochen, aber das würde Bo sicherlich nicht stören. »Bo denkt, ich kann ihn vor allem beschützen«, sagte er und steckte seinen Fund in die leere Tasche. »Aber wenn Wespe uns nicht gefunden hätte ...«

»Komm, mach dir jetzt keine Sorgen mehr wegen diesem Schnüffler!« Riccio zog ihn weiter. »Der wird dich nicht noch einmal finden. Ist doch ganz einfach, wir färben Bos Engelshaar schwarz, und dir malen wir das Gesicht an, dass du aussiehst wie Moscas Zwillingsbruder.«

Prosper musste lachen. Riccio konnte ihn zum Lachen bringen, selbst wenn ihm nicht danach zumute war. »Wünschst du dir auch manchmal erwachsen zu sein?«, fragte er, als sie über eine Brücke gingen, die sich verschwommen im Wasser spiegelte.

Riccio schüttelte verblüfft den Kopf. »Nein, wieso? Ist doch ziemlich praktisch, klein zu sein. Man fällt nicht so auf, man wird schneller satt. Weißt du, was Scipio immer sagt?« Er hüpfte von der Brücke. »Kinder sind Raupen und Erwachsene sind Schmetterlinge. Und kein Schmetterling erinnert sich mehr daran, wie es sich anfühlte, eine Raupe zu sein.«

»Wahrscheinlich nicht«, murmelte Prosper. »Erzähl Bo nichts von dem Detektiv, ja?«

Riccio nickte nur.

PECH FÜR VICTOR

Als Victor begriff, dass Prosper ihm entwischt war, trat er vor Wut gegen den nächsten Holzpfahl, der aus dem schmutzigen Kanalwasser ragte. Danach musste er nach Hause humpeln.

Den halben Weg lang schimpfte er vor sich hin, so laut, dass sich die Leute nach ihm umdrehten. Aber Victor bemerkte es nicht in seiner Wut. »Wie ein Anfänger«, schimpfte er. »Wie ein Anfänger habe ich mich abhängen lassen. Wer war eigentlich der andere? Für den kleinen Bruder zu groß. Verdammt. Verdammt. Verdammt. Da stolpert mir der Junge direkt vor die Nase und ich lasse ihn davonkommen. Ich Hornochse!« Er trat mit dem verstauchten Fuß nach einer leeren Zigarettenschachtel und verzog das Gesicht vor Schmerz. »Selber schuld«, knurrte er. »Jawohl, selber schuld. Kinder fangen, so was macht ein anständiger Detektiv nicht. Das Schildkrötenfutter hätte ich auch ohne diesen vermaledeiten Auftrag bezahlen können.«

Der Fuß schmerzte immer noch, als Victor seine Haustür aufschloss. »Na gut, wenigstens weiß ich jetzt, dass sie in der Stadt sind«, brummte er, als er die Treppe hinaufhumpelte. »Wo der Große ist, ist auch der Kleine. Das steht fest.«

In seiner Wohnung streifte er erst mal die Schuhe von den schmerzenden Füßen und hinkte auf den Balkon hinaus, um die Schildkröten zu füttern. In seinem Büro roch es immer noch nach Esther Hartliebs Haarspray. Pfui Teufel, er bekam den Geruch gar nicht mehr aus der Nase. Und die Jungen gingen ihm auch nicht mehr aus dem Kopf. Er hätte ihr Foto nicht an die Wand hängen sollen. Dauernd sahen sie ihn an. Wo sie nachts wohl schliefen? Abends wurde es jetzt scheußlich kalt, sobald die Sonne hinter den Häusern verschwunden war. Und im letzten Winter hatte es so viel geregnet, dass die Stadt ein Dutzend Mal unter Wasser gestanden hatte. Nun ja, sie war verwinkelt wie ein alter Fuchsbau, für zwei Kinder fand sich bestimmt immer ein trockener Platz in irgendeinem leer stehenden Haus oder einer der zahllosen Kirchen. Nicht in jeder wimmelte es schließlich von Touristen.

»Ich werde sie schon finden«, knurrte Victor. »Das wäre ja gelacht.« Als die Schildkröten satt waren, füllte er sich selbst den hungrigen Magen mit Bergen von Spaghetti und gebratener Wurst. Dann schmierte er sich etwas Salbe auf den schmerzenden Fuß, setzte sich an den Schreibtisch und erledigte etwas von dem Papierkram, der sich dort angestaut hatte. Schließlich hatte er noch andere Aufträge als die Suche nach diesen Jungen.

Ich glaube, ich sollte mich in den nächsten Tagen öfter mal auf den Markusplatz setzen, dachte Victor. Mir einen Kaffee bestellen und die Tauben füttern, bis sie irgendwann auftauchen. Wie heißt es doch so schön: Jeder, der in Venedig ist, kommt mindestens einmal am Tag auf den Markusplatz. Wieso sollte das nicht für entlaufene Kinder gelten?

SCIPIOS ANTWORT

Als Prosper und Riccio endlich ins Sternenversteck zurückkehrten, kam Bo ihnen schon ungeduldig entgegengelaufen, und so erzählten sie erst einmal auch den anderen nichts über den Verfolger, der sie aufgehalten hatte. Ihre Verspätung war ohnehin vergessen, als Prosper das Geld aus der Jacke zog, das er dem Rotbart abgehandelt hatte. Sprachlos vor Bewunderung saßen die anderen um ihn herum, während Riccio ihnen ausführlich schilderte, wie kaltblütig Prosper Barbarossa die Stirn geboten hatte. »Und außerdem«, verkündete Riccio zum Abschluss, »färbt der Fettwanst sich seinen Bart doch, und ich krieg drei funkelnagelneue Comichefte von dir, Wespe. Oder hast du unsere Wette schon vergessen?«

Kaum zwei Stunden nach Prospers und Riccios Rückkehr klingelte die Glocke am Notausgang und der Herr der Diebe stand vor der Tür, wie er es versprochen hatte. Und ausnahmsweise, bevor der Mond über den Dächern der Stadt hing. Natürlich öffnete Mosca ohne nach der Parole zu fragen und fing sich ein furchtbares Donnerwetter dafür ein, aber als Bo ihm aufgeregt mit Barbarossas Geldbündel entgegenlief, brachte das selbst Scipio zum

Schweigen. Mit ungläubigem Gesicht nahm er das Geld entgegen und zählte es durch, jeden einzelnen Schein.

»Na, Scip, was sagst du? Du guckst, als hättest du einen Geist gesehen«, spottete Mosca. »Kannst du Wespe jetzt sagen, dass sie mir endlich Farbe für mein Boot kaufen soll?«

»Dein Boot? Ja, ja, sicher.« Scipio nickte geistesabwesend und wandte sich zu Prosper und Riccio um. »Hat Barbarossa irgendetwas besonders gefallen?«

»Ja, die Zuckerzange, die hatte es ihm angetan«, antwortete Riccio. »Er hat gesagt, so etwas Feines solltest du ihm ruhig öfter mal anbieten.«

Scipio runzelte die Stirn. »Die Zuckerzange«, murmelte er. »Ja, die war wohl ziemlich wertvoll.« Er schüttelte den Kopf, als wollte er ein paar lästige Gedanken loswerden. »Riccio«, sagte er. »Kauf uns Oliven und scharfe Wurst. Das müssen wir feiern. Ich habe nicht lange Zeit, doch dafür reicht es.«

Eilfertig steckte Riccio sich zwei Scheine von Barbarossas Geld in die Hosentasche und schoss davon. Als er zurückkam, mit einem Plastikbeutel voller Oliven, Brot, paprikaroter Salami und einer Tüte *mandorlati*, den in bunte Papierchen gewickelten Pralinen, die Scipio so gern mochte, hatten die anderen schon Decken und Kissen auf dem Fußboden vor dem Vorhang verteilt. Bo und Wespe hatten alle Kerzen, die sie besaßen, zusammengeholt, und ihre flackernden Flammen füllten das Kino mit tanzenden Schatten.

»Auf ein paar sorgenfreie Monate!«, sagte Wespe, als sie alle im Kreis zusammensaßen, und goss Traubensaft in die Weinkelche aus rotem Glas, die Scipio von seinem vorletzten Raubzug mitgebracht hatte. Dann hob sie ihr Glas und prostete Prosper zu. »Und auf dich, weil du den Rotbart dazu gebracht hast, so viel Geld herauszurücken, obwohl es ihm sonst wie Kaugummi an den fetten Fingern klebt.«

Riccio und Mosca hoben ebenfalls ihre Gläser, und Prosper wusste nicht, wo er hinschauen sollte, aber Bo lehnte sich stolz an seinen großen Bruder und setzte ihm eins der Kätzchen aufs Knie, die Scipio ihm geschenkt hatte.

»Ja, auf dich, Prop!«, sagte Scipio und prostete Prosper als Letzter zu. »Hiermit ernenne ich dich zu meinem Beuteverkäufer. Allerdings…«, er strich mit den Fingern über das Geldbündel, »…überlege ich, ob es nach so reicher Beute nicht ratsam wäre, für eine Weile Pause zu machen.« Er schwieg einen Moment, dann fuhr er fort: »Ein Dieb darf niemals gierig werden, sonst erwischt man ihn.«

»O nein, aber doch nicht gerade jetzt!« Riccio tat, als bemerke er Prospers warnenden Blick nicht. »Barbarossa hat uns nämlich heute was Interessantes erzählt.«

»Und was?« Scipio warf sich eine Olive in den Mund und spuckte den Kern in seine Hand.

»Ein Kunde von ihm sucht einen Dieb. Die Bezahlung soll sehr gut sein, und wir sollen dich fragen, ob du Interesse hast.«

Scipio sah Riccio überrascht an. Und schwieg.

»Hört sich doch gut an, oder?« Riccio stopfte sich eine Scheibe Wurst in den Mund. Die Schärfe trieb ihm die Tränen in die Augen. Schnell hielt er Wespe sein leeres Glas hin.

Scipio hatte immer noch nichts gesagt. Zerstreut strich er sich über das glatte Haar und tastete nach dem Zopfband, das es zusammenhielt. Dann räusperte er sich. »Interessant«, sagte er. »Ein Auftrag für einen Dieb. Wieso nicht? Und was soll gestohlen werden?«

»Keine Ahnung.« Riccio wischte sich die fettigen Finger an der Hose ab. »Viel weiß der Rotbart wohl auch noch nicht darüber. Aber er scheint der Meinung zu sein, dass der Herr der Diebe genau der Richtige für die Sache ist.« Riccio grinste. »Der Fettwanst stellt sich bestimmt einen Riesenkerl vor, mit einem Strumpf

überm Kopf, der wie eine Katze zwischen den Säulen des Dogenpalastes herumschleicht. Auf jeden Fall will er schnell eine Antwort.«

Alle blickten Scipio an. Der saß da und spielte mit seiner Maske
herum. Nachdenklich strich er über die lange, gebogene Nase.
Man hörte die Kerzenflammen knistern, so still war es. »Doch, das
ist wirklich interessant«, murmelte er. »Ja, warum nicht?«

Prosper beobachtete ihn voll Unbehagen. Er hatte immer noch
dieses Gefühl, als ob etwas Unheimliches auf sie zukäme, Ärger,
Gefahr ...

Scipio schien seine Gedanken zu erraten. »Was hältst du davon,
Prop?«, fragte er.

»Gar nichts«, antwortete Prosper. »Weil ich Barbarossa nicht
traue.« Er konnte ja schlecht sagen: Weil ich nichts vom Klauen
halte. Schließlich lebte er davon, dass Scipio ein Meister darin war.
Scipio nickte.

Aber da fiel ausgerechnet Bo seinem großen Bruder in den Rücken. »Ach was«, sagte er und kniete sich neben Scipio, die Augen
blank vor Aufregung. »Das ist doch eine Kleinigkeit für dich.
Oder, Scip? Oder?«

Scipio musste lächeln. Er nahm Bo das Kätzchen ab, das er auf
dem Arm hielt, setzte es sich auf den Schoß und kraulte ihm die
winzigen Ohren.

»Und ich helf dir!« Bo rückte noch näher an Scipio heran. »Ja,
Scip? Ich komm mit.«

»Bo! Rede nicht so einen verdammten Blödsinn!«, fuhr Prosper
ihn an. »Du kommst überhaupt nirgendwo mit hin, klar? Schon
gar nicht zu irgendwas, was gefährlich sein könnte.«

»Komm ich doch!« Bo schnitt seinem Bruder eine Fratze und verschränkte trotzig die kurzen Arme vor der Brust.

Scipio hatte immer noch nichts gesagt.

Mosca strich mit dem Finger die glänzenden bunten Papierchen glatt, in die die *mandorlati* eingewickelt gewesen waren, und Riccio bohrte die Zunge in seine Zahnlücke und ließ keinen Blick von Scipio.

»Ich schließ mich Prospers Meinung an«, sagte Wespe in das Schweigen hinein. »Es gibt keinen Grund, schon wieder etwas zu riskieren. Wir haben doch jetzt erst mal genug Geld.«

Scipio betrachtete seine Maske und steckte einen Finger in die leeren Augenhöhlen. »Ich werde den Auftrag annehmen«, sagte er. »Riccio, du gehst gleich morgen zu Barbarossa und überbringst ihm meine Antwort.«

Riccio nickte. Er strahlte über sein ganzes mageres Gesicht. »Und diesmal nimmst du uns mit, ja?«, fragte er. »Bitte, ich will auch endlich mal so ein vornehmes Haus von innen sehen.«

»Stimmt. Das würde ich auch gern.« Mosca blickte verträumt an dem Vorhang hoch, der im Kerzenlicht glitzerte, als wäre er mit goldenen Spinnenfäden bedeckt. »Ich hab mir schon oft ausgemalt, wie es dadrin aussieht. Ich hab mal gehört, dass in einigen der Fußboden aus Gold ist, und an den Klinken sitzen echte Diamanten.«

»Geh in die Scuola di San Rocco, wenn du so was sehen willst!« Wespe sah die anderen ärgerlich an. »Scipio hat es eben noch selbst gesagt. Er sollte eine Weile Pause machen. Schließlich suchen sie bestimmt immer noch nach dem Dieb, der in den Palazzo Contarini eingebrochen ist. Da wäre ein neuer Einbruch doch leichtsinnig, dumm!« Sie drehte sich zu Scipio um. »Wenn Barbarossa wüsste, dass der Herr der Diebe nicht eine Bartstoppel am Kinn hat und ihm selbst mit hohen Absätzen kaum bis an die Schulter reicht, dann hätte er ihn sowieso nie gefragt ...«

»Ach ja?« Scipio richtete sich auf, als könnte er Wespe das Gegenteil beweisen. »Weißt du, dass Alexander der Große kleiner war als ich? Er musste sich einen Tisch vor den persischen Thron schieben lassen, um draufklettern zu können! Es bleibt dabei. Richtet Barbarossa aus, dass der Herr der Diebe den Auftrag annimmt. Ich muss jetzt gehen, aber morgen komme ich wieder.« Er wollte sich umdrehen, aber Wespe trat ihm in den Weg.

»Scipio!«, sagte sie leise. »Hör zu. Vielleicht bist du wirklich ein besserer Dieb als alle erwachsenen Diebe dieser Stadt, aber wenn Barbarossa dich mit deinen hohen Hacken und deinem Erwachsenengetue sieht, wird er dich auslachen.«

Betreten sahen die anderen Scipio an. Noch nie hatte einer von ihnen so mit ihm zu sprechen gewagt. Reglos stand Scipio da und starrte Wespe an.

Dann verzog sein Mund sich plötzlich zu einem spöttischen Lächeln. »Der Rotbart wird mich aber nicht sehen!«, sagte er und schob sich die Maske über die Augen. »Und sollte er jemals wagen, über mich zu lachen, dann spucke ich ihm in sein rundes Mondgesicht und lache doppelt so laut über ihn, denn er ist nur ein gieriger, fetter alter Mann, aber ich bin der Herr der Diebe.« Mit einem Ruck drehte er Wespe den Rücken zu und stakste davon. »Es wird spät morgen!«, rief er über die Schulter.

Dann verschluckten ihn die Schatten, die die Kerzen nicht aus dem Saal hatten scheuchen können.

NACHTS IST MAN KLEIN

Mitten in der Nacht, als die anderen längst schliefen, stand Prosper noch einmal auf. Er zog Bo die Decke über die bloßgestrampelten Füße, holte seine Taschenlampe unter dem Kissen hervor, schlüpfte in seine Sachen und schlich sich an den anderen vorbei. Riccio warf sich im Schlaf unruhig hin und her, Mosca hielt sein Seepferd umklammert und auf Wespes Kissen, den Kopf in ihrem braunen Haar, schlief eins von Bos Kätzchen.

Als Prosper die Tür des Notausgangs öffnete, schauderte er, so kalt schlug ihm die Nachtluft entgegen. Der Himmel war sternenklar, und im Kanal hinter dem Kino spiegelte sich der Mond.

Die Häuser am gegenüberliegenden Ufer waren dunkel. Nur hinter einem Fenster brannte Licht. Noch jemand, der nicht schlafen kann, dachte Prosper. Ein paar Stufen, breit und ausgetreten, führten hinunter ans Wasser. Die Treppe sah aus, als könnte man auf ihr geradewegs bis zum Grund des Kanals hinabsteigen. Tiefer und tiefer, bis in eine andere Welt. Einmal, als er mit Bo und Mosca am Kanal gesessen hatte, hatte Bo behauptet, dass die Treppe bestimmt von Wassermännern und Seejungfrauen gebaut worden sei, und Mosca hatte ihn gefragt, wie sie mit ihren Fischschwänzen denn die glitschigen Stufen hinaufkamen. Prosper musste lächeln, als er daran dachte. Er setzte sich auf die oberste Stufe und blickte auf das mondbeschienene Wasser. Verschwommen spiegelten sich die alten Häuser darin. So, wie sie sich schon in dem Kanal gespiegelt hatten, als Prosper noch nicht geboren war, als seine Eltern noch nicht geboren waren, nicht einmal seine Großeltern. Wenn er durch die Stadt lief, strich er oft mit den Fingern an den Hausmauern entlang. Die Steine in Venedig fühlten sich anders an, alles war anders. Anders als was? Anders als früher.

Prosper versuchte nicht daran zu denken. Obwohl er kein Heimweh hatte. Schon lange nicht mehr. Nicht mal nachts. Hier war jetzt sein Zuhause. Wie ein großes, sanftes Tier hatte die Stadt des Mondes Bo und ihn empfangen, hatte sie versteckt in ihren verschlungenen Gassen, sie verzaubert mit ihren fremdartigen Gerüchen und Geräuschen. Sogar Freunde hatte sie für sie bereitgehalten. Prosper wollte nie wieder fort. Nie wieder. Er hatte sich so daran gewöhnt, das Wasser schlürfen und schlecken zu hören an Holz und Stein. Doch was, wenn sie wieder fortmussten? Wegen dem Mann mit dem Walrossbart.

Riccio und er hatten den anderen immer noch nichts von ihrem Verfolger erzählt. Dabei waren sie alle in Gefahr, denn falls dieser Detektiv Bo und Prosper auf die Spur kam, würde er auch das Sternenversteck finden. Und die anderen: Mosca, der nicht zu seiner Familie zurückwollte, weil sie ihn nicht vermisste, Riccio, auf den nur das Kinderheim wartete, Wespe, die nichts über ihr früheres Zuhause erzählte, weil es sie zu traurig machte – und Scipio. Prosper fröstelte und schlang die Arme um die angezogenen Knie. Was war, wenn der Detektiv auf der Suche nach Bo und ihm auch dem Herrn der Diebe auf die Spur kam? Das wäre ein schlechter Dank dafür, dass Scipio sie unter seine Fittiche genommen hatte.

Auf den feuchten Stufen lag eine zerrissene Vaporettokarte. Prosper ließ sie in den Kanal flattern und beobachtete, wie sie davontrieb.

Hilft nichts, ich muss ihnen von dem Detektiv erzählen, dachte er. Aber wie sollte er das anstellen, ohne dass Bo es erfuhr? Bo, der sich so sicher fühlte und ihm geglaubt hatte, als er ihm gesagt hatte, dass Esther sie hier in Venedig nie suchen würde.

In dem Haus gegenüber regte sich hinter dem erleuchteten Fenster ein Schatten. Dann ging das Licht aus. Prosper stand auf. Die steinernen Stufen waren kalt und feucht, und er fror. Jetzt gleich, während Bo schläft, dachte er, jetzt gleich werde ich den anderen von dem Walrossbart erzählen. Vielleicht schlägt Scipio sich dann auch den Auftrag von Barbarossa aus dem Kopf. Aber vielleicht, Prosper mochte den Gedanken nicht zu Ende denken, vielleicht schickte Scipio ihn und Bo auch fort. Was dann?

Mit schwerem Herzen kehrte Prosper zu dem verlassenen Kino zurück.

»Wespe, wach auf!« Prosper rüttelte sie nur ganz sacht an der Schulter, aber Wespe fuhr so erschrocken hoch, dass die kleine Katze wie ein Ball von ihrem Kissen rollte. »Was ist?«, murmelte sie und rieb sich den Schlaf aus den Augen.

»Gar nichts. Ich muss euch nur was erzählen.«

»Mitten in der Nacht?«

»Ja.« Prosper richtete sich auf, um Mosca zu wecken, aber Wespe hielt ihn zurück. »Warte, erzähl doch erst mal mir, was los ist, bevor du die anderen weckst.«

Prosper sah hinüber zu Mosca, der sich so tief unter seine Decke vergraben hatte, dass nur die kurzen krausen Haare zu sehen waren. »Ist gut, Riccio weiß sowieso Bescheid.«

Sie setzten sich nebeneinander auf die Klappsessel, zwei Decken um die Schultern. Die Heizung im Kino funktionierte ebenso wenig wie das Licht, und die Heizöfen, die Scipio besorgt hatte, vertrieben die Kälte nur notdürftig aus dem großen Saal.

Wespe zündete zwei Kerzen an. »Also?«, fragte sie und blickte Prosper erwartungsvoll an.

»Als Riccio und ich von Barbarossa kamen ...«, Prosper vergrub das Kinn in der Decke, »bin ich in einen Mann hineingerannt. Erst ist mir nur aufgefallen, dass er mich so komisch angestarrt hat, aber dann hab ich gemerkt, dass er mir folgt. Wir sind ihm entwischt, sind zum Canal Grande gerannt und mit einem Vaporetto ans andere Ufer gefahren, um ihn abzuhängen. Aber Riccio hat ihn erkannt. Er sagt, er ist ein Detektiv. Und wie es aussieht, ist er hinter mir her. Hinter mir und Bo.«

»Ein echter Detektiv?« Wespe schüttelte ungläubig den Kopf. »Ich dachte, die gibt es nur in Büchern und Filmen. Ist Riccio ganz sicher?«

Prosper nickte.

»Ja, aber vielleicht war er ja auch hinter Riccio her. Du weißt doch, dass er das Klauen nicht lassen kann.«

»Nein.« Prosper seufzte und blickte hinauf zur Decke, wo die Dunkelheit in schwarzen Wolken hing. »Der war hinter mir her. Wie er mich angeguckt hat ... der wird uns finden, und meine Tante sitzt bestimmt schon in irgendeinem von den feinen Hotels und wartet darauf, Bo mitzunehmen. Und mich stecken sie in irgendein Internat und ich seh Bo einmal im Monat und irgendwann nur noch im Sommer oder zu Weihnachten.« Übelkeit machte sich in seinem Magen breit, so schlimm, dass er die Arme verschränkte und sie fest gegen seinen Bauch presste. Er schloss die Augen, als könnte er die Angst so aussperren, aber das funktionierte natürlich nicht.

»Ach was, wie soll er euch denn hier finden?« Wespe legte Prosper die Hand auf den Rücken und sah ihn besorgt an. »Komm, mach dich jetzt nicht verrückt.«

Prosper vergrub das Gesicht in den Händen. Hinten im Saal murmelte Riccio etwas im Schlaf. Er schlief oft unruhig. Als säße ihm jemand auf der Brust.

Prosper richtete sich wieder auf. »Sag nur Bo nichts, ja? Er soll weiter glauben, dass wir hier ganz sicher sind. Aber Mosca und Scipio müssen es erfahren. Schließlich könnt ihr alle reichlich Ärger kriegen, wenn dieser Schnüffler uns aufstöbert …«

»Ach was! Der wird uns nicht aufstöbern.« Wespe rieb sich die Nase. »Das ist ein gutes Versteck hier. Das allerbeste. Verflixt. Ich krieg schon wieder eine Erkältung. Kann Scipio statt Zuckerzangen und Silberlöffeln nicht zur Abwechslung mal einen besseren Heizofen klauen?«

Prosper gab ihr sein zerknülltes Taschentuch und sie putzte sich dankbar die Nase damit.

»Riccio will Bo die Haare färben, und ich soll mir das Gesicht schwarz malen, damit der Kerl uns nicht erkennt«, sagte Prosper. Wespe lachte leise. »Ich denk, es reicht, wenn ich dir die Haare stoppelkurz schneide, aber das mit Bo ist eine gute Idee. Wir erzählen ihm einfach, dass die alten Frauen ihm nicht mehr so oft den Kopf tätscheln, wenn er schwarze Haare hat. Das hasst er doch so.«

»Meinst du, er nimmt uns das ab?«

»Wenn nicht, dann muss Scipio ihm erzählen, dass man mit blonden Haaren kein berühmter Dieb werden kann. Bo würde versuchen zu fliegen, wenn Scipio es von ihm verlangte.«

»Stimmt.« Prosper lächelte, obwohl er spürte, wie ihn die Eifersucht mit spitzem Stachel stach.

»Scipio wird das mit dem Detektiv gefallen.« Wespe rieb sich fröstelnd die Arme. »Er wird höchstens enttäuscht sein, dass der Kerl nicht hinter ihm her ist. Das wäre doch eine spannende Aufgabe für einen Detektiv: herauszufinden, wo der Herr der Diebe schläft. Lässt er sich vielleicht bei Morgengrauen von den Zinnen des Dogenpalastes herunter, nachdem er die Nacht in einem gemütlichen Kerker verbracht hat? Schläft er oben in den *piombi*, wo sie früher die Feinde Venedigs haben schwitzen lassen, oder unten in den *ponti*, wo sie verfault sind? Siehst du, jetzt hab ich dich zum Lächeln gebracht!« Mit zufriedenem Gesicht stand Wespe auf und zauste Prosper die Haare. »Morgen früh gibt es eine neue Frisur«, sagte sie, »und jetzt mach dir keine Sorgen mehr wegen diesem Detektiv.«

Prosper nickte. »Dann – meinst du nicht ...«, fragte er zögernd, »dass wir euch in Gefahr bringen? Du meinst nicht, wir sollten besser weggehen, ich und Bo?«

»Taubenmist!« Ungeduldig schüttelte Wespe den Kopf. »Wieso das denn? Nach Riccio hat oft genug die Polizei gesucht. Haben wir ihn deshalb etwa rausgeworfen? Nein. Und was ist mit Scipio? Bringt er uns nicht in Gefahr, so verrückt, wie er es inzwischen mit seinen Einbrüchen treibt?« Wespe zog Prosper von seinem Sitz hoch. »Komm, wir legen uns schlafen«, sagte sie. »Himmel, wie laut Mosca schnarcht.«

Prosper zog sich aus und kroch wieder zu Bo unter die Decke. Aber es dauerte noch lange, bis er einschlief.

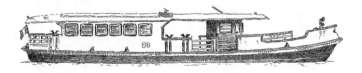

DIE NACHRICHT

Riccio ging gleich am nächsten Morgen zu Barbarossa, um ihm die Antwort des Herrn der Diebe zu bringen. So wie Scipio es ihm aufgetragen hatte.

»Er nimmt an? Gut, das wird meinen Kunden sehr freuen«, sagte der Rotbart mit zufriedenem Lächeln. »Aber ihr müsst etwas Geduld haben. Ihm eine Nachricht zukommen zu lassen ist nicht ganz einfach. Dieser Mann hat nicht einmal ein Telefon.«

An den zwei darauf folgenden Tagen machte Riccio den Weg zu Barbarossas Laden umsonst, aber am dritten Tag hatte der Rotbart endlich die Nachricht, auf die sie gewartet hatten.

»Mein Kunde will euch in der Basilika treffen, in der Basilica San Marco«, erklärte Barbarossa, während er vor dem Spiegel in seinem Büro stand und mit einer winzigen Schere an seinem Bart herumschnippelte. »Der Conte tut gern etwas geheimnisvoll, aber geschäftlich hat man keine Probleme mit ihm. Er hat mir schon ein paar sehr schöne Stücke verkauft und immer zu einem fairen Preis. Stellt ihm nur keine neugierigen Fragen, das kann er nicht leiden, verstanden?«

»Der Conte?«, fragte Riccio ehrfürchtig. »Heißt das, er ist ein echter Graf oder so was?«

70

»Allerdings. Ich hoffe, der Herr der Diebe weiß sich entsprechend zu benehmen.« Barbarossa zupfte sich mit wichtiger Miene ein Haar aus dem Nasenloch. »Wenn ihr den Conte trefft, werdet ihr sehen, dass es keinen Zweifel an seiner vornehmen Abstammung geben kann. Seinen Namen hat er mir bis heute nicht verraten, aber ich vermute, dass er ein Vallaresso ist. Einige Mitglieder dieser altehrwürdigen Familie sind nicht gerade vom Glück gesegnet. Man redet sogar von einem Fluch. Nun ja.« Der Rotbart trat etwas näher an den Spiegel heran und zupfte an einem besonders widerspenstigen Haar. »Sei es, wie es ist, dennoch gehören sie zu den alten Familien, du weißt schon, all diese Correr, Vendramin, Contarini, Venier, Loredan, Barbarigo und wie sie sonst noch alle heißen, die seit Jahrhunderten die Schicksale dieser Stadt lenken, ohne dass unsereiner je erfährt, was da so alles vor sich geht. Nicht wahr?«

Riccio nickte nur ehrfürchtig. Natürlich hatte er die Namen, die der Rotbart da so salbungsvoll aneinander gereiht hatte, schon gehört, er kannte die Paläste und Museen, die diese Namen trugen, aber über die Menschen, nach denen sie benannt waren, wusste er nichts.

Barbarossa trat einen Schritt zurück und musterte selbstzufrieden sein Spiegelbild. »Also, wie gesagt, sprecht ihn einfach nur mit ›Conte‹ an, dann ist er zufrieden. Der Herr der Diebe wird sich bestimmt prächtig mit ihm verstehen, schließlich umgibt sich euer Anführer ja ebenfalls gern mit dem Schleier des Geheimnisvollen. Was bei seinem Beruf wohl auch ratsam ist. Stimmt's?«

Riccio nickte noch einmal. Er konnte es nicht abwarten, dass der Dicke endlich wieder zur Sache kam und er den anderen die Nachricht bringen konnte, auf die sie warteten. Ungeduldig trat er von einem Fuß auf den anderen. »Wann? Wann sollen wir ihn in der

Basilika treffen?«, fragte er, als Barbarossa noch einmal vor den Spiegel trat, um an seinen Augenbrauen herumzustutzen.

»Morgen Nachmittag, Punkt drei. Der Conte wartet auf euch im ersten Beichtstuhl auf der linken Seite. Und keine Verspätung bitte! Dieser Mann ist immer mehr als pünktlich.«

»In Ordnung«, murmelte Riccio. »Drei Uhr, Beichtstuhl, pünktlich.« Er wandte sich zum Gehen.

»Moment, Moment, nicht so eilig, Igelkopf!« Barbarossa winkte Riccio ungeduldig noch einmal zurück. »Richte dem Herrn der Diebe aus, dass der Conte ihn persönlich treffen möchte. Als Begleiter kann er mitbringen, wen er will, Affen, Elefanten oder euch Kinderchen. Aber er selbst muss auch erscheinen. Der Conte will sich erst ein Bild von ihm machen, bevor er ihm mehr über den Auftrag anvertraut. Schließlich ...«, sein Gesicht nahm einen gekränkten Ausdruck an, »... hat er nicht einmal mir Näheres darüber verraten.«

Das wunderte Riccio nicht weiter, aber der Wunsch des Conte, Scipio zu sehen, ließ sein Herz schneller schlagen. »Das, das ...«, stammelte er, »... wird Sci..., wird dem Herrn der Diebe gar nicht gefallen.«

»Nun«, Barbarossa hob die fetten Schultern, »dann wird er diesen Auftrag nicht bekommen. Einen schönen Tag noch, Kleiner.«

»Gleichfalls«, murmelte Riccio, streckte Barbarossas Rücken die Zunge heraus und machte sich beunruhigt auf den Heimweg.

VICTOR WARTET

Victor saß auf dem Markusplatz, umgeben von hundert Tischen und tausend Säulen, und trank seine dritte Tasse Espresso. Schwarz mit drei Würfeln Zucker. Schwer umzurühren in der winzigen Tasse. Und so teuer, dass er besser nicht darüber nachdachte. Seit mehr als einer Stunde saß er auf dem harten, kalten Stuhl und musterte die Gesichter der Leute, die sich an seinem Tisch vorbeidrängten. Victor trug natürlich nicht den Bart, den er getragen hatte, als Prosper in ihn hineingestolpert war. Auf einen falschen Bart hatte er diesmal ganz verzichtet, aber auf seiner Nase klemmte eine dicke Brille aus Fensterglas, mit der er etwas beschränkt und völlig harmlos aussah. Zufrieden blickte er an sich herunter. Perfekt, dachte er, perfekte Tarnung: Victor, der Tourist. Schirmmütze, großer Fotoapparat vor der Brust. Es war eine seiner Lieblingsverkleidungen. Als Tourist konnte er seelenruhig Fotos schießen, ohne dass irgendjemand das verdächtig fand. Oder sich unter eine dieser Reisegruppen mischen, die vom Schiff stolperten, fünf Stunden durch die Stadt liefen und dabei alles fotografierten, was alt aussah und ein bisschen Gold am Giebel hatte.

Ja, so gefällt mir die Arbeit!, dachte Victor und blinzelte in die tief stehende Sonne. Ihre Strahlen ließen die Fenster der Basilika glitzern, als schmelze das Glas in der Sonne. Auf dem Dachfirst reckten sich die Engel, Gold auf den Flügeln, dem Himmel entgegen, und über dem Haupteingang, zwischen hundert gleißenden Sternen, spreizte sich der geflügelte Löwe.

Die meisten Menschen, die zum ersten Mal aus den engen Gassen auf den Markusplatz traten, sahen sich zuerst so verblüfft um, als hätten sie einen märchenhaften Ort wie diesen höchstens in ihren Träumen erwartet. Manche blieben wie verzaubert stehen, als wollten sie niemals mehr weitergehen. Andere bekamen ihre Kindergesichter zurück, während sie hinaufstarrten zu dem funkelnden Glas und dem Löwen zwischen den Sternen. Nur ganz wenige taten so, als berühre sie dies Übermaß an Schönheit nicht, und schlenderten weiter mit steinernen Gesichtern, stolz, dass nichts auf der Welt sie mehr zum Staunen brachte. Victor war nie sicher, ob er diese Leute bedauern oder fürchten sollte.

Während er seinen Kaffee umrührte, mit einem Löffel, der viel zu klein für seine Finger war, traten unzählige Menschen auf den Markusplatz, und Victor musterte sie geduldig, einen nach dem anderen. Aber die zwei Gesichter, die er suchte, waren nicht dabei. Tja, wahrscheinlich vertraue ich meinem Glück doch etwas zu sehr, dachte Victor, putzte sich die Nase, die sich schon bedrohlich kalt anfühlte, und bestellte bei dem vorbeihastenden Ober noch einen Kaffee. Immerhin war das Herumsitzen besser als das endlose Gerenne der letzten Tage. Bei den Carabinieri war er gewesen, in den Waisenhäusern, Krankenhäusern, am Bahnhof. Er hatte mit Bootsführern und Vaporettokontrolleuren gesprochen, ihnen das Bild von Prosper und Bo unter die Nase gehalten und zähneknirschend das hundertste Kopfschütteln hingenommen. Wenn Prosper ihn nicht umgelaufen hätte, Victor hätte langsam Zweifel daran gehabt, dass die beiden Brüder jemals in Venedig gelandet waren.

Schluss. Victor spürte schon wieder, wie der Ärger über die verpasste Gelegenheit ihm den Magen zusammenzog. Ja, ja, er hätte nur zupacken müssen, zack, und schon hätte er den Jungen gehabt! Schwamm drüber. Victor tupfte sich gelangweilt einen Klecks Kaffee auf die Nasenspitze. Einem Mann am Nachbartisch gefielen solche Späße offenbar nicht, missbilligend musterte er Victor über seine Zeitung hinweg. Victor schnitt ihm eine Grimasse und wischte sich mit dem Ärmel den Kaffee von der Nase. Schluss mit den Albernheiten. Es wurde Zeit, dass er wieder ans Geldverdienen dachte. Eine von seinen Schildkröten war erkältet, nieste ständig, das arme Ding, und Tierärzte waren teuer.

Eine Taube trippelte unter Victors Tisch, eine von den Tausenden, die auf dem Platz herumpickten, und zupfte an seinen Schuhriemen. Als er die Jackentasche umdrehte und ihr die Krümel seines Frühstücksbrotes vor den hektischen Schnabel schüttelte, kackte sie ihm zum Dank auf die Schuhspitze. Was für ein Tag.

Victor stieß einen tiefen Seufzer aus und sah auf seine Uhr. Kurz vor drei. Wird Zeit, dass ich was anderes als Kaffee in den Magen bekomme, dachte er und musste sich schon wieder die kalte Nase putzen. Da entdeckte er plötzlich sechs Kinder drüben auf der anderen Seite des Platzes, bei den Tischen des gegenüberliegenden Cafés. Sie fielen Victor auf, weil sie es offenbar sehr eilig hatten und weil der Junge, dem die anderen folgten, als wäre er ihr Anführer, eine dunkle Maske trug, die ihm das Aussehen eines kleinen Raubvogels gab. Sie gingen Richtung Basilika. Ein Mädchen war auch dabei und ein ziemlich kleiner Junge, aber er war nicht blond. Victor hob die Zeitung und beobachtete die Kinder unauffällig über den Rand hinweg. Der Magere mit den struppigen Haa-

75

ren, der dicht hinter dem Anführer ging, kam ihm bekannt vor, aber ehe Victor ihn sich genauer ansehen konnte, waren die sechs plötzlich verschwunden, verschluckt von einer riesigen kanadischen Reisegruppe mit grellroten Rucksäcken. Ein ganzes Vaporetto hätte man mit diesen Leuten füllen können. Geht zur Seite, ihr Wandervögel!, knurrte Victor und reckte ärgerlich den kurzen Hals. Da. Dahinten waren sie wieder: vier Jungen und ein Mädchen, den maskierten Anführer nicht mitgezählt. Und da war auch das magere Bürschchen, das ihm so bekannt vorkam. Verflixt noch mal, diese struppigen Igelhaare … natürlich! Victor stand auf. Seine vier Kaffees hatte er schon bezahlt, ein Detektiv zahlt immer sofort. Schließlich soll ein Verdächtiger nicht entkommen, weil der Ober keine Zeit hat. Victor schlenderte Richtung Basilika und suchte sich in ihrer Nähe einen neuen Tisch, ohne die Kinder dabei aus den Augen zu verlieren.

Ja, er ist es!, dachte Victor und rückte sich die falsche Brille zurecht. Das ist der Junge, der mit Prosper zusammen war. Und der … »Dreh dich um!«, murmelte Victor und beobachtete den dunkelhaarigen Jungen, der jetzt etwas zurückblieb, durch den Sucher seines Fotoapparats. Wie fürsorglich er seinen Arm um den Kleinsten gelegt hatte. Ja, das musste er sein, Prosper… »Guck rüber zu mir!«, zischte Victor. »Guck schon her, bitte, Prosper!«

Am Tisch rechts von ihm drehte sich eine Frau um und sah misstrauisch zu ihm herüber. Victor lächelte ihr verlegen zu. Warum konnte er es sich bloß nicht abgewöhnen, mit sich selbst zu sprechen?

Da. Endlich. Der Dunkelhaarige sah sich um.

»Verdammt, er ist es!« Triumphierend trommelte Victor mit den Fingern auf den Tisch. »Prosper, der Glückliche. Tja, mein Junge, soeben verlässt dich dein Glück, und Victor wird es aufsammeln.

Hast du dir die Haare geschnitten? Tut mir Leid, aber so etwas kann Victor nicht täuschen. Und was ist mit dem Kleinen, um den du so brüderlich den Arm legst? Der ist ja so schwarzhaarig, als wäre er in ein Fass Tinte gefallen.«

Tinte. Natürlich.

Victor summte vergnügt vor sich hin, während er ein Foto nach dem anderen machte, von der Basilika, von dem geflügelten Löwen und – den beiden Brüdern.

Einmal am Tag kommt jeder in Venedig auf den Markusplatz. Man muss nur Geduld haben. Geduld. Sitzfleisch. Glück. Einen ganzen Sack voll Glück. Und gute Augen …

Es fehlte nicht viel und Victor hätte zu schnurren begonnen wie ein fetter, zufriedener Kater.

TREFFEN IM BEICHTSTUHL

»Bo, komm weiter!«, drängte Prosper. »Es ist gleich drei. Nun komm endlich.«

Aber Bo stand vor dem großen Portal der Basilika und sah zu den Pferden hinauf. Immer, wenn er auf den Markusplatz kam, blieb er dort stehen, legte den Kopf in den Nacken und guckte zu ihnen hoch. Vier Pferde, riesige goldene Pferde, stampfend und wiehernd standen sie da oben. Bo wunderte sich jedes Mal, dass sie noch nicht heruntergesprungen waren, so lebendig sahen sie aus.

»Bo!« Ungeduldig zog Prosper ihn weiter durch die Trauben von Menschen, die sich vor dem Eingang der riesigen Kirche drängten, begierig darauf, die vergoldeten Decken und Wände zu sehen.

»Sie sind wütend«, sagte Bo, während er sich immer wieder umsah.

»Wer?«

»Die goldenen Pferde.«

»Wütend?« Prosper runzelte die Stirn und zerrte ihn weiter. »Worüber?«

»Weil sie sie geraubt und hierher geschleppt haben«, flüsterte Bo. »Wespe hat es mir erzählt.« Ganz fest klammerte er sich an Prospers Hand, als sie um die Basilika herumgingen, damit er seinen großen Bruder nicht in dem Gedränge verlor. In den Gassen machte ihm das keine Angst, aber hier auf dem riesigen Platz schon. Den Löwenplatz nannte Bo ihn, er wusste, dass der Platz eigentlich anders hieß, aber er hatte ihn so getauft. Tagsüber gehörte jeder Pflasterstein hier den Tauben und Touristen. Aber nachts, da war Bo ganz sicher, wenn die Tauben auf den Dächern ringsum schliefen und die Menschen längst in ihren Betten lagen, gehörte der Platz den goldenen Pferden und dem geflügelten Löwen, der zwischen den Sternen stand.

»Es ist schon tausend oder hundert Jahre her, dass sie sie hergeschleppt haben«, sagte Bo.

»Wen?«, fragte Prosper und schob ihn an einem Hochzeitspaar vorbei, das sich vor der Basilika fotografieren ließ.

»Die Pferde!« Bo sah sich noch einmal nach ihnen um, aber er konnte sie nicht mehr sehen. »Die Venediger haben sie aus einer fernen, fernen Stadt geraubt, die sie erobert und geplündert haben. Die Venediger waren mal sehr mächtig, sagt Wespe, und ziemlich kriegerisch. Das ganze Gold in der Balisika, das haben sie alles von ihrer Kriegsbeute gekauft. Oder gestohlen. Bevor sie es dadrin an die Wände und die Decke geklebt haben.«

»Basilika«, berichtigte Prosper ihn. »Und sie heißen Venezianer, nicht Venediger.« Er sah hinauf zu dem riesigen blaugoldenen Zifferblatt, das auf der Nordseite des Platzes am Uhrturm prangte. Fünf vor drei.

Scipio und die anderen standen schon am Löwenbrunnen vor dem Seiteneingang der Basilika und warteten auf sie. Scipio hatte seine Maske abgenommen und spielte ungeduldig mit ihr herum.

»Na, endlich!«, sagte er, als Bo sich neben ihm auf den Brunnenrand hockte. »Hast du dir wieder die Pferde angeguckt?«

Bo guckte verlegen auf seine Füße. Wespe hatte ihm neue Schuhe gekauft. Sie waren etwas groß, aber wirklich schön. Und warm.

»Hört zu!« Scipio winkte die anderen zu sich heran und senkte die Stimme, als fürchte er, von irgendeinem der Umstehenden belauscht zu werden. »Ich will nicht mit einem ganzen Gefolge zu diesem Treffen erscheinen, also machen wir es folgendermaßen: Wenn ich gleich reingehe, kommen Prosper und Mosca mit, ihr anderen drei wartet hier am Brunnen.«

Enttäuscht sahen Bo und Riccio sich an.

»Ich will aber nicht hier warten!« Bos Unterlippe begann verdächtig zu zittern. Tröstend strich Wespe ihm über die Haare, aber Bo zog den Kopf weg.

»Bo hat Recht!«, rief Riccio. »Warum können wir nicht alle mitkommen? Warum nur Mosca und Prosper?«

»Weil wir drei als Gefolge des großen Herrn der Diebe nicht gut genug sind«, antwortete Wespe, bevor Scipio etwas sagen konnte. »Bo ist zu klein, du siehst auch kaum älter aus als acht, und ich bin ein Mädchen, was sowieso schon mal nicht in Frage kommt. Nein, wir drei würden ihn nur lächerlich machen, stimmt's, Herr der Diebe?«

Scipio kniff wütend die Lippen zusammen. Ohne ein Wort stolzierte er an ihr vorbei die Brunnenstufen hinunter. »Kommt«, sagte er zu Mosca und Prosper, aber die zwei zögerten. Erst als Wespe »Geht schon« sagte, folgten sie ihm.

Riccio stand da und schluckte die Tränen der Enttäuschung herunter, während er ihnen nachsah, aber Bo schluchzte los, so heftig, dass Prosper noch mal zurücklief. Trotz Scipios finsterer Miene.

»Du magst die Basilika doch gar nicht!«, flüsterte er Bo zu. »Es ist dir unheimlich dadrin, also stell dich nicht so an. Bleib hier am Brunnen, pass auf Wespe auf und rühr dich nicht vom Fleck.«

»Aber das wird scheußlich langweilig«, murmelte Bo und strich einem der Brunnenlöwen über die steinerne Tatze.

»Prosper, nun komm endlich!«, rief Scipio ärgerlich aus dem Seitenportal der Basilika.

»Bis später«, sagte Prosper. Und folgte Mosca und dem Herrn der Diebe in die riesige Kirche.

»Goldene Höhle« hatte Bo die Basilika getauft, als Prosper mit ihm zum ersten Mal hineingegangen war. Aber die goldenen Mosaiken von Engeln, Königen und Heiligen, die Wände und Decken schmückten, leuchteten nur zu bestimmten Stunden, wenn das Sonnenlicht hoch oben durch die Kirchenfenster fiel. Jetzt war alles dunkel. Und die Bilder, zusammengefügt aus Tausenden von glitzernden Glassteinen, verschluckte das Dämmerlicht, das die riesigen Gewölbe füllte. Helligkeit und Wärme waren draußen auf dem Platz geblieben, als gäbe es sie nicht mehr.

Zögernd gingen die drei Jungen den breiten Mittelgang entlang, ihre Schritte hallten auf dem steinernen Boden. Über ihren Köpfen wölbten sich die goldenen Kuppeln, deren Pracht die Dunkelheit verhüllte. Zwischen den hohen marmornen Säulen, die sie trugen, fühlten sich die Jungen so käferklein, dass sie unwillkürlich näher zusammenrückten. Das Dämmerlicht um sie her war getränkt mit Stille, mit flüsternden, wispernden, andächtig raunenden Stimmen und dem Schaben von Schuhsohlen auf kaltem Stein.

»Wo sind denn die Beichtstühle?«, flüsterte Mosca und blickte sich unbehaglich um. »Ich bin noch nicht oft hier drin gewesen. Ich mag keine Kirchen. Sie sind mir unheimlich.«

»Ich weiß, wo sie sind«, sagte Scipio und schob sich die Maske wieder übers Gesicht. Selbstsicher, wie einer der Führer, die den

Reisegruppen die Wunder der Basilika zeigten, schritt er den anderen beiden voran. Die Beichtstühle standen etwas abseits, im Seitenschiff der großen Kirche. Der erste auf der linken Seite unterschied sich in nichts von den übrigen, ein Kasten aus dunklem Holz, verhängt mit dunkelroten Vorhängen, mit einer Tür in der Mitte, durch die der Priester in den engen Verschlag schlüpfen konnte. Dort nahm er dann Platz auf einer schmalen Bank und legte sein Ohr an ein kleines Fenster, durch das ihm jeder, der wollte, seine Sünden zuflüstern konnte, um sie sich so von der Seele zu schaffen.

Für die Sünder gab es natürlich auch einen Vorhang, der sie vor neugierigen Blicken verbarg, an der Seite des Beichtstuhls. Und diesen Vorhang schob Scipio zur Seite. Nachdem er sich die Maske ein letztes Mal zurechtgerückt und sich noch einmal nervös geräuspert hatte. Der Herr der Diebe gab sich alle Mühe, so zu tun, als wäre er die Ruhe selbst, aber Prosper und Mosca spürten, dass Scipio das Herz genauso heftig klopfte wie ihnen, als sie ihm hinter den Vorhang folgten.

Als Scipios Blick auf die niedrige Bank fiel, die sich in der Dunkelheit dahinter verbarg, zögerte er einen Moment, aber dann kniete er nieder. Nur so hatte er das kleine Fenster in Augenhöhe, durch das, wer immer im Beichtstuhl saß, ihn sehen konnte. Prosper und Mosca stellten sich hinter ihn wie Leibwächter. Scipio aber kniete da, die dunkle Maske vor dem Gesicht, und wartete, dass sich hinter dem verhängten Fenster etwas tat.

»Vielleicht ist er noch gar nicht da. Sollen wir mal nachsehen?«, flüsterte Mosca unsicher.

Aber da zog auch schon jemand den Vorhang vor dem Fensterchen zurück. Aus der Dunkelheit, die in dem Beichtstuhl herrschte, leuchteten zwei Augen, rund und hell, pupillenlos. Prosper schauderte und erkannte erst beim zweiten Blick, dass es Brillengläser waren, in denen sich das spärliche Licht spiegelte.

»In einer Kirche sollte man ebenso wenig eine Maske tragen wie einen Hut«, sagte eine raue Stimme, die wie die eines sehr alten Mannes klang.

»In einem Beichtstuhl sollte man auch nicht über Diebstahl sprechen«, antwortete Scipio. »Und das wollen wir doch, oder?«

Prosper glaubte ein leises Lachen zu hören. »Du bist also wirklich der Herr der Diebe«, sagte der Fremde leise. »Nun gut, behalte die Maske auf, wenn du dein Gesicht nicht zeigen möchtest. Ich sehe auch so, dass du sehr jung bist.«

Kerzengerade kniete Scipio sich hin. »Allerdings. Und Sie sind sehr alt, nach Ihrer Stimme zu urteilen. Spielt das Alter bei unserem Geschäft eine Rolle?«

Prosper und Mosca wechselten einen schnellen Blick. Scipio konnte es nicht ändern, dass er den Körper eines Kindes hatte, aber sich auszudrücken wie ein Erwachsener fiel ihm so leicht, dass es sie immer wieder mit Bewunderung erfüllte.

»Keineswegs«, antwortete der alte Mann leise. »Du musst mir mein Erstaunen über dein Alter verzeihen. Als Barbarossa mir vom Herrn der Diebe erzählte, stellte ich mir, zugegeben, keinen Jungen von zwölf oder dreizehn Jahren vor. Aber verstehe mich nicht falsch: Ich bin ganz deiner Meinung, dein Alter spielt in diesem Fall keine Rolle. Ich selbst musste schon mit acht Jahren wie ein Erwachsener arbeiten, obwohl mein Körper klein und schwach war. Das hat keinen interessiert.«

»In meinem Gewerbe ist ein kleinerer Körper sogar von Nutzen, Conte«, sagte Scipio. »So soll ich Sie doch nennen, oder?«

»So kannst du mich nennen, ja.« Der Mann im Beichtstuhl räusperte sich. »Wie Barbarossa dir berichtet hat, bin ich auf der Suche nach jemandem, der mir etwas besorgt, das ich seit Jahren gesucht und nun endlich gefunden habe. Bedauerlicherweise befindet sich dieser Gegenstand zurzeit im Besitz einer Fremden.« Der Alte räusperte sich noch einmal. Ganz nah kamen seine Brillengläser jetzt dem Fenster, und Prosper glaubte, den Umriss eines Gesichts zu erkennen. »Wenn du dich der ›Herr der Diebe‹ nennst, bist du sicherlich schon einmal in eins der vornehmen Häuser dieser Stadt eingebrochen, ohne dass man dich dabei ertappt hat, richtig?«

»Natürlich.« Scipio rieb sich unauffällig die schmerzenden Knie. »Ich bin noch nie erwischt worden. Und von den vornehmen Häusern dieser Stadt kenne ich jedes zweite von innen. Ohne dass ich eingeladen worden wäre.«

»So, so.« Kräftige Finger, übersät von Altersflecken, rückten die Brille zurecht. »Gut, dann sind wir im Geschäft. Das Haus, das du für mich besuchen sollst, liegt am Campo Santa Margherita Nr. 423 und gehört einer Signora Ida Spavento. Es ist kein besonders prächtiges Haus, aber es verfügt immerhin über einen winzigen Garten, was, wie du sicher weißt, in Venedig einem Schatz gleichkommt. Ich werde dir in diesem Beichtstuhl einen Briefumschlag hinterlassen, in dem du alle Informationen findest, die du zur Erfüllung meines Auftrags benötigst: einen Grundriss der Casa Spavento, ein paar Erläuterungen zu dem Gegenstand, den du rauben sollst, sowie ein Foto von ihm.«

»Sehr gut.« Scipio nickte. »Das wird hilfreich sein und mir und meinen Helfern Arbeit sparen. Dann sollten wir jetzt über die Bezahlung sprechen.«

Wieder hörte Prosper den alten Mann leise lachen. »Ich sehe, du bist ein Geschäftsmann. Euer Lohn beträgt fünf Millionen Lire, zahlbar, sobald ihr mir eure Beute übergebt.«

Mosca drückte Prospers Arm so fest, dass es schmerzte. Scipio sagte eine Weile gar nichts, und als er wieder sprach, klang seine Stimme belegt. »Fünf Millionen«, wiederholte er langsam. »Das ... klingt nach einem fairen Preis.«

»Mehr könnte ich dir nicht zahlen, selbst wenn ich wollte«, antwortete der Conte. »Und du wirst sehen, dass das, was du mir stehlen sollst, nur für mich von Wert ist, da es weder aus Gold noch aus Silber ist, sondern nur aus Holz. Also, sind wir uns einig?«

Scipio holte scharf Luft. »Ja«, sagte er. »Wir sind uns einig. Wann sollen wir Ihnen die Beute übergeben?«

»Oh, wenn deine Diebeskunst es möglich macht, so schnell es geht. Ich bin ein alter Mann und würde das Ende meiner langen Suche gern noch erleben. Ich habe keinen anderen Wunsch in diesem Leben mehr, als das in Händen zu halten, was du für mich rauben sollst.«

Wie viel Sehnsucht aus seiner Stimme klang. Was ist es?, dachte Prosper. Was kann so wunderbar sein, dass man sich so sehr danach sehnt? Es war doch nur irgendein Gegenstand, den sie für den alten Mann stehlen sollten. Nichts Lebendiges. Konnte man sich nach etwas Totem so sehr sehnen?

Scipio nickte, während er nachdenklich in das dunkle Fenster starrte. »Wie soll ich Ihnen melden, dass ich Erfolg hatte?«, fragte er. »Barbarossa hat gesagt, dass Sie nur schwer zu erreichen sind.«

»Das stimmt.« Ein Räuspern kam aus der Dunkelheit. »Doch du wirst alles, was du brauchst, in diesem Beichtstuhl finden, sobald ich gegangen bin. Wenn ich gleich den Vorhang wieder vor das Fenster ziehe, zählt bitte bis fünfzig, bevor ihr holt, was ich für euch zurücklasse. Auch ich wahre gern mein Geheimnis, aber mir hilft dabei keine Maske. Gebt mir Nachricht von eurem Erfolg, und ihr werdet am nächsten Tag bei Barbarossa meine Antwort finden, in der ich euch mitteile, wann wir Beute gegen Diebeslohn tauschen. Den Ort sage ich dir lieber schon jetzt, Barbarossa öffnet zu gerne fremde Briefe, und diesen Handel möchte ich ohne ihn abwickeln. Merk es dir also gut: Wir werden uns an der Sacca della Misericordia wieder treffen, der kleinen Bucht im Norden der Stadt. Wo genau, wirst du noch erfahren. Falls du die Sacca nicht kennst, du findest sie auf jedem Stadtplan von Venedig. Ich wünsche dir Glück, Herr der Diebe. Mein Herz sehnt sich schon so lange nach dem, was du mir rauben sollst, dass es müde ist von all der Sehnsucht.«

Mit einem Ruck zog der Conte den Vorhang vor dem kleinen Fenster zu. Scipio richtete sich auf und lauschte. Eine Gruppe Touristen schob sich füßescharrend am Beichtstuhl vorbei, während ein Führer ihnen mit gedämpfter Stimme die Mosaiken über ihren Köpfen erklärte.

»Achtundvierzig, neunundvierzig, fünfzig!«, sagte Mosca, als die Gruppe sich endlich entfernte und die Stimme des Reiseführers nur noch leise zu ihnen herüberdrang.

Scipio warf ihm einen spöttischen Blick zu. »Dann musst du aber schnell gezählt haben«, sagte er und schlug den Vorhang zurück. Vorsichtig, einer nach dem anderen, traten sie wieder ins Freie.

»Sieh du nach, Prosper«, flüsterte Scipio, während er und Mosca sich als Schutzschild vor den Beichtstuhl stellten.

Zögernd öffnete Prosper die Tür, die für den Priester gedacht war, und schlüpfte in den dunklen Verschlag. Auf der schmalen Sitzbank unter dem Fenster fand er einen versiegelten Briefumschlag und einen Korb mit geflochtenem Deckel. Als Prosper den Korb hochhob, raschelte es darin. Fast hätte er ihn vor Schreck fallen lassen. Scipio und Mosca blickten ziemlich erstaunt drein, als er mit seinem Fund aus dem Beichtstuhl kam.

»Ein Korb? Was ist denn dadrin?«, flüsterte Mosca argwöhnisch.
»Auf jeden Fall raschelt es.« Prosper hob vorsichtig den Deckel
an, aber Mosca drückte ihn mit erschrockenem Gesicht wieder herunter. »Warte!«, zischte er. »Es raschelt? Vielleicht ist da eine
Schlange drin?«

»Eine Schlange?«, spottete Scipio. »Wieso sollte der Conte uns
eine Schlange geben? Auf so was kommst du nur durch die Geschichten, die Wespe euch ständig vorliest.« Er legte das Ohr an
den Korbdeckel. »Stimmt, es raschelt. Aber da klopft auch was«,
murmelte er. »Hat schon mal jemand von einer klopfenden
Schlange gehört?«

Scipio runzelte die Stirn und öffnete den Deckel gerade so weit,
dass er hineinlugen konnte. »Verflixt!«, sagte er und klappte den
Korb schnell wieder zu. »Es ist eine Taube.«

AUSGEHORCHT

Was wollen die in der Basilika?, dachte Victor, als er beobachtete, wie Prosper und Mosca mit Scipio durch das Seitenportal verschwanden. Es war mehr als unwahrscheinlich, dass die drei sich die Mosaiken angucken wollten. Hoffentlich beklauen sie nicht die Touristen, dachte Victor, dann muss ich Prosper nachher bei den Carabinieri auslösen. Nun ja, Esther Hartlieb würde das vermutlich egal sein. Es würde nur beweisen, wie Recht sie mit ihrer schlechten Meinung über den älteren Sohn ihrer Schwester hatte. Wenn der Kleine als Dieb erwischt würde, wäre das für sie bestimmt ein schwererer Schlag.

Der Kleine ... Unauffällig spähte Victor über seine Zeitung zum Löwenbrunnen hinüber. Prosper hatte ihn in der Obhut des Mädchens und des Igelkopfes zurückgelassen. Anscheinend traute er den beiden, sonst hätte er sie bestimmt nicht seinen kostbaren kleinen Bruder hüten lassen. Das Mädchen sprach mit Bo, offenbar versuchte sie ihn zum Lachen zu bringen, aber der Kleine guckte ziemlich mürrisch drein. Genau wie der Igelkopf. Der starrte so düster ins Brunnenwasser, als wollte er sich gleich darin ertränken.

Was mach ich nun?, dachte Victor. Er runzelte die Stirn und faltete die Zeitung zusammen. Ich könnte mir den Kleinen schnappen, aber bevor ich meinen Detektivausweis herausziehen könnte, würde man mich vermutlich schon als Kindesräuber gelyncht haben. Nein, zu viele Menschen. Victor gestand es sich nicht ein, doch es gab noch einen anderen, ganz unvernünftigen Grund, aus dem er sich Bo nicht greifen wollte. Es war zu lächerlich, aber er wollte es Prosper einfach nicht antun, dass sein kleiner Bruder weg war, wenn er wieder aus der Basilika kam.

Victor schüttelte den Kopf und seufzte.

Ich hätte den Auftrag nicht annehmen dürfen, dachte er. Was soll das noch werden? Beim Versteckspielen darf man kein Mitleid haben. Und beim Fangenspielen schon gar nicht. Schluss.

Du wirst sie ja fangen!, raunte eine leise Stimme in seinem Kopf. Aber nicht hier, vor so vielen Zeugen, sondern in aller Stille. Ganz diskret. So etwas muss sorgsam vorbereitet sein.

»Genau!«, brummte Victor. »Jetzt werde ich mir erst einmal ein paar Informationen beschaffen. Zum Beispiel über diese kleine Bande, mit der die beiden herumziehen.« Er zog sich die Schirmmütze etwas tiefer ins Gesicht, vergewisserte sich, dass der Film in seiner Kamera noch nicht voll war, und schlenderte hinaus auf den großen Platz. Nicht zu weit, nur gerade so weit, dass Bo ihn vom Löwenbrunnen aus sehen konnte.

Dann kaufte Victor sich bei einem der fliegenden Händler, die überall herumstanden, eine Tüte Futtermais, füllte sich die Jackentaschen mit den Körnern, griff mit beiden Händen hinein und stellte sich mit ausgestreckten Armen auf die Piazza.

»Putt, puttputtputt!«, gurrte er und setzte sein harmlosestes Lächeln auf. »Kommt her, ihr kleinen Scheißer. Aber wehe, ihr kackt mir die Ärmel voll.«

Und sie kamen. Natürlich. Ein ganzer Schwarm Tauben erhob sich, eine Wolke aus grauen Federn und gelben Schnäbeln. Flügelschlagend schwenkten sie auf Victor zu und ließen sich auf ihm nieder, auf seinen Schultern, seinen Armen, sogar auf seinem Kopf, wo sie neugierig an seiner Mütze herumpickten. Angenehm war das nicht. Victor musste zugeben, er hatte etwas Angst vor allem, was flatterte und spitzschnabelig pickte. Aber wie sonst erregte man die Aufmerksamkeit eines fünf Jahre alten Jungen?

Also lächelte Victor, gurrte und puttete – und beobachtete die Kinder am Brunnen.

Der Igelkopf hockte inzwischen schmollend ein Stück entfernt und starrte mit finsterer Miene in das Menschengetümmel. Das Mädchen steckte den Kopf in ein Buch. Und Bo langweilte sich.

»Guck hierher, Kleiner!«, flüsterte Victor, während ihm die Tauben auf dem Kopf herumtrippelten. »Na los, guck schon rüber zu dem albernen Kerl, der nur für dich die Vogelscheuche spielt.«

Bo zupfte an seinen gefärbten Haaren, rieb sich die Nase, gähnte – und dann, plötzlich, entdeckte er Victor. Victor, den Taubenständer. Bo warf dem Mädchen einen schnellen Blick zu, sah, dass sie völlig in ihr Buch vertieft war, und rutschte vom Brunnenrand.

Na endlich! Victor stöhnte erleichtert auf und füllte die leer gepickten Hände mit neuen Körnern. Zögernd kam Bo auf ihn zugeschlendert. Sah sich ab und zu noch mal zu den anderen beiden um, schob sich an drei Mädchen vorbei, die kreischend ein paar Tauben aus ihren Haaren scheuchten – und blieb mit schief gelegtem Kopf vor Victor stehen.

Als die Taube auf Victors Kopf den Hals beugte und mit dem Schnabel gegen die Gläser seiner falschen Brille pickte, kicherte Bo.

»*Buon giorno*«, sagte Victor und scheuchte das freche Vieh von seinem Kopf. Gleich ließ sich die nächste Taube darauf nieder.

Bo kniff die Augen zusammen und legte den Kopf auf die andere Seite. »Tut das weh?«

»Was?«

»Na, die Krallen. Und wenn sie an deiner Brille pickt.« Das Italienisch, das der Kleine sprach, klang fast so gut wie Victors. Vielleicht sogar besser.

Victor zuckte die Schultern, die Tauben flatterten hoch – und ließen sich wieder nieder. »Ach«, brummte er. »So schlimm ist das nicht. Ich mag es, wenn sie so um mich herumflattern.« Was für eine dicke, fette, dreimal dreiste Lüge. Aber im Lügen war Victor schon immer gut gewesen. Schon als kleiner Junge. Als kleiner, viel zu kurz geratener Junge waren Lügen seine besten Freunde gewesen. »Weißt du«, sagte Victor, während Bo ihn musterte, »wenn all die Flügel um mich herumflattern, dann stelle ich mir vor, dass ich auch gleich losfliege. Bis rauf zu den goldenen Pferden da.«

Bo drehte sich um und sah hinauf zu den stampfenden Hufen über dem Portal der Basilika. »Ja. Die sind toll, nicht? Ich würde so gern mal auf einem draufsitzen. Wespe sagt, sie mussten ihnen die Köpfe abschneiden, um sie herzubringen. Als sie sie gestohlen hatten. Und dann haben sie sie ihnen verkehrt rum wieder angeklebt.«

»Ach ja?« Victor musste niesen, weil ihm eine Feder in die Nase geflogen war. »Ich finde, sie sehen eigentlich ganz richtig aus. Aber es sind sowieso Kopien. Die echten stehen längst im Museum, damit die Salzluft sie nicht noch mehr zerfrisst. Magst du Tauben?«

»Nicht besonders«, antwortete Bo. »Wegen dem Geflatter. Außerdem sagt mein Bruder, dass man Würmer kriegt, wenn man sie anfasst.« Er kicherte. »Jetzt hat dir eine auf die Schulter gekackt.«

»Verdammte Viecher!« Victor riss die Arme so ärgerlich hoch, dass die Tauben davonflatterten. Fluchend wischte er sich mit einer alten Serviette den Vogeldreck von der Schulter. »Dein Bruder sagt das? Der scheint ja richtig gut auf dich aufzupassen.«

»Ja. Aber manchmal passt er ein bisschen viel auf.« Bo sah hoch zu den kreisenden Tauben, dann warf er einen Blick zurück zum Löwenbrunnen, wo das Mädchen immer noch in ihrem Buch las und der Igelkopf mit der Hand in dem schmutzigen Brunnenwasser herumrührte. Beruhigt drehte er sich wieder zu Victor um.

»Kann ich auch ein bisschen Futter haben?«

»Sicher.« Victor griff in die Tasche und streute ihm ein paar Körner in die kleine Hand.

Vorsichtig streckte Bo den Arm aus – und zog erschrocken den Kopf ein, als eine Taube sich auf seinem Arm niederließ. Aber als sie anfing, die Körner aus seinen Fingern zu picken, lachte er. So ausgelassen, dass Victor für einen Moment vergaß, warum er da stand und Taubenfutter in den Händen hielt. Erst der Geruch von Haarspray, der ihm in die Nase zog, als eine junge Frau mit mürrischem Gesicht an ihm vorbeistöckelte, erinnerte ihn wieder an seinen Auftrag.

»Wie heißt du?«, fragte Victor und pflückte sich eine graue Feder von der Jacke. Vielleicht irre ich mich ja, dachte er. Diese runden Kindergesichter ähneln sich doch wie zehn Eier in einem Karton. Vielleicht sind die tintenschwarzen Haare echt, vielleicht ist der Kleine nur mit seinen Freunden hier und geht heute Abend zurück zu seiner Mutter. Sein Italienisch ist wirklich ziemlich gut.

»Ich? Ich heiß Bo. Und du?« Bo kicherte, als die Taube seinen Arm hinauftrippelte.

»Victor«, antwortete Victor. Und hätte sich fast selbst geohrfeigt. Wieso, Teufel und Dämonen, sagte er dem Kleinen seinen wirklichen Namen? Hatten die Tauben ihm denn sein bisschen Verstand weggepickt?

»Bist du nicht noch etwas zu jung, Bo, um dich in diesem Gewimmel allein herumzutreiben?«, fragte er beiläufig und streute Bo noch ein paar Körner in die Hand. »Haben deine Eltern keine Angst, dass du zwischen all den Menschen verloren gehst?«

»Mein Bruder ist doch hier«, antwortete Bo und beobachtete entzückt, wie eine zweite Taube sich auf seinem Arm niederließ. »Und meine Freunde auch. Wo kommst du her? Aus Amerika? Du redest komisch. Ein Venediger bist du jedenfalls nicht, oder?«

Victor betastete seine Nase. Sie fühlte sich angepickt an. »Nein«, antwortete er und schob sich die Mütze zurecht. »Ich komm mal von hier, mal von da. Ein bisschen von überall. Wo kommst du her?« Victor sah zum Brunnen hinüber. Das Mädchen hatte den Kopf gehoben und sah sich suchend um.

»Von ziemlich weit weg«, sagte Bo. »Aber jetzt wohn ich hier.« Das »ziemlich« zog er ganz lang, als wollte er Victor damit verdeutlichen, wie weit entfernt dieser Ort war, von dem er kam. »Hier ist es viel schöner«, fügte er noch hinzu und lächelte die Tauben auf seinem Arm an. »Überall sind Löwen mit Flügeln und Drachen und Engel, die passen auf Venedig auf, sagt Prosper, und auf uns, aber viel aufzupassen gibt es da ja nicht, weil hier keine Autos fahren. Deshalb hört man auch besser. Das Wasser und die Tauben. Und man muss nie Angst haben, dass man überfahren wird.«

»Ja, das stimmt.« Victor verkniff sich ein Grinsen. »Man achtet einfach nur ein bisschen darauf, dass man in keinen Kanal fällt.« Er drehte sich um. »Dahinten am Brunnen – sind das deine Freunde?«

Bo nickte.

»Ich glaube, das Mädchen sucht dich«, sagte Victor. »Wink ihr mal, sonst macht sie sich Sorgen.«

»Das ist Wespe.« Bo winkte ihr mit der taubenfreien Hand zu.

Beruhigt setzte Wespe sich wieder auf den Brunnenrand. Aber sie klappte ihr Buch zu und ließ Bo nicht mehr aus den Augen.

Victor beschloss, noch einmal den Taubenständer zu machen. Das war am unverdächtigsten. »Ich wohne in einem Hotel direkt am Canal Grande«, sagte er, während die Tauben sich wieder auf ihm niederließen. »Und du?«

»In einem Kino.« Bo fuhr erschrocken zurück, weil einer der Vögel sich in seinem Haar festkrallen wollte.

»In einem Kino?« Ungläubig sah Victor auf ihn hinunter. »Beneidenswert. Da kannst du dir ja den ganzen Tag Filme ansehen.«

»Nein, das geht nicht. Der Projektor ist weg, sagt Mosca. Die meisten Stühle auch. Und die Leinwand haben die Motten so zerfressen, dass die nie mehr zu gebrauchen ist.«

»Mosca? Ist das auch einer von deinen Freunden? Wohnst du mit deinen Freunden zusammen?«

»Ja, wir wohnen alle zusammen.« Bo nickte stolz.

Victor musterte ihn nachdenklich. Konnte das stimmen? Vielleicht tut der Zwerg nur so unschuldig!, dachte er. Und während ich auf sein Engelsgesicht hereinfalle, erzählt er mir faustdicke Lügengeschichten. Ein Haufen Kinder, die allein lebten? So was sollte es geben. Aber die hier sahen nicht so aus, als ob sie Hunger litten oder unter den Brücken schliefen. Gut, die Knie von Bos Hosen waren gestopft, und das nicht besonders geschickt, und den saubersten Pullover trug er nicht gerade, aber das kam auch bei anderen Kindern vor. Auf jeden Fall sah der Kleine aus, als ob ihm irgendjemand regelmäßig die Haare kämmte und die Ohren wusch. Sein Bruder?

Vielleicht erzählt er mir ja noch ein bisschen mehr, dachte Victor und ließ die Arme sinken. Enttäuscht flatterten die Tauben davon, und Victor rieb sich die schmerzenden Schultern. »Was meinst du, Bo?«, fragte er beiläufig. »Wollen wir zusammen da im Café ein Eis essen gehen?«

Bos Blick wurde misstrauisch. Auf der Stelle.

»Ich geh nicht mit Fremden irgendwohin«, antwortete er verächtlich und machte einen Schritt zurück. »Nicht ohne meinen großen Bruder.«

»Natürlich nicht!«, sagte Victor schnell. »Sehr klug von dir.«

Das Mädchen am Brunnen hatte sich aufgerichtet. Sie zeigte in seine Richtung, und jetzt sah er, dass die anderen drei zurück waren. Der Maskierte trug einen Korb, und Prosper spähte mit besorgtem Gesicht zu Victor herüber.

Er kann mich nicht erkennen, dachte Victor, unmöglich. Ich hatte diesen Walrossbart im Gesicht. Aber unbehaglich fühlte er sich trotzdem. »Ich muss los, Bo!«, sagte er hastig, während Prosper mit misstrauischer Miene auf sie zusteuerte. »War nett, mit dir zu plaudern. Ich mach schnell noch ein Foto von dir. Zum Andenken, ja?«

Bo lächelte und stellte sich in Positur, immer noch eine Taube auf der Hand. Prosper beschleunigte seinen Schritt, als Victor die Kamera hob. Er rannte fast.

Victor drückte auf den Auslöser, spannte, fotografierte noch mal. »Danke, Kleiner. War nett, dich kennen zu lernen«, sagte er und fuhr Bo über das tintenschwarze Haar. Ja, es war gefärbt, kein Zweifel.

Nur noch wenige Schritte war Prosper entfernt. Er reckte sich, bahnte sich hastig einen Weg durch die Menschen, ohne Victor aus den Augen zu lassen.

»Mach's gut und lass dich weiterhin nicht von Fremden zum Eis einladen!«, rief Victor Bo zu. Dann machte er schnell ein paar Schritte zurück, drängte sich in die nächste größere Gruppe, die über den Platz schlenderte, zog den Kopf ein und ließ sich mitziehen. Schon war er unsichtbar. Ja, auf diesem Platz konnte sich jeder unsichtbar machen, wenn er es etwas geschickt anstellte. Schnell stopfte Victor seine Mütze in die linke Hosentasche, nahm die Brille ab und fischte aus der rechten Tasche einen kleinen Bart und eine Sonnenbrille. Auf die Nase damit und dann vorsichtig und ohne Hast zurückgeschlendert zu der Stelle, wo die beiden Jungen immer noch in einem Schwarm von Tauben standen. Unauffällig schob Victor sich an den beiden vorbei, eingeklemmt zwischen fünf dicken alten Damen.

Diesmal werde ich mich nicht abhängen lassen, dachte er. O nein. Diesmal bin ich vorbereitet. Und wenn Prosper ihn doch erkannte? Unsinn. Wie sollte er ihn erkennen? Der Junge war doch kein Wunderknabe. Was für ein Junge war er eigentlich?

Seine Tante wusste es bestimmt nicht. Esther Hartlieb interessierte nur der Kleine mit dem Engelsgesicht. Die zwei Brüder voneinander zu trennen fanden sie und ihr Mann vermutlich nicht schlimmer, als Eigelb von Eiweiß zu trennen. Durch die dunkle Sonnenbrille beobachtete Victor, wie Prosper den Arm um seinen kleinen Bruder legte und eindringlich auf ihn einredete, wie er ihm erleichtert durchs Haar fuhr und ihn dann mit sich zog, während er sich immer wieder umsah.

Tatsächlich, der Teufelskerl war misstrauisch.

Bei der Beschattung ist Vorsicht angesagt, mein Lieber!, dachte Victor, während er den beiden unauffällig folgte. Noch mal darfst du die Sache nicht vermasseln. Und was immer seine Tante von ihm sagt, das ist ein kluger Junge.

Unter einer Plane versteckt haben sich Bo und Prosper auf einem Lastkahn nach Venedig geschmuggelt.

oben Frau und Herr Hartlieb beauftragen den Detektiv Victor mit der Suche nach ihren Neffen. Bo wollen sie adoptieren, Prosper soll ins Waisenhaus.

unten Die beiden Jungen haben inzwischen Scipio, den »Herrn der Diebe« kennen gelernt, der sein Gesicht mit Vorliebe hinter einer Maske verbirgt.

oben   Scipio nimmt Prosper und Bo mit in das verlassene Kino, das ihm und seiner Kinderbande als Versteck dient.

unten   Dort lernen die beiden auch die anderen drei Mitglieder der Bande kennen: Mosca, Wespe und Riccio.

oben In ganz Venedig ist der Herr der Diebe für seine spektakulären Raubzüge bekannt, aber niemand weiß, dass er noch ein Kind ist.

unten Gelegentlich liefert sich die Bande Verfolgungsjagden mit der Polizei.

oben Bo bestaunt die wertvolle Beute, die Scipio von seinem letzten Einbruch mitgebracht hat.

unten Prosper gelingt es, bei Barbarossa, dem Antiquitätenhändler und Hehler, einen besonders guten Preis für das Diebesgut auszuhandeln.

oben und unten Victor ist Prosper und Bo inzwischen auf die Spur gekommen und beobachtet, wie die Bande den Markusplatz überquert und die Basilika ansteuert.

oben Dort treffen sich Mosca, Scipio und Prosper mit dem geheimnisvollen Conte, der einen gut bezahlten Auftrag für den Herrn der Diebe hat.

unten Währenddessen freundet sich Victor mit Bo an, der vor der Basilika wartet, und versucht ihn auszuhorchen.

Die Kinder haben bemerkt, dass sie von Victor verfolgt werden, und sich in einen Andenkenladen geflüchtet, wo sie beratschlagen, wie sie den Detektiv abschütteln können.

Versteckt hinter einer Gruppe Japaner, die den Uhrturm anstaunte, zog Victor seine Jacke aus und wendete sie. Jetzt war sie grau statt rot. Als Victor hinter den Japanern auftauchte, stand Prosper mit Bo schon wieder bei den anderen. Die sechs redeten kurz miteinander, dann verschwanden sie in einer der Gassen, die auf den Platz führten.

»An die Arbeit, Herr Detektiv«, murmelte Victor. »Nun wollen wir doch mal sehen, wo diese Mäuse ihr Mauseloch haben.« Was er tun würde, wenn er herausgefunden hatte, wo sie sich versteckt hielten, darüber versuchte Victor noch nicht nachzudenken. Später, dachte er nur. Später.

Und dann folgte er den Kindern in das Gewirr der Gassen.

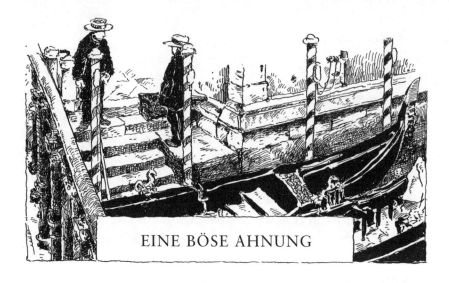

EINE BÖSE AHNUNG

»Verdammt, Bo, kannst du nicht einmal das tun, was man dir sagt?«, schimpfte Scipio, als Prosper mit Bo zurückkam.

»Ihr wart ewig lange weg!«, murrte Bo. »Da hab ich mich gelangweilt.« Er sah sich um, aber Victor, der Taubenmann, war nirgendwo zu entdecken.

»Ich hatte ihn die ganze Zeit im Blick, Scip«, sagte Wespe. »Also reg dich nicht auf.«

»Was ist in dem Korb?« Bo schob neugierig die Finger unter den Deckel, aber Prosper zog seine Hand zurück.

»Eine Brieftaube ist dadrin. Also lass die Finger davon, ja?«

»Kommt, lasst uns machen, dass wir ins Versteck kommen.« Scipio kehrte dem großen Platz den Rücken und winkte die anderen ungeduldig hinter sich her. »Ich habe heute nicht ewig Zeit.«

»Was ist mit dem Auftrag?«, rief Bo und hüpfte ihm aufgeregt hinterher. »Was ist es, was wir stehlen sollen?«

»Bo, verdammt noch mal!« Erschrocken hielt Mosca ihm den Mund zu. »Wir wissen es noch nicht, klar?«

»Der Conte hat uns einen Umschlag gegeben«, erklärte Prosper

Bo leise. »Aber Scipio will ihn erst öffnen, wenn wir im Versteck sind.«

»Und Scipio bestimmt hier nun mal«, murmelte Riccio. Mit düsterem Gesicht, die Hände tief in den Hosentaschen, lief er neben den anderen her, als interessiere ihn die ganze Sache weniger als die Pflastersteine unter seinen Schuhen.

»Wie war denn eigentlich dieser Conte?« Wespe zupfte Scipio an seinem Zopf, obwohl sie wusste, dass er das hasste. »Erzählt mal ein bisschen, wenn wir schon nicht dabei sein durften. Wie sah er aus? Unheimlich?«

Mosca lachte. »Unheimlich? Keine Ahnung. Wir haben ihn nicht gesehen. Oder konntest du sein Gesicht sehen, Scip?«

Scipio schüttelte nur den Kopf.

Prosper ging dicht hinter ihm, Bos Hand fest in seiner, und blickte immer wieder über die Schulter. »Scipio ...« Prospers Stimme klang belegt vor Aufregung. »Du ... du hältst mich wahrscheinlich für verrückt, aber ...«, er sah sich noch einmal um, »dieser Kerl da auf dem Platz, der, der mit Bo geredet hat ...«

»Ja?« Scipio drehte sich um. »Was war mit dem? Sah nach einem Touristen aus, wenn du mich fragst.«

»Ich weiß. Aber – Wespe hat dir doch auf dem Weg zur Basilika von diesem Detektiv erzählt, der mich und Riccio verfolgt hat ...«

Scipio runzelte die Stirn. »Ja, ja, ist eine ziemlich wilde Geschichte, wenn du mich fragst ...«

»Aber sie stimmt. Dieser Kerl gerade ...« Prosper suchte verzweifelt nach Worten, während Scipio ihn ungläubig ansah. »Ich glaube, das war er wieder. Er sah wirklich aus wie ein Tourist, aber als er weggelaufen ist, da ...«

»Was für ein Detektiv?«, unterbrach Bo seinen Bruder.

Prosper warf ihm einen unglücklichen Blick zu. Sie kamen an

eine Brücke und Scipio musterte kühl die Leute, die sich hinter ihnen die Stufen hinaufdrängten.

»Du brauchst gar nicht so ungläubig zu gucken«, sagte Riccio. »Victor, der Schnüffler, verkleidet sich gern, vielleicht ist er es wirklich gewesen, und dann ...«

»Der Taubenmann hieß auch Victor«, unterbrach Bo ihn und beugte sich über die Brückenbrüstung.

»Was?« Prosper drehte ihn unsanft zu sich herum. »Was hast du da gerade gesagt, Bo?« Unten auf dem Wasser schaukelten ein paar leere Gondeln. Ihre Führer warteten am Fuß der Brücke auf Kundschaft, und Bo beobachtete fasziniert, wie sie auf die Vorbeikommenden einredeten.

»Er hieß auch Victor«, wiederholte Bo, ohne den Blick von den Gondolieri zu wenden. »Der Taubenmann.« Dann riss er sich von Prosper los und sprang die Brückenstufen hinunter, um zuzusehen, wie ein Gondoliere sein Boot vom Kanalufer abstieß.

Prosper blieb auf der Brücke stehen, wie angewurzelt.

»Victor, der Schnüffler«, hauchte Riccio, stellte sich auf die Zehenspitzen und spähte besorgt in das Menschengewühl, das auf die Brücke zudrängte. Prosper aber drehte sich um, lief Bo hinterher, zerrte ihn weg von den Gondeln, so hastig, dass Bo fast hinfiel, und lief mit ihm in die nächste Gasse.

»He, Prosper, warte!«, rief Scipio und stürmte den beiden nach. Schon nach wenigen Metern hatte er Prosper eingeholt.

»Was soll das, so kopflos loszurennen?«, schimpfte Scipio und hielt ihn am Arm fest. Bo machte sich von Prospers Hand los und stellte sich an Scipios Seite.

»Kommt mit!«, sagte der und schob die zwei ohne ein weiteres Wort in den nächsten Andenkenladen. Mosca, Riccio und Wespe drängten hinterher.

»Tut so, als ob ihr euch was anguckt!«, raunte Scipio, als die Verkäuferin argwöhnisch zu ihnen herübersah. »Wenn der Kerl auf dem Markusplatz wirklich dieser Detektiv war, dann nützt es doch nichts, einfach davonzulaufen«, sagte er leise zu Prosper. »Bei all den Menschen merkt ihr doch gar nicht, ob er euch folgt!« Er hockte sich vor Bo hin und legte ihm die Hände auf die Schultern. »Dieser Victor – hat er dich ausgefragt?«, fragte er. »Auf dem Platz, als ihr die Tauben gefüttert habt?«

Bo verschränkte die Arme hinter dem Rücken. »Er hat mich gefragt, wie ich heiße ...«

»Hast du es ihm erzählt?«

Zögernd nickte Bo.

Prosper stöhnte und fuhr sich mit der Hand übers Gesicht.

»Was hast du ihm noch erzählt, Bo?«, flüsterte Wespe.

Die Verkäuferin sah immer öfter zu ihnen herüber, aber zum Glück kam eine Gruppe Touristen herein und beschäftigte sie erst einmal.

»Ich weiß nicht mehr«, murmelte Bo, während er zu Prosper hochsah. »Kommt der Detektiv von Esther?« Seine Unterlippe begann zu beben.

Mit einem Seufzer richtete Scipio sich wieder auf und sah Prosper an. »Wie sieht dieser Detektiv aus? Victor, der Schnüffler.«

»Aber das ist es ja!« Prosper senkte die Stimme, als er merkte, wie die Touristen sich nach ihnen umdrehten. »Er sah diesmal ganz anders aus! Er hatte keinen Bart und eine Brille, und man sah seine Augen kaum, weil er eine Schirmmütze trug. Ich hab ihn nur erkannt, weil er weggelaufen ist. Er bewegt die Schultern so seltsam, wenn er läuft. Wie eine – Bulldogge.«

»Hm.« Scipio tastete nach dem Umschlag des Conte, der immer noch ungeöffnet in seiner Jacke steckte, und blickte nachdenklich durch das voll gestellte Ladenfenster nach draußen. »Falls es wirklich dieser Detektiv war«, murmelte er, »und er uns gefolgt ist, dann führen wir ihn direkt zu unserm Versteck, wenn wir ihn nicht loswerden.«

Unbehaglich sahen die anderen sich an. Mosca hob den Korb des Conte und lugte besorgt unter den Deckel. Die Taube wurde langsam unruhig in ihrem Gefängnis. »Wird Zeit, dass sie da mal rauskommt«, flüsterte Mosca. »Sie hat bestimmt Hunger. Wisst ihr, was so eine Taube frisst?«

»Frag Bo, der hat die Viecher gerade dutzendweise gefüttert.« Scipio tastete noch einmal nach dem Umschlag in seiner Tasche. Für einen Moment dachte Prosper, dass er ihn öffnen wollte, aber zu seiner Überraschung schlüpfte Scipio plötzlich aus seiner Jacke, zog sich das Zopfband aus dem Haar und nahm Mosca die Schirmmütze vom Kopf.

»Was der Kerl kann, kann ich auch«, sagte er und setzte sich die Mütze auf. »Es ist nicht sonderlich schwer, anders auszusehen.« Er warf Prosper seine Jacke zu. »Du bleibst mit Bo hier. Falls dieser Schnüffler wirklich hinter euch her ist, wird er irgendwo da draußen stehen und warten, dass ihr wieder herauskommt. Stellt euch ruhig so ans Fenster, dass man euch durch die Scheibe sehen kann. Mosca, du bringst die Taube und den Umschlag schon mal ins Versteck.«

Mosca nickte und steckte den Briefumschlag des Conte vorsichtig in seine Hosentasche.

»Riccio, Wespe.« Scipio winkte die beiden zur Tür. »Wir sehen uns da draußen mal um, vielleicht entdecken wir den Kerl ja. Was hatte er an?«

Prosper überlegte. »Eine rote Jacke, helle Hosen und einen komischen karierten Pullover. Um den Hals hing ihm ein Fotoapparat.

Außerdem trug er eine dicke Brille und eine Schirmmütze, mit was drauf geschrieben, *I love Venice*, oder so was ...«

»... und seine Uhr.« Bo kaute besorgt auf seinem Daumennagel herum. »Da war ein Mond drauf.«

Scipio runzelte die Stirn. »Gut. Alles gemerkt?«

Wespe, Mosca und Riccio nickten.

»Dann los.«

Nacheinander schlüpften die vier wieder nach draußen. Prosper und Bo sahen ihnen voll Sorge durchs Fenster nach.

»Er war aber nett«, murmelte Bo.

»Man merkt nicht gleich, ob jemand wirklich nett ist«, sagte Prosper. »Und ansehen tut man es auch niemandem. Wie oft muss ich dir das noch erzählen?«

PRÜGEL FÜR VICTOR

Victor stand nur ein paar Meter entfernt. Um nicht weiter aufzufallen, kehrte er dem Laden, in dem die Kinder verschwunden waren, den Rücken zu. Aber er behielt die Ladentür im Auge, indem er ihr Spiegelbild in der Scheibe des gegenüberliegenden Geschäftes beobachtete.

Was treiben die bloß so lange dadrin?, dachte Victor, während er ungeduldig von einem Fuß auf den anderen trat. Wollen sie sich Plastikfächer kaufen? Oder will der Maskierte sich eine neue Maske zulegen? Da sah Victor plötzlich das Mädchen aus der Ladentür treten. Wespe hatte Bo sie genannt. Gelangweilt sah sie sich um, musterte die Gondeln am Anlegeplatz neben der Brücke und schlenderte auf sie zu. Keine Minute später verließ der schwarze Junge das Geschäft. Mit einem großen Korb in der Hand trollte er sich in genau die entgegengesetzte Richtung. Pest und Teufel. Was sollte das werden? Warum trennten die sich jetzt? Na egal, die beiden Hauptpersonen sind noch immer im Laden, dachte Victor und rückte seine Sonnenbrille zurecht. Als Nächstes kam der Igelkopf. Hüpfte auf einem Bein auf die Pasticceria zu, die nur ein paar Meter entfernt ihren Duft auf die Gasse verströmte, und drückte die Nase an das Fenster. Wahrscheinlich mussten die anderen jetzt alle nach Hause, Schularbeiten machen, Mittag essen. Bos Märchen von den Freunden, die zusammen in einem Kino wohnten, war eben bloß ein Märchen gewesen. Umso besser. Sollten sie ruhig verschwinden, einer nach dem anderen, die zwei, die Victor suchte, würden übrig bleiben – weil sie kein Zuhause hatten.

»Ich wohn in einem Kino. Mit meinen Freunden.« Pah. Das musste man ihm lassen, der Kleine konnte wirklich Märchen erzählen. Belustigt betrachtete Victor sein Spiegelbild in der Scheibe. Moment, wer kam denn da aus dem Laden spaziert? Noch so ein Dreikäsehoch.

Welcher fehlte denn? Natürlich, der Maskierte. Aber der hatte doch ganz anders ausgesehen, oder? Victor runzelte die Stirn. Der Junge blieb einen Moment vor der Ladentür stehen, sah sich mit ausdruckslosem Gesicht um und bückte sich, um seinen Schuh zuzubinden. Dann richtete er sich auf, blinzelte in die Sonne und schlenderte pfeifend zu den Gondolieri hinüber, die immer noch am Fuß der Brücke auf Kundenfang waren. »*Gondola, gondola!*«, riefen sie leise. Tja, Victor wäre jetzt auch lieber Gondel gefahren, statt hier herumzustehen. Die Kissen waren so weich und das Schaukeln des langsam dahintreibenden Bootes machte wunderbar schläfrig. Man hörte nur das Plätschern des Wassers, sein Glucksen und Schlürfen an Mauern und Pfählen, das Wispern der alten Stadt. Seufzend schloss Victor für einen Moment die Augen – und riss sie erschrocken wieder auf.

»*Scusi!*«, sagte eine Stimme hinter ihm.

Victor fuhr herum.

Der Junge, der sich gerade noch die Gondeln angesehen hatte, stand direkt vor ihm. Und grinste ihn an. Er hatte ein schmales Gesicht und sehr dunkle Augen, fast schwarz waren sie. Victor nahm die Sonnenbrille ab, um ihn deutlicher sehen zu können. War das der Maskierte, der den anderen auf dem Markusplatz wie ein Gockel voranstolziert war?

»Können Sie mir sagen, wie spät es ist?«, fragte der Junge und betrachtete dabei Victors karierten Pullover.

Mit gerunzelter Stirn blickte Victor auf seine Uhr. »Sechzehn Uhr dreizehn«, knurrte er.

Der Junge nickte. »Danke. Schöne Uhr haben Sie da. Zeigt die auch, wie spät es gerade auf dem Mond ist?«

Wie spöttisch er Victor mit seinen schwarzen Augen musterte. Was will der von mir?, dachte Victor. Der hat doch irgendwas vor! Schnell warf er einen Blick zu dem Andenkenladen hinüber und stellte beruhigt fest, dass Prosper und Bo immer noch hinter der Scheibe standen und den Kitsch im Schaufenster so andächtig betrachteten, als wären es die Schätze im Dogenpalast.

»Sind Sie Engländer?«

»Nein, Eskimo, sieht man das nicht?«, antwortete Victor, fuhr sich über den schmalen falschen Schnurrbart – und spürte, dass der Bart sich selbstständig machte.

»Eskimo? Das ist interessant. Die verirren sich nicht allzu oft hierher«, sagte der Junge, drehte sich um und schlenderte davon. Während Victor dastand und seinen Bart festhielt.

»Verdammmich!«, murmelte er, drehte sich schnell um und pflückte das elende Ding von seiner Lippe. Da sah er in der Scheibe, wie das Mädchen zurück in den Laden schlüpfte. Auch der Igel klebte nicht mehr vor dem Fenster der Pasticceria. Und der Junge mit den schwarzen Augen war nirgends mehr zu entdecken. Sie können mich nicht erkannt haben!, dachte Victor. Unmöglich. Und sah verblüfft in der spiegelnden Scheibe, wie die drei einträchtig zusammen aus dem Andenkenladen kamen. Mit Prosper und Bo in ihrer Mitte. Keiner der fünf sah zu ihm herüber, aber sie lachten und tuschelten miteinander, und Victor hatte das unangenehme Gefühl, dass es dabei um ihn ging. Ohne Eile schlenderten sie Richtung Rialto davon.

Victor warf seinem Spiegelbild einen ratlosen Blick zu – und folgte ihnen, vorsichtig, in sicherem Abstand, aber gerade so, dass er sie nicht aus den Augen verlor. Er hatte keine Übung darin, Kinder zu beschatten. Es war eine verdammt unangenehme Aufgabe, wie er feststellte. Sie waren so klein, viel leichter zu übersehen und trotzdem schnell auf den Beinen. Die Gasse, die sie hinuntergingen, war lang, und sie machten keine Anstalten in eine andere zu biegen. Ab und zu blickte sich einer von ihnen um, aber Victor blieb auf der Hut. Alles schien bestens zu laufen, bis diese dicken alten Frauen aus einem Café traten, lachend und debattierend, und mit ihren üppigen Hinterteilen die Gasse verstopften, dass kaum noch ein Durchkommen war. Mit ein paar wenig freundlichen Worten drängte Victor sich an ihnen vorbei, reckte den Hals nach den Kindern – und stolperte gegen das Mädchen. Das Mädchen, das am Brunnen so in sein Buch vertieft gewesen war. Das Mädchen, das mit so gelangweilter Miene aus dem Laden gekommen war, ohne Victor auch nur eines Blickes zu würdigen. Ja. Bo hatte sie Wespe genannt.

Sie starrte ihn an, mit feindseligen grauen Augen – und ehe Victor begriff, was sie vorhatte, ließ sie sich plötzlich gegen ihn fallen, trommelte mit ihren Fäusten gegen seinen karierten Pullover und schrie mit schriller Stimme: »Lassen Sie mich los, Sie Schwein! Nein, ich will nicht mit Ihnen mitkommen! Nein!«

Victor war so verblüfft, dass er im ersten Moment wie angewurzelt dastand und einfach nur auf sie hinabstarrte. Dann versuchte er sie wegzuschieben, aber sie ließ seine Jacke nicht los und hämmerte weiter gegen seine Brust. Um ihn herum drehten die Leute sich um und starrten ihn an, ihn und das kreischende Mädchen.

»Ich hab gar nichts gemacht!«, rief Victor entgeistert. »Nichts, überhaupt nichts!« Und sah entsetzt, wie irgendein Hund bellend auf ihn zusprang. Während die anderen Kinder in der nächsten Seitengasse verschwanden.

»Halt!«, brüllte Victor. »Halt, ihr verlogenen kleinen Teufel!« Er versuchte noch einmal, das Mädchen wegzuschubsen, aber da traf etwas mit solcher Wucht von hinten seinen Kopf, dass er taumelte. Und ehe er es sich versah, standen die dicken alten Frauen um ihn herum und droschen ihm wutentbrannt ihre gewaltigen Handtaschen auf den Kopf. Empört brüllte Victor sie an, hielt sich abwehrend die Arme über den Kopf, aber das Mädchen zeterte immer noch lauthals, und die Frauen prügelten, und der Hund verbiss sich knurrend in Victors Jacke. Immer dichter wurde die aufgebrachte Menge um ihn herum. Sie werden mich zerquetschen!, dachte Victor ungläubig und spürte, wie ihm jemand einen Knopf von der Jacke riss. Zerquetschen wie eine Laus auf einer Zimmerpflanze! Aber gerade als er in die Knie ging, kämpfte sich ein Carabiniere zu ihm durch und zerrte ihn hoch. Und während hundert Stimmen durcheinander riefen, um zu erklären, was die ganze Aufregung verursacht hatte, stellte Victor fest, dass das Mädchen verschwunden war.

Ebenso spurlos wie ihre vier Freunde.

DER UMSCHLAG DES CONTE

»Dem haben wir es aber gezeigt!«, sagte Wespe, als sie alle wieder sicher im Versteck waren. Einen tiefen Kratzer hatte sie auf der Backe, und an ihrer dicken Strickjacke fehlten zwei Knöpfe, aber sie lächelte übers ganze Gesicht. »Und seht mal, was ich mir in dem Gewühl gegriffen habe.« Stolz zog sie Victors Portemonnaie unter ihrer Jacke hervor und warf es Prosper zu. »Reg dich bitte nicht auf, vielleicht erfährst du so etwas mehr über den Kerl.«

»Danke«, murmelte Prosper und durchsuchte, ohne lange zu zögern, die Fächer: ein paar Rechnungen von irgendeiner Rosticceria in San Polo, ein Bon von einem Supermarkt, eine Eintrittskarte in den Dogenpalast. Er warf alles achtlos auf den Boden. Bis er Victors Detektivausweis in den Händen hielt. Mit versteinertem Gesicht starrte er ihn an.

Wespe blickte ihm über die Schulter. »Er ist also wirklich einer«, sagte sie. »Ein echter, wirklicher Detektiv.«

Prosper nickte. Er sah so verzweifelt aus, dass Wespe nicht wusste, wo sie hinschauen sollte. »Ach komm, vergiss den Kerl jetzt einfach!«, sagte sie leise, streckte zögernd die Hand aus und streichelte Prospers Gesicht. Aber er schien es gar nicht zu bemerken. Erst als Scipio zu ihnen trat, hob er den Kopf.

»Was guckst du so düster?«, sagte der Herr der Diebe und legte ihm den Arm um die Schulter. »Wir sind ihm doch entwischt. Lass uns jetzt endlich sehen, was in dem Umschlag des Conte steckt, ja?«

Prosper nickte. Und schob Victors Portemonnaie in seine Hosentasche.

Scipio öffnete den Umschlag natürlich persönlich. Feierlich schlitzte er ihn mit seinem Taschenmesser auf, während die anderen vor ihm auf den Klappsesseln hockten und ihn stumm vor Spannung beobachteten.

»Wo ist eigentlich die Taube, Mosca?«, fragte Scipio und zog ein Foto und ein zusammengefaltetes Blatt Papier aus dem Umschlag.

»Die sitzt noch in ihrem Korb, aber ich habe ihr ein bisschen Brot reingebröselt«, antwortete Mosca. »Und jetzt mach es nicht so spannend, verdammt noch mal. Lies vor, was auf dem Blatt steht.«

Scipio lächelte, warf den leeren Umschlag auf den Fußboden und faltete das Blatt auseinander. »Das Haus, dem ich einen Besuch abstatten soll, liegt am Campo Santa Margherita«, sagte er. »Und dies hier ist der Grundriss. Interessiert der jemanden?«

»Nun gib schon her!«, sagte Wespe, und Scipio reichte ihr das Blatt. Wespe betrachtete es kurz und gab es dann an Mosca weiter. Scipio musterte währenddessen das Foto, das auch in dem Umschlag gesteckt hatte. Ziemlich ratlos blickte er drein, als könne er sich keinen Reim auf das machen, was er sah.

»Was ist drauf?« Riccio stand ungeduldig von seinem Sitz auf. »Nun sag doch schon, Scipio!«

»Sieht aus wie ein Flügel!«, murmelte Scipio. »Oder für was haltet ihr das?«

Das Foto wanderte von einem zum anderen, und alle betrachteten es ebenso ratlos wie der Herr der Diebe selbst.

»Ja, es ist ein Flügel«, stellte Prosper fest, nachdem er das Foto auf den Kopf und auf die Seite gedreht hatte. »Und er scheint aus Holz zu sein, wie der Conte gesagt hat.«

Scipio nahm ihm das Foto aus der Hand und starrte es an.

»Fünf Millionen Lire für einen abgebrochenen Flügel aus Holz?« Mosca schüttelte ungläubig den Kopf.

»Wie viel?« Die Frage kam Wespe und Riccio fast gleichzeitig über die Lippen.

»Das ist ein ganzer Haufen, oder?«, fragte Bo.

Prosper nickte. »Guck doch noch mal in den Umschlag, Scip«, sagte er. »Vielleicht steckt da doch noch irgendwas drin, was die Sache erklärt.«

Scipio nickte und hob den Umschlag auf. Er lugte hinein – und zog eine kleine Karte heraus, eng beschrieben von beiden Seiten.

»*Der Flügel auf dem beiliegenden Foto*«, las Scipio vor, »*ist das Gegenstück des Flügels, den ich suche. Ansonsten ähneln sie sich wie ein Ei dem anderen. Beide sind etwa siebzig Zentimeter lang und dreißig breit. Die weiße Farbe, mit der ihr Holz einmal bemalt war, ist verblasst, und das Gold, mit dem die Federn eingefasst waren, ist wahrscheinlich auch bei dem zweiten bis auf ein paar Reste abgeblättert. Am Ansatz des Flügels müssen sich zwei lange Metallstifte von etwa zwei Zentimetern Durchmesser befinden.*«

Scipio hob den Kopf. Sein Gesicht verriet seine Enttäuschung. Offenbar hatte der Herr der Diebe nicht erwartet, dass das, was er für den geheimnisvollen Conte stehlen sollte und was dessen Stimme vor Sehnsucht zittern ließ, ein Stück altes Holz war.

»Vielleicht besitzt der Conte einen dieser wunderschönen geschnitzten Engel«, meinte Wespe. »Ihr wisst schon, wie sie in den großen Kirchen stehen. So ein Engel ist sehr wertvoll, aber nur mit zwei Flügeln, und den einen muss er wohl irgendwie verloren haben.«

»Also, ich weiß nicht.« Mosca schüttelte zweifelnd den Kopf und trat neben Scipio, um das Foto noch einmal zu betrachten. »Was ist das da im Hintergrund?«, fragte er. »Sieht aus wie ein Holzpferd, aber es ist ganz verschwommen …«

Scipio drehte die Karte um und runzelte die Stirn. »Wartet, da steht noch mehr. Hört zu: *Die Wohnräume der Casa Spavento liegen, wie mir berichtet wurde, größtenteils im ersten Stock. Dort wird vermutlich auch der Flügel aufbewahrt. Von einer Alarmanlage ist mir nichts berichtet worden, aber es könnte Hunde im Haus geben. Beeilen Sie sich, mein Freund! Ich warte auf Ihre Nachricht mit brennender Ungeduld. Füttern Sie die Brieftaube mit Getreide und gewähren Sie ihr etwas Freiflug in Ihrem Haus. Sofia ist ein freundliches, zuverlässiges Wesen.*«

Nachdenklich ließ Scipio die Karte sinken.

»Sofia, das ist ein hübscher Name«, sagte Bo und lugte in den Taubenkorb.

»Ja, aber du solltest deine Katzen von Sofia fern halten«, sagte Mosca spöttisch. »Die fressen sie nämlich auch, wenn sie einen hübschen Namen hat.«

Bo sah ihn erschrocken an. Dann bückte er sich, sah nach, ob seine Kätzchen vielleicht schon unter dem Klappsitz lauerten, auf dem der Korb stand, und presste vorsorglich seine Hände auf den geflochtenen Deckel.

»Ein Holzengel!« Riccio rümpfte die Nase und schob den Finger in den Mund. Er hatte oft Zahnschmerzen, aber heute war es besonders schlimm. »Ach was, nicht mal ein Engel, nur ein Flügel. So was soll fünf Millionen Lire wert sein?«

Wespe zuckte die Achseln und lehnte sich gegen den Sternenvorhang. »Irgendwie gefällt mir die Sache nicht«, sagte sie. »Diese Geheimnistuerei, und dann steckt auch noch der Rotbart mit drin.«

»Nein, nein, Barbarossa ist nur der Briefkasten.« Scipio betrachtete noch immer das Foto. »Ihr hättet den Conte hören sollen!«, murmelte er. »Er ist ganz verrückt nach diesem Flügel. Das klang nicht so, als ob es nur um Geld geht, um eine wertvolle Figur, die er verkaufen will ... Nein. Da muss noch mehr dahinter stecken. Hast du meine Jacke noch, Prop?«

Prosper nickte und warf sie ihm zu. Mit einem Seufzer schlüpfte Scipio in die zu langen Ärmel. »Hier, bewahrt das sorgfältig auf, am besten in unserem Geldversteck«, sagte er und reichte Wespe Karte, Foto und Grundriss des Conte. »Ich muss los. Ich bin drei Tage nicht in der Stadt. Bis ich zurückkomme, kundschaftet ihr schon mal das Haus aus. Wir müssen alles wissen: wer ein- und ausgeht, welche Gewohnheiten die Bewohner haben, wie viel Besuch, wann das Haus leer steht, wo man am unauffälligsten hineinkommt und was mit den Hunden ist. Na ja, ihr wisst schon, das Übliche. Überprüft, ob die Türen auf dem Grundriss an den richtigen Stellen eingezeichnet sind. Das Haus soll einen Garten haben, das könnte vielleicht hilfreich sein. Und, Prosper ...«, Scipio drehte sich noch mal zu ihm um, »du und Bo, ihr verlasst das Versteck in den nächsten Tagen so wenig wie möglich. Ich denk zwar, dass wir diesen Detektiv los sind, aber man weiß ja nie ...«

Scipio schob sich die Maske übers Gesicht.

»Hör mal«, sagte Riccio und trat ihm in den Weg, als er sich zum Gehen wandte. »Könnten wir dir bei dem Auftrag helfen? Ich mein, nicht nur beim Kundschaften, sondern bei dem Raubzug selbst ... Willst du uns nicht ausnahmsweise mal mitnehmen? Wir, wir ...«, Riccio verhaspelte sich vor Aufregung, »könnten doch Wache stehen oder dir beim Tragen helfen. Dieser Flügel ist bestimmt schwer, das ist keine Zuckerzange oder Kette oder so was, den kannst du nicht einfach in deinen Beutel stopfen! Was ... was meinst du?«

Scipio hatte ihm reglos zugehört, das Gesicht verdeckt von der Maske. Auch als Riccio geendet hatte und ihn voll ängstlicher Erwartung ansah, sagte er zunächst kein Wort. Dann zuckte er die Achseln und sagte: »In Ordnung!«

Riccio war so verdutzt, dass er ihn mit offenem Mund anstarrte.

»Ja, warum nicht?«, fuhr Scipio fort. »Machen wir den Raubzug zusammen! Das gilt natürlich nur für die von euch, die mitmachen wollen.« Er blickte zu Prosper hinüber, doch der schwieg.

»Ich mach auf jeden Fall mit!«, rief Bo und sprang begeistert um Scipio herum. »Ich kann nämlich durch Löcher krabbeln, in denen ihr stecken bleiben würdet, und ich kann viel leiser schleichen als ihr, ich ...«

»Bo, hör auf!« Prospers Stimme klang so scharf, dass Bo sich erschrocken zu ihm umdrehte. »Ich werde nicht mitmachen, Scip«, sagte Prosper. »Ich kann so was nicht. Außerdem muss ich auf Bo aufpassen, das verstehst du doch, oder?«

Scipio nickte. »Klar«, sagte er, aber es klang enttäuscht.

»Was diesen Detektiv betrifft«, sagte Prosper mit belegter Stimme. »Ich habe eine Visitenkarte von meiner Tante in seinem Portemonnaie gefunden. Damit ist wohl bewiesen, dass er hinter Bo und mir her war. Und mit dem Namen hatte Riccio Recht, er heißt Victor Getz und wohnt drüben in San Polo.«

»Blödsinn. Er wohnt am Canal Grande«, sagte Bo und warf seinem großen Bruder einen finsteren Blick zu. »Und ich komm doch mit, diesen Flügel stehlen. Du kannst nicht immer alles bestimmen, du bist nicht meine Mutter.«

»Ach was, Unsinn, Bo!« Wespe legte ihm von hinten die Hände auf die Schulter. »Prosper hat Recht. So ein Raubzug ist eine gefährliche Sache. Ich weiß auch noch nicht, ob ich mitmache. Aber wieso denkst du, dass der Detektiv in einem Hotel am Canal Grande wohnt?«

»Er hat es mir erzählt. Geh weg!« Bo stieß ihre Hände weg und schnappte nach Luft, damit er nicht losweinte. »Ihr seid alle gemein, ganz, ganz gemein!« Als Mosca ihn kitzelte, um ihn zum Lachen zu bringen, kniff Bo ihm in die Hand.

»He, hör mal zu!« Prosper ging vor seinem Bruder in die Hocke und drehte ihn mit besorgtem Gesicht zu sich herum. »Ihr zwei scheint euch ja prima unterhalten zu haben. Hast du diesem Detektiv noch irgendwas von uns erzählt? Zum Beispiel über unser Versteck?«

Bo kaute auf seiner Unterlippe. »Nein«, brummte er, ohne Prosper anzusehen. »Ich bin doch nicht blöd.«

Erleichtert sah Prosper sich zu den anderen um.

»Komm, Bo«, sagte Wespe und zog ihn mit sich. »Hilf mir mal beim Nudelkochen. Ich hab Hunger.« Mit mürrischem Gesicht trottete Bo ihr hinterher. Aber nicht, bevor er den anderen noch mal ausgiebig die Zunge herausgestreckt hatte.

DIE SPUR

Drei Tage schmerzte Victors Kopf. Aber noch mehr, viel mehr als die Beulen auf dem Kopf schmerzte sein verletzter Stolz. Hereingelegt von einer Bande Kinder! Mit den Zähnen knirschte er jedes Mal, wenn er daran dachte. Aufs Revier hatten die Carabinieri ihn geschleppt wie einen gemeinen Verbrecher, wie einen Kinderschänder hatten sie ihn behandelt, ihn herumgeschubst, beschimpft, und als er ihnen wutschnaubend seinen Detektivausweis vor die Nase halten wollte, musste er feststellen, dass die kleinen Ratten ihm auch noch sein Portemonnaie geklaut hatten.

Schluss. Schluss mit dem Mitgefühl, das er für sie gehabt hatte. Schluss damit.

Während Victor seine Beulen mit Eis kühlte und seine erkältete Schildkröte mit Rotlicht wärmte, grübelte er über nichts anderes nach als darüber, wie er die Bande wieder finden konnte. Jedes Wort, das Bo von sich gegeben hatte, rief Victor sich ins Gedächtnis, bis ein Wort in seinem Kopf anschlug wie eine Kirchenglocke. Kino.

Wir wohnen in einem Kino.

Was, wenn das doch stimmte? Was, wenn das nicht nur die Spinnerei eines kleinen Jungen war?

Der Polizei hatte Victor nichts erzählt von Bos seltsamem Hinweis, obwohl die nun ebenfalls nach den Kindern suchte, nachdem sich herausgestellt hatte, dass Victors Portemonnaie weg und er wirklich der Detektiv war, für den er sich ausgegeben hatte. Aber Victor wollte nicht, dass die Polizei die kleinen Räuber fing. O nein, die werde ich mir selber schnappen, dachte er, während er auf dem Teppich hockte und seinen Schildkröten die faltigen Köpfe kraulte. Die werden schon sehen, dass ich nicht so vertrottelt bin, wie sie denken!

Verdammt! Die eine Schildkröte nieste wirklich ganz abscheulich. Wenn er sich nicht täuschte, war es Paula. Der Tierarzt behauptete, dass sie Lando nicht anstecken würde. Also saßen die beiden immer noch im selben Pappkarton, natürlich nicht mehr draußen auf Victors Balkon, wo die Nächte immer kälter wurden, sondern unter dem Schreibtisch in seinem Büro. Ist auch besser, dass ich sie nicht trennen muss, dachte Victor, sonst würden sie womöglich noch beide an Einsamkeit eingehen.

Ein Kino …

Was hatte Bo erzählt? Dass die Stühle fehlten und kein Projektor mehr da war … Es musste also ein Kino sein, das nicht mehr in Betrieb war. Natürlich. Ein Kino, das geschlossen war und das der Besitzer leer stehen ließ, weil er noch nicht wusste, was er damit anfangen sollte. Es gab nicht viele Kinos in Venedig. Victor schlug im Telefonbuch nach, auch in dem vom letzten Jahr, und rief jedes Kino an, das er finden konnte, selbst die, die weiter außerhalb lagen, am Lido oder in Burano. Meistens wurde er gefragt, ob er Karten reservieren wollte, aber bei einem, dem FANTASIA, ging niemand ans Telefon, und bei einem weiteren stand keine Adresse hinter dem Namen. STELLA hieß es, und die Nummer stand nur in dem Telefonbuch vom letzten Jahr.

STELLA und FANTASIA, na bitte, zwei Kandidaten haben wir schon mal!, dachte Victor und wärmte sich den Risotto vom Vortag auf. Dann brachte er die verschnupfte Schildkröte noch mal zum Tierarzt und machte auf dem Rückweg einen Abstecher zum FANTASIA, wo niemand ans Telefon gegangen war.

Als Victor vor dem Kino ankam, öffnete es gerade für die Nachmittagsvorstellung. Es herrschte nicht gerade großer Andrang, nur zwei Kinder kauften sich eine Karte und ein Liebespaar, das gleich in dem dunklen Kinosaal verschwand. Victor trat an die Kasse und räusperte sich.

»Vorn oder lieber weiter hinten?«, fragte die Kartenverkäuferin und schob sich einen Kaugummi zwischen die Zähne. »Wo wollen Sie sitzen?«

»Nirgendwo«, antwortete Victor. »Aber ich wüsste gern, ob Sie schon mal was von einem Kino gehört haben, das STELLA heißt.«

Die Kartenverkäuferin formte mit den rot geschminkten Lippen eine Kaugummiblase und ließ sie zerplatzen. »STELLA? Das ist geschlossen. Seit ein paar Monaten schon.«

Victors Herz tat einen Sprung, einen kleinen, aufgeregten Sprung. »Ja, das hatte ich gehofft«, sagte er und beantwortete den verblüfften Blick der Kartenverkäuferin mit einem zufriedenen Lächeln. »Wissen Sie zufällig die Adresse …« Er stellte den Karton mit seiner kranken Schildkröte neben die Kasse.

Die Kartenverkäuferin ließ noch eine Kaugummiblase zerplatzen und musterte neugierig den Karton. »Was haben Sie denn dadrin?«

»Eine erkältete Schildkröte«, antwortete Victor. »Aber es geht ihr schon besser. Also, wissen Sie die Adresse?«

»Kann ich sie mal sehen?«, fragte die Verkäuferin.

Mit einem Seufzer zog Victor das Handtuch zur Seite, das er zum

Schutz gegen den kalten Wind über den Karton gelegt hatte. Paula schob den faltigen Kopf heraus, blinzelte erschrocken und verschwand in ihrem Panzer.

»Niedlich!«, seufzte die Verkäuferin und warf ihren Kaugummi in den Papierkorb. »Nein, die Adresse weiß ich nicht. Aber Sie könnten Dottor Massimo fragen. Er ist der Besitzer dieses Kinos, und das STELLA gehörte ihm auch. Eigentlich müsste er ja noch wissen, wo es liegt, oder?«

»Anzunehmen.« Victor holte seinen Notizblock heraus. »Wo finde ich diesen Dottor Massimo?«

»Fondamenta Bollani«, antwortete die Kartenverkäuferin gelangweilt. Sie gähnte. »Die Nummer weiß ich nicht, aber das größte Haus, das Sie finden können, das ist seins. Ist ein sehr reicher Mann, unser Besitzer. Die Kinos hält er sich nur zum Spaß, aber trotzdem hat er das STELLA schließen lassen.«

»So, so«, murmelte Victor und breitete das Handtuch sorgfältig wieder über Paulas Karton. »Na gut, dann werde ich ihm mal gleich einen Besuch abstatten, diesem Dottor Massimo. Oder haben Sie zufällig seine Telefonnummer?«

Die Kartenverkäuferin kritzelte die Nummer auf einen Zettel und schob ihn Victor hin. »Wenn Sie mit ihm sprechen«, sagte sie, »dann erzählen Sie ihm bitte, dass die Vorstellung fast ausverkauft war, ja? Sonst kommt er auf die Idee und lässt das FANTASIA auch noch schließen.«

Victor sah sich vor dem leeren Kino um. »Ich weiß gar nicht, was Sie haben? Die Schlange steht doch bis auf die Gasse«, sagte er – und machte sich auf die Suche nach einer Telefonzelle. Die Batterie seines Handys war schon wieder leer. Er hätte sich nie so ein Ding kaufen sollen.

»*Pronto*«, raunzte eine tiefe Stimme in Victors Ohr, als er endlich ein funktionierendes Telefon gefunden hatte.

»Spreche ich mit Dottor Massimo, dem Besitzer des alten STELLA-Kinos?«, fragte Victor. Paula raschelte in ihrem Karton herum, als suche sie nach einem Ausgang aus dem langweiligen Pappgefängnis.

»Ja, in der Tat«, antwortete Dottor Massimo. »Interesse an dem Kino? Dann kommen Sie vorbei. Fondamenta Bollani 233. Ich bin noch etwa eine halbe Stunde zu sprechen.«

Klack!, machte es in Victors Ohr. Überrascht starrte er den Hörer an. Na, das ist ja ein ganz Schneller!, dachte Victor, während er sich wieder mit seinem Karton aus der Telefonzelle zwängte. Eine halbe Stunde, und die nächste Vaporettostation war weit. Blieben nur die schmerzenden Füße.

Dottor Massimos Haus war nicht nur das größte an der Fondamenta Bollani, sondern auch das schönste. Die Säulen, die es schmückten, sahen aus wie zu Stein gewordene Blumen, die Brüstungen der Balkone schienen aus Marmorspitze gemacht und die schmiedeeisernen Gitter vor den Fenstern im Erdgeschoss und dem Eingangsportal schlangen sich zu Blüten und Blättern, als wäre nichts leichter aus Eisen zu formen.

Ein Dienstmädchen ließ Victor ein und führte ihn zwischen Säulen hindurch auf einen Innenhof, von dem eine prächtige Freitreppe steil in den ersten Stock führte. Das Mädchen stieg die breiten Stufen so schnell hinauf, dass Victor kaum Zeit blieb, sich etwas umzusehen. Als er sich über die Brüstung lehnte, um noch einen Blick auf den Brunnen im Hof zu werfen, drehte seine Führerin sich ungeduldig zu ihm um. »Dottor Massimo ist nur noch zehn Minuten zu sprechen«, erklärte sie spitz.

»Was hat der *dottore* denn so Dringendes vor?«, konnte Victor sich nicht verkneifen zu fragen.

Das Mädchen musterte ihn so ungläubig, als hätte er nach der Farbe von Dottor Massimos Unterhosen gefragt. Und Victor folgte ihr weiter, gerade so schnell, dass er sie nicht aus den Augen verlor in dem Labyrinth von Fluren und Türen, durch das sie ihn führte. So ein Theater wegen einer Adresse, dachte er. Ich hätte einfach noch mal anrufen sollen.

Endlich, als er schon etwas außer Atem war und Paula in ihrem Karton bestimmt seekrank, blieb das Mädchen stehen und klopfte an eine Tür, die hoch genug für einen Riesen gewesen wäre.

»Ja, bitte?«, rief die gleiche klangvolle Stimme, die Victor am Telefon ins Ohr geraunzt hatte. Dottor Massimo saß an seinem gewaltigen Schreibtisch in einem Arbeitszimmer, das größer als Victors ganze Wohnung war, und empfing seinen Besucher mit einem kühlen, abschätzenden Blick.

Victor räusperte sich. Er kam sich lächerlich vor in diesem prächtigen Raum, mit seinem Schildkrötenkarton unterm Arm und Schuhen, denen man die Laufarbeit deutlich ansah. Außerdem hatte er in Räumen, deren Decke so hoch über seinem Kopf schwebte, immer das unangenehme Gefühl zu schrumpfen. »Guten Tag, *dottore*«, sagte er. »Victor Getz. Wir haben gerade telefoniert. Leider haben Sie so schnell den Hörer aufgelegt, dass ich Ihnen gar nicht erklären konnte, worum es geht. Ich bin nicht hier, um Ihr altes Kino zu kaufen, sondern ...«

Bevor Victor fortfahren konnte, öffnete sich hinter ihm die Tür. »Vater«, sagte eine Jungenstimme. »Ich glaube, die Katze ist krank ...«

»Scipio!« Dottor Massimos Gesicht verfärbte sich vor Ärger. »Du siehst doch, dass ich Besuch habe. Wie oft soll ich dir noch sagen, dass du anklopfen sollst. Wenn die Herren aus Rom nun schon da wären? Wie würde das aussehen, wenn mein Sohn in unsere Besprechung hereinplatzte wegen einer kranken Katze?«

Victor drehte sich um und blickte in ein Paar erschrockene schwarze Augen. »Es geht ihr wirklich nicht gut«, murmelte Dottor Massimos Sohn und senkte hastig den Kopf, aber Victor hatte ihn sofort erkannt. Sein Haar war zu einem strengen, kleinen Zopf zusammengebunden und seine schwarzen Augen blickten nicht so selbstbewusst wie bei ihrer letzten Begegnung, aber er war es ohne Zweifel: der Junge, der Prosper und Bo geholfen hatte zu entkommen, der Junge, der Victor so unschuldig nach der Zeit gefragt hatte, bevor er und seine Freunde ihn auf die hinterlistigste Weise hereingelegt hatten.

Die Welt steckte voller Überraschungen.

»Dass sie krank ist, liegt wahrscheinlich daran, dass sie Junge hatte«, verkündete Dottor Massimo mit gelangweilter Stimme. »Da lohnt es sich nicht, einen Tierarzt zu bezahlen. Wenn sie eingeht, bekommst du eine neue.« Ohne seinen Sohn weiter zu beachten, wandte der *dottore* sich wieder Victor zu. »Also, fahren Sie fort, Signor ...«

»Getz«, wiederholte Victor, während Scipio immer noch stocksteif hinter ihm stand. »Also, wie ich schon sagte, ich will das STELLA keineswegs kaufen.« Aus dem Augenwinkel sah Victor, wie Scipio zusammenfuhr, als er den Namen des Kinos hörte. »Ich schreibe einen Artikel über die Kinos der Stadt, das STELLA würde ich gern einbeziehen, und deshalb brauche ich von Ihnen die Erlaubnis, es zu besichtigen.«

»Interessant«, sagte der *dottore* und warf einen Blick aus dem Fenster, wo unten auf dem Kanal gerade ein Wassertaxi anlegte. »Entschuldigen Sie, aber ich glaube, mein Besuch aus Rom trifft gerade ein. Selbstverständlich haben Sie meine Erlaubnis, das STELLA zu besichtigen. Es liegt in der Calle del Paradiso. Schreiben Sie, dass es eine Schande für diese Stadt ist, dass ein so gutes Filmtheater geschlossen werden musste. Hier hat offensichtlich nur noch Bestand, was die Touristen interessiert.«

»Warum wurde es geschlossen?«, fragte Victor.

Scipio stand immer noch an der Tür und lauschte mit angstvollem Gesicht dem, was Victor und sein Vater besprachen.

»Ein Gutachter vom Festland erklärte es für baufällig!« Dottor Massimo stand von seinem Schreibtisch auf, trat auf einen Schrank mit zahllosen Schubladen zu und zog eine heraus. »Baufällig! Die ganze Stadt ist baufällig«, stellte er verächtlich fest. »Man hat von mir eine Renovierung verlangt, die nicht zu bezahlen war. Unsummen hätte das gekostet! Wo ist denn der Schlüssel? Mein Verwalter hat ihn doch schon vor Monaten hergebracht.« Ungeduldig suchte er in der Schublade herum. »Scipio, komm, hilf mir suchen, wenn du schon da rumstehst.«

Victor hatte den Eindruck, dass Scipio gerade zu dem Entschluss gekommen war, sich davonzuschleichen. Die Klinke hatte er schon heruntergedrückt, aber als der Dottore ihn zu sich winkte, schob er sich mit blassem Gesicht an Victor vorbei und ging zögernd zu seinem Vater.

»*Dottore!*« Das Dienstmädchen steckte den Kopf durch die Tür. »Ihr Besuch aus Rom wartet. Empfangen Sie die Herrn in der Bibliothek oder soll ich sie heraufführen?«

»Ich komme in die Bibliothek«, antwortete Dottor Massimo schroff. »Scipio, du lässt dir von Herrn Getz eine Quittung für den Schlüssel geben. Diese Aufgabe wirst du ja wohl bewältigen, oder? Es hängt ein Schild an dem Schlüsselring mit dem Namen des Kinos.«

»Ich weiß«, murmelte Scipio, ohne seinen Vater anzusehen.

»Schicken Sie mir eine Kopie Ihres Artikels, sobald er erschienen ist«, sagte der *dottore*, als er an Victor vorbeihastete.

Totenstill war es, nachdem er den Raum verlassen hatte. Scipio stand neben der geöffneten Schublade und beobachtete Victor wie die Maus die Katze. Dann stürzte er plötzlich auf die Tür zu.

»Halt, halt!«, rief Victor und stellte sich ihm in den Weg. »Wo willst du denn hin? Vielleicht deine Freunde warnen? Das ist nicht nötig. Ich habe nicht vor, sie zu fressen. Ich werde sie nicht mal der Polizei ausliefern, obwohl ihr mir mein Portemonnaie geklaut habt. Mich interessiert auch nicht, dass du dir im alten Kino deines Vaters offenbar eine kleine Bande hältst. Geschenkt! Mich interessieren nur die zwei Brüder, die ihr bei euch aufgenommen habt: Prosper und Bo.«

Scipio starrte ihn wortlos an.

»Elender Schnüffler!«, flüsterte er verächtlich. Dann bückte er sich und zog an dem Teppich, auf dem Victor stand, so heftig, dass Victor den Halt verlor und mit Wucht auf dem Hintern landete. Er konnte gerade noch verhindern, dass ihm der Karton mit der Schildkröte aus den Händen rutschte. Wie ein Wiesel schoss Scipio an ihm vorbei auf die Tür zu. Victor warf sich zur Seite, um seine Beine zu erwischen, aber der Junge sprang einfach über ihn hinweg, und ehe Victor wieder auf den Füßen stand, war er verschwunden.

Wutschnaubend stürmte Victor hinterher, so schnell ihn seine kurzen Beine trugen. Aber als er schwer atmend oben an der Brüstung stand, sprang Scipio schon die letzten Stufen hinunter.

»Bleib stehen, du kleine Ratte!«, brüllte Victor ihm hinterher. Seine Stimme hallte so laut durch das riesige Haus, dass zwei

Dienstmädchen erschrocken auf den Hof gelaufen kamen. »Bleib stehen!« Victor lehnte sich so weit über die Brüstung, dass ihm schwindelig wurde. »Ich finde euch! Hast du gehört?«
Aber Scipio schnitt ihm nur eine Grimasse und lief aus dem Haus.

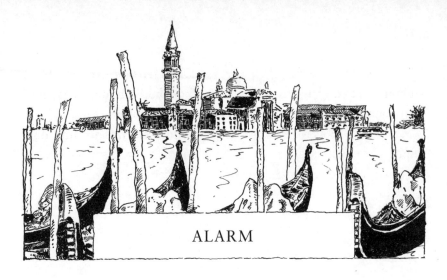

ALARM

»Also, fassen wir noch mal zusammen«, murmelte Mosca und beugte sich über den Grundriss, den der Conte ihnen gegeben hatte. »Drei Leute haben wir bisher rein- und rausgehen sehen: die dicke Haushälterin, ihren Mann und die blond gefärbte Frau ...«

»Signora Ida Spavento«, erklärte Riccio. »Erst haben wir gedacht, die Dicke wäre Signora Spavento und die mit den blonden Haaren ihre Tochter. Aber der Mann, dem der Zeitungskiosk auf dem Campo Santa Margherita gehört, redet gern und ziemlich viel. Und er hat mir erzählt, dass die Jüngere Ida Spavento ist und die Dicke ihr nur den Haushalt führt. Diese Signora Spavento wohnt allein in dem Haus und sie soll viel unterwegs sein. Der Mann vom Kiosk behauptet, sie ist Fotografin. Hat mir sogar eine Zeitschrift unter die Nase gehalten mit Fotos von Venedig, die angeblich von ihr waren. Auf jeden Fall kommt und geht sie ganz unregelmäßig. Die Haushälterin macht sich abends zwischen sechs und sieben auf den Heimweg und ihr Mann kommt wohl meist gegen Mittag und bleibt nie lange – zum Glück; der Kerl sieht aus, als würde er kleine Kinder zum Frühstück verspeisen.«

»Stimmt«, sagte Mosca und grinste.

»Tagsüber ist also fast immer jemand im Haus«, fuhr Riccio fort, »und abends«, er seufzte, »tja, abends ist das leider nicht anders, denn diese Signora Spavento hat offenbar nur am Tag Spaß am Weggehen. Abends scheint sie so gut wie nie etwas zu unternehmen. Aber wenigstens geht sie früh schlafen. Spätestens um zehn ist oben in ihrem Schlafzimmer das Licht aus.«

»Wenn es wirklich ihr Schlafzimmer ist«, sagte Wespe. Sie klang wenig begeistert von Riccios Bericht. »Wenn, wenn, wenn … wenn der Flügel im ersten Stock ist, wenn Signora Spavento im zweiten Stock schläft, wenn es wirklich keine Alarmanlage gibt … das sind reichlich viele Wenns für meinen Geschmack. Was ist mit den Hunden?«

»Kleine Kläffer.« Riccio pulte einen Kaugummi aus seiner Zahnlücke. »Und außerdem gehören sie wahrscheinlich der Haushälterin. Meistens nimmt sie sie abends mit nach Hause.«

»Meistens!« Wespe verdrehte die Augen.

»Ach, und wenn nicht«, Mosca machte eine verächtliche Handbewegung, »dann werfen wir ihnen ein paar Würste hin.«

»Na, du kennst dich ja aus!«, murmelte Wespe und spielte nervös mit ihrem Zopf herum. Sie hatte auch schon so einiges gestohlen, in Geschäften, an Vaporettohaltestellen, im Gedränge auf den Gassen. Aber in ein fremdes Haus zu schleichen, das war eine vollkommen andere Sache, und auch wenn Riccio und Mosca sich aufführten, als hielten sie das Ganze für ein großes Abenteuer – Wespe wusste, dass die zwei ebenso viel Angst hatten wie sie.

»Hat schon einer die Taube gefüttert?«, fragte sie und zupfte sich eine Feder von der Hose. Überall lagen Federn herum, seit der Vogel in ihrem Versteck herumflatterte. Mosca hatte ihm als Nestersatz hoch oben an die Wand einen alten Korb gehängt. Dort hockte die Taube oft und beobachtete Bos Kätzchen.

»Ich hab sie gefüttert«, rief Bo, der mit Prosper in einer Ecke Karten spielte. »Sie ist ganz zahm. Man muss bloß die Hand ausstrecken, dann kommt sie schon angeflattert.«

»Vielleicht sollten wir dem Vieh weniger zu fressen geben«, murrte Riccio. »Sie kackt alles voll, sogar meine Comichefte.«

Mosca beugte sich immer noch über den Grundriss, er fuhr mit dem Finger die Flure entlang, um sicherzugehen, dass er sich nicht verlaufen würde, wenn er mit einer Taschenlampe durch das fremde Haus schlich. »Woher der Conte den Grundriss wohl hat?«, murmelte er.

Wespe zuckte die Achseln. »Kann mir mal einer die Tasse mit den Knöpfen geben?«

Riccio holte sie ihr.

»Wenn du deine Hose nicht endlich mal wieder wäschst«, sagte Wespe und fädelte einen Faden in ihre Nadel, »dann kannst du dir deinen Knopf nächstens selbst annähen.«

Verlegen blickte Riccio auf seine nackten Beine. »Ich hab doch nur die eine. Die andere hat ein Loch.«

»Seit wann macht dir das denn was aus?«, spottete Mosca – und richtete sich auf. »Seid mal still!«, flüsterte er. »Hat da nicht gerade die Glocke gebimmelt?«

Alle lauschten. Mosca hatte Recht. Jemand läutete die Glocke am Notausgang.

»Scipio wollte doch erst morgen kommen!«, flüsterte Wespe. »Und außerdem schleicht er sich immer durch seine Geheimwege rein.«

»Ich frag nach der Parole«, sagte Prosper und sprang auf. »Bo, du bleibst hier.« Die Glocke läutete immer wieder, als Prosper den unbeleuchteten Flur zum Notausgang hinunterlief. Mosca hatte nach dem Zwischenfall mit dem Detektiv ein Guckloch in die Tür gebohrt, aber draußen wurde es schon dunkel und Prosper konnte kaum etwas erkennen, als er das Auge gegen das Loch presste. Regen prasselte gegen die Tür und jemand hämmerte gegen das Metall.

»Hört ihr mich denn nicht? Lasst mich rein!«, drängte eine Stimme. »Lasst mich endlich rein, verdammt.« Prosper glaubte ein Schluchzen zu hören.

»Scipio?«, fragte er ungläubig.

»Ja, verflucht noch mal.«

Hastig schob Prosper die Riegel zurück.

Klitschnass stolperte Scipio an ihm vorbei. »Verriegel die Tür, schnell!«, stieß er hervor. »Na, nun mach schon.«

Prosper gehorchte verwirrt. »Wir dachten, du wolltest erst morgen kommen«, sagte er. »Warum hast du dich denn nicht wie sonst reingeschlichen?«

Scipio lehnte sich an die Wand und atmete schwer. »Ihr müsst weg!«, stieß er hervor. »Sofort. Sind alle da?«

Prosper nickte. »Was soll das heißen?«, fragte er heiser. »Was soll das heißen, wir müssen weg?«

Aber Scipio lief schon den dunklen Flur hinunter. Mit klopfendem Herzen rannte Prosper ihm nach. Als Scipio in den Kinosaal stolperte, starrten die anderen ihn an wie einen Fremden.

»Was ist denn mit dir passiert?«, fragte Mosca entgeistert. »Bist du in einen Kanal gefallen? Und was hast du für piekfeine Sachen an?«

»Ich hab jetzt keine Zeit, euch was zu erklären!«, schrie Scipio. Seine Stimme überschlug sich vor Aufregung. »Der Schnüffler weiß, dass ihr hier seid. Klemmt euch die wichtigsten Sachen unter den Arm und dann machen wir, dass wir wegkommen.«

Entsetzt guckten die anderen ihn an.

»Starrt mich nicht so an!«, brüllte Scipio. Noch nie hatten sie ihn so aufgebracht erlebt. »Der Kerl wird gleich durch die Vordertür spazieren, klar? Vielleicht können wir irgendwann wiederkommen, aber bitte, jetzt müsst ihr hier weg!«

Keiner rührte sich. Riccio musterte Scipio mit offenem Mund. Mosca runzelte ungläubig die Stirn, und Wespe hatte den Arm um den verschreckten Bo gelegt.

Prosper regte sich als Erster. »Schnapp dir deine Katzen, Bo«, sagte er. »Und zieh dir die Regenjacke an. Es schüttet draußen.« Mit ein paar Schritten war er bei der Matratze, auf der Bo und er schliefen, und stopfte das bisschen, was sie besaßen, in eine Tasche. Da regten sich auch die anderen.

»Wo sollen wir denn hin?«, rief Riccio verzweifelt. »Ihr habt doch gehört, es regnet. Und es ist so kalt. Ich verstehe das alles nicht. Wie hat der Schnüffler uns gefunden?«

»Riccio, sei ruhig!«, fuhr Wespe ihn an. »Lass mich nachdenken.« Sie nahm den Arm von Bos Schultern und drehte sich zu Mosca um. »Setz dich vorn an den Kartenschalter und sag Bescheid, sobald du irgendwas Verdächtiges vor dem Eingang hörst. Das Gerümpel, mit dem wir die Tür verrammelt haben, wird ihn etwas aufhalten, aber nicht allzu lange, fürchte ich.«

»Bin schon weg.« Mosca steckte die Grundrisszeichnung eilig in den Hosenbund und verschwand durch die große Flügeltür.

»Ich hol das Geld, das noch da ist«, murmelte Scipio, ohne jemanden anzusehen, und lief Mosca hinterher.

Bo setzte wortlos die verschlafenen Kätzchen in ihren Karton. Als er sah, dass Riccio zusammengesunken auf seiner Matratze hockte und schluchzte, trat er verlegen zu ihm und streichelte ihm den struppigen Kopf.

»Wo sollen wir denn hin?«, schluchzte Riccio immer wieder. »Wo sollen wir denn hin, verdammt noch mal?«

Wespe musste sich ständig die Tränen vom Gesicht wischen, während sie ihre Lieblingsbücher in eine Plastiktüte stopfte. Aber plötzlich hielt sie inne.

»Wartet mal!«, sagte sie und drehte sich zu den anderen um. »Ich hab da gerade eine verrückte Idee. Wollt ihr sie hören oder soll ich besser den Mund halten?«

IN DER FALLE

Victor hätte nicht geglaubt, dass er noch so schnell rennen konnte. Zum Glück wusste er, wo die Calle del Paradiso lag, und hatte sie nicht erst noch auf dem Stadtplan suchen müssen, aber Scipio hatte trotzdem einen gehörigen Vorsprung.

Und ich wette, der wird mit jedem Meter größer, dachte Victor, während er keuchend die Gassen entlangstürmte. Gott, was gäbe ich jetzt für meine schnellen Kinderbeine! Er hatte das Gefühl, mindestens hundert Brücken überquert zu haben, als er endlich mit zitternden Knien in die Gasse einbog, in der Dottor Massimos Kino lag. Da waren sie, die großen Leuchtbuchstaben, von dem einen L fehlte ein Stück, aber der Name war noch deutlich zu lesen: STELLA. Ein verblichenes Filmplakat hing in einem Ausstellkasten. In den Schmutz auf der Scheibe hatte jemand ein Herz gemalt.

Schwer atmend stieg Victor die zwei Stufen zur Eingangstür hoch. Er versuchte durch die Scheibe zu schielen, aber sie war von innen mit Pappe vernagelt. Die Vögel sind sowieso längst ausgeflogen, dachte Victor, während sein Herz immer noch viel zu schnell pochte. Ihr Anführer hat sie bestimmt längst gewarnt. Wie passte der Sohn des reichen Dottor Massimo mit den anderen zusammen? Seine Bärtesammlung hätte Victor darauf verwettet, dass sie alle Ausreißer waren: der magere kleine Igelkopf mit den schlechten Zähnen, der große Schwarze, dem die Hosen zu kurz waren, und das Mädchen mit dem traurigen Mund. Ausreißer, wie die beiden Brüder, die Victor suchte. Was hatten sie mit Dottor Massimos Sprössling zu schaffen?

»Egal!«, brummte Victor, stellte den Karton mit der Schildkröte neben der Tür ab und zog einen Schlüsselbund mit Dietrichen aus der Tasche. Das Vorhängeschloss hatte er schnell geöffnet, aber das Türschloss bereitete ihm ziemliche Schwierigkeiten. Und als es endlich aufsprang, musste Victor feststellen, dass die Tür mit Bergen von Gerümpel verbarrikadiert war. Er fluchte so laut, dass im Haus gegenüber ein Fenster aufging und ein alter Mann besorgt den Kopf rausstreckte.

»Buona sera!«, rief Victor. »Va tutto bene, signore. Soltanto ... ehm, soltanto una revisione.«

Der alte Mann brummte etwas Unverständliches und knallte sein Fenster wieder zu.

Das dauert Stunden, bis ich da durch bin, dachte Victor und warf sich mit seinem ganzen Gewicht gegen die Tür. Nach fünf Versuchen schmerzte seine Schulter, aber die Tür klaffte so weit, dass er sich hindurchzwängen konnte. Im spärlichen Schein seiner Taschenlampe bahnte er sich einen Weg durch das verstreute Gerümpel, stieg über umgekippte Stühle, Obstkisten und zerbrochene Stellwände. Es war stockfinster hinter der zugenagelten Tür und Victor blieb vor Schreck fast das Herz stehen, als er gegen einen Pappkerl lief, der neben der verstaubten Kasse stand und ihm ein Maschinengewehr unter die Nase hielt.

Mit einem leisen Fluch schubste er ihn zur Seite und schlich auf die Doppeltür zu, hinter der der Kinosaal liegen musste. Vorsichtig öffnete er sie und lauschte in die Dunkelheit. Kein Laut, sosehr er auch die Ohren spitzte. Nur seinen eigenen Atem hörte er, er keuchte immer noch von der endlosen Rennerei. Natürlich!, dachte Victor. Wie ich es mir dachte. Alle ausgeflogen.

Zögernd machte er ein paar Schritte in den stockfinsteren Saal hinein. Und glaubte, ein Rascheln zu hören. Ganz leise nur. Wahrscheinlich Mäuse, dachte er und schauderte. Victor mochte Mäuse, aber nicht, wenn sie unsichtbar in der Dunkelheit herumraschelten. Langsam ließ er den Lichtkegel seiner Taschenlampe umherwandern. Sitzreihen. Ein Vorhang. Tatsächlich, ein richtiges Kino. Neugierig leuchtete er mit der Taschenlampe an den Wänden entlang. Da flatterte plötzlich etwas auf ihn zu, weißgrau, Flügel streiften sein Gesicht. Mit einem Aufschrei ließ er die Taschenlampe fallen, tastete hektisch in der Dunkelheit nach ihr und richtete den Strahl auf das, was da ziellos umherflatterte ... eine Taube! Eine gottverdammte Taube. Victor fuhr sich mit der Hand übers Gesicht, als könnte er den Schreck fortwischen. Der Vogel schien genauso erleichtert, beruhigt ließ er sich auf einem Korb nieder, der an der Wand baumelte.

Noch so eine Überraschung, dachte Victor, und mein armes Herz macht das nicht mehr mit. Er atmete noch einmal tief durch und ging weiter. Dieser große, finstere Saal war wirklich ein seltsames Versteck für ein paar heimatlose Kinder. Ja, es gab keine andere Erklärung. Der junge Massimo musste sie hier untergebracht haben, im leeren Kino seines Vaters. Der Vorhang vor der Leinwand glitzerte, als Victor ihn anleuchtete. Was, wenn sie sich irgendwo versteckt hatten? Er machte noch einen Schritt und stieß mit der Schuhspitze gegen eine Matratze. Ein ganzes Matratzenlager war hinter den Sitzen auf dem Boden aufgebaut: Decken, Kissen,

Bücher und Comichefte, sogar einen kleinen Kocher entdeckte Victor.

Donnerwetter. Der Kleine hat keine Märchen erzählt!, dachte er. Es ist, wie Bo gesagt hat: Er wohnt in einem Kino, mit seinem großen Bruder und seinen Freunden. Kindervorstellung. Kein Einlass für Erwachsene.

Das Licht der Taschenlampe fiel auf einen Teddybären, einen Stoffhasen, Angelruten, einen Werkzeugkoffer, Stapel von Büchern und ein Plastikschwert, das aus einem Schlafsack ragte. An der Wand und den Lehnen der Sitze klebten Fotos und Bilder, ausgeschnitten aus Zeitschriften und Comicheften. Plakate. Leuchtsterne. Sticker. Über einer Matratze waren Blumen an die Wand gemalt, bunt und groß, Fische, Boote, eine Piratenfahne.

Er stand in einem Kinderzimmer. Einem riesigen Kinderzimmer.

Ich hätte was auf die Ohren gekriegt, wenn ich mir eine Piratenfahne auf die Tapete gepinselt hätte, dachte Victor. Für einen kurzen Moment verspürte er den verrückten Wunsch, sich auf eine der Matratzen zu legen, ein paar von den Kerzen anzuzünden, die überall herumstanden, und alles zu vergessen, was zwischen seinem neunten Geburtstag und dem jetzigen Tag passiert war. Da hörte er wieder ein Geräusch.

Victors Nackenhaar sträubte sich.

Da war jemand. Ganz sicher. Und es war ein Mensch. Die Anwesenheit eines Menschen fühlte sich anders an als die eines Tieres, anders als die einer Taube oder einer Maus.

Victor vergaß die Matratzen und schlich auf die Klappsitze zu. Waren sie wirklich so dumm, sich auf ein Versteckspiel mit ihm einzulassen? Glaubten sie, dass er dieses Spiel nicht mehr beherrschte, nur weil er erwachsen war?

»Da muss ich euch enttäuschen!«, sagte Victor laut. »Ich war schon immer ein erstklassiger Sucher beim Versteckspielen. Und beim Kriegen habe ich sie alle gefangen. Trotz meiner kurzen Beine. Ihr könnt also genauso gut gleich aufgeben.« Seine Stimme klang fremd, als sie durch den Kinosaal hallte. »Was glaubt ihr?«, rief er, während er zwischen die roten Sessel leuchtete. »Dass das hier ewig so weiterlaufen kann? Wovon ernährt ihr euch? Vom Klauen? Wie lange soll das noch gut gehen? Na ja, das ist nicht meine Angelegenheit. Ich bin sowieso nur an zweien von euch interessiert. Für den Größeren steht ein Internatsplatz bereit, für den Kleineren sogar ein Zuhause. Ein echtes Zuhause. Essen satt, Betten, ein normales Leben. Da kann man doch ein bisschen Haarsprayduft in Kauf nehmen.«

Zum Teufel, was rede ich da?, dachte Victor und blieb stehen. Das hört sich ja nicht sehr verlockend an. Außerdem bin ich zu alt, um in einem stockdunklen Kino mit einer Bande Kinder Verstecken zu spielen.

»He, Victor, fang mich doch!«, rief plötzlich eine Stimme. Eine helle Stimme. Victor kannte sie. Der glitzernde Vorhang bekam plötzlich eine Beule. »Hast du eigentlich eine Pistole?«, fragte die Stimme hinter dem sternenbestickten Stoff, und Bos tintenschwarz gefärbter Kopf schob sich zwischen den Falten hervor.

»Natürlich!« Victor schob die Hand unter seine Jacke, als griffe er nach seinem Revolver. »Willst du sie dir mal ansehen?«

Langsam trat Bo aus seinem Versteck. Mit schief gelegtem Kopf stand er da und guckte Victor an. Wo steckte Prosper, sein großer Bruder? Victor blickte nach links, nach rechts, über die Schulter, aber überall sah ihn nur die Dunkelheit an mit ihrem schwarzen Gesicht.

»Ich hab keine Angst«, sagte Bo. »Das ist bestimmt nur eine Gummipistole.«

»So, so, denkst du.« Victor verkniff sich ein Grinsen. »Du bist ja ein ganz Schlauer.« Er ließ den Kleinen nicht aus den Augen. Leider hatte er dadurch die Sitzreihe neben sich nicht im Blick. Und als er spürte, wie sich zwischen den Klappsesseln links und rechts von ihm etwas regte, war es schon zu spät. Bevor Victor wusste, wie ihm geschah, warfen sich fünf Kinder auf ihn. Sie rissen ihn von den Füßen, warfen ihn zu Boden wie einen Sack Kaffeebohnen und setzten sich auf seinen Bauch. Sosehr er auch um sich schlug und trat, Victor schaffte es nicht, sich zu befreien. Die Taschenlampe war ihm aus der Hand gefallen und rollte über den Boden, leuchtete mal hierhin, mal dahin. Victor glaubte das Mädchen zu erkennen, das ihm die Frauen mit den Handtaschen auf den Hals gehetzt hatte. Es hielt seinen rechten Arm fest, der Mohrenkopf hielt seinen linken gepackt, und zwei andere, wahrscheinlich Prosper und der Igel, klammerten sich an seine Beine. Mitten auf Victors Brust aber, mit einem schadenfrohen Lächeln auf dem schmalen Gesicht, die schwarzen Augen spöttisch zusammengekniffen, thronte Scipio und drückte dem Gefangenen die Knie in die Seiten wie einem widerspenstigen Pferd.

»Verdammter kleiner Bastard!«, brüllte Victor. »Du ...«

Weiter kam er nicht. Scipio stopfte ihm einfach einen Lappen zwischen die Zähne. Einen stinkenden, feuchten Lappen, der nach nassem Katzenfell roch.

»Was machst du da? Sollen wir ihn nicht erst aushorchen?«, fragte der schwarze Junge verblüfft. »Wir wissen doch nicht mal, ob er wirklich nur hinter Prosper und Bo her ist.«

»Genau!« Der Igel bohrte nervös die Zungenspitze zwischen die Zähne. »Lass ihn uns fragen, wie er uns gefunden hat, Scipio.«

»Ach was, der erzählt uns doch sowieso nur Lügen«, antwortete Scipio. »Fesselt ihn lieber.«

Zögernd holten die anderen alles, was sie an Stricken und Gürteln finden konnten. Sie verschnürten Victor, bis er aussah wie eine Seidenraupe. Das Einzige, was er noch konnte, war, wütend mit den Augen zu rollen.

»Ihr tut ihm doch nicht weh, oder?« Das war Bo. Mit besorgtem Gesicht beugte er sich über ihn. Plötzlich kicherte er. »Du siehst komisch aus, Victor«, stellte er fest. »Bist du wirklich ein Detektiv?«

»Ja, das ist er, Bo.« Prosper schob seinen kleinen Bruder zur Seite, bückte sich und durchsuchte Victors Taschen. »Ein Telefon«, sagte er, »und ... tatsächlich«, vorsichtig hielt er Victors Revolver hoch, »guckt euch das an, ich dachte, er schneidet nur auf.«

»Gib her, ich versteck das.« Wespe nahm Prosper die Pistole so behutsam aus den Händen, als fürchte sie, das Ding könne ihr zwischen den Fingern explodieren.

»Guckt nach, was er noch dabeihat!«, befahl Scipio und erhob sich von Victors Brust. Nachdenklich stand er da und blickte auf seinen Gefangenen herunter. »Tja, Herr Detektiv«, sagte er mit leiser, drohender Stimme. »Legen Sie sich nicht mit dem Herrn der Diebe an.« Dann gab er den anderen einen Wink. »Los, schafft ihn ins Männerklo.«

NÄCHTLICHER BESUCH

Sie legten für Victor eine Decke auf die kalten Fliesen. Immerhin. Trotzdem hatte er es nicht gerade gemütlich. Gefangen und gefesselt, das war ihm noch nie passiert. Eingeschlossen in ein altes Kinoklo, von einer Bande Kinder! Und Dottor Massimos feiner Sohn hatte ihm so schnell den Knebel zwischen die Zähne gestopft, dass er nicht einmal dazu gekommen war, den kleinen Bastarden zu sagen, dass draußen vor der Tür in einem zugigen Karton eine arme erkältete Schildkröte lag.

Die Stunden verstrichen und Victor dachte immer wieder dasselbe: Ich hätte es wissen müssen! Ich hätte es wissen müssen, als diese spitznasige Esther in mein Büro gekommen ist mit ihrem quittengelben Mantel. Gelb war schon immer seine Unglücksfarbe gewesen.

Er versuchte gerade zum zwanzigsten Mal vergeblich, an seinen Schuh zu kommen, weil sich in dessen Absatz ein paar nützliche Hilfsmittel für Notfälle befanden, als plötzlich hinter seinem Rücken die Tür aufging. Ganz leise, als hätte der, der da hereinschlich, etwas vor, das unbemerkt bleiben sollte. Was hatte das nun wieder zu bedeuten? Wahrscheinlich nichts Gutes. Beunruhigt versuchte Victor sich umzudrehen.

Eine Taschenlampe leuchtete ihm ins Gesicht und jemand kniete sich neben ihm auf die kratzige Decke. Prosper.

Erleichtert seufzte Victor auf. Er wusste selbst nicht, wieso, denn Prosper musterte ihn alles andere als freundlich. Aber er befreite ihn wenigstens von dem stinkenden Knebel. Victor spuckte erst einmal aus, um den ekelhaften Geschmack in seinem Mund loszuwerden. »Hat euer schwarzäugiger Boss das erlaubt?«, fragte er. »Ich wette, er wollte mich vergiften mit diesem Lappen.«

»Scipio ist nicht unser Boss«, antwortete Prosper und half Victor sich aufzusetzen.

»Nein? Benehmen tut er sich aber so.« Stöhnend lehnte Victor sich gegen die gefliese Wand. Jeder Knochen tat ihm weh. »Die Hände machst du mir nicht los, was?«

»Seh ich aus wie ein Dummkopf?«

»Nein. Wahrscheinlich bist du aber nicht halb so abgebrüht, wie du gerade tust«, knurrte Victor, »deshalb geh und hol den Karton rein, der draußen vor dem Kino steht.«

Prosper sah ihn misstrauisch an, aber er holte den Karton. »Wusste gar nicht, dass Schildkröten zur Detektiv-Ausstattung gehören«, sagte er, als er die Schachtel neben Victor auf den Boden stellte.

»Ach, du bist ein Witzbold, was? Hol sie raus! Ich kann nur hoffen, dass es ihr gut geht, sonst bekommt ihr einen Höllenärger mit mir.«

»Haben wir den nicht sowieso schon?« Prosper hob die Schildkröte vorsichtig aus dem Sand, den Victor ihr in den Karton gestreut hatte. »Sieht etwas vertrocknet aus.«

»So sieht sie immer aus«, brummte Victor. »Aber sie braucht frischen Salat, Wasser und einen kleinen Spaziergang. Los, lass sie ein bisschen auf der Decke rumstapfen.«

Prosper verkniff sich ein Lächeln, aber er tat, was Victor verlangte.

»Sie heißt Paula und ihr Mann sitzt jetzt victorseelenallein in seinem Karton unter meinem Schreibtisch und macht sich Sorgen.« Victor bewegte seine Zehen, sie kribbelten abscheulich. »Um den müsst ihr euch also auch kümmern, wenn ihr mich hier wie einen Rollmops lagern wollt.«

Jetzt konnte Prosper nicht mehr anders, er musste grinsen. Er wandte das Gesicht ab, aber Victor sah es trotzdem. »Sonst noch was?«

»Nein.« Victor versuchte sich in eine etwas bequemere Position zu setzen, doch viel brachte das nicht. »Fangen wir mit der Unterhaltung an. Deshalb bist du doch gekommen, oder?«

Prosper fuhr sich durch das dunkle Haar und lauschte nach draußen. Ein leises Schnarchen drang durch die Tür. »Das ist Mosca«, sagte Prosper. »Er soll eigentlich Wache halten, aber er schläft fest wie ein Baby.«

»Wieso Wache halten?« Victor musste gähnen. »Wo soll ich denn hin, eingewickelt wie eine Seidenraupe?«

Prosper zuckte die Achseln. Er stellte die Taschenlampe neben sich auf den Fußboden und musterte angestrengt seine Fingernägel. »Sie sind hinter mir und meinem Bruder her, stimmt's?«, fragte er, ohne Victor anzusehen. »Meine Tante hat Sie beauftragt.«

Victor zuckte die Achseln. »Deine kleine Freundin hat mir doch mein Portemonnaie geklaut. Dadrin hast du bestimmt die Visitenkarte gefunden.«

Prosper nickte. »Wie hat Esther rausgekriegt, dass wir in Venedig sind?« Er legte die Stirn auf die angezogenen Knie.

»Hat einige Zeit und viel Geld gekostet, wie dein Onkel mir erzählte.« Victor ertappte sich dabei, dass er den Jungen mitfühlend musterte.

»Wenn ich nicht in Sie reingelaufen wäre, hätten Sie uns nie gefunden.«

»Kann sein. Euer Versteck ist ziemlich ungewöhnlich.«

Prosper sah sich um. »Scipio hat es gefunden. Scipio sorgt auch dafür, dass wir genug Geld zum Leben haben. Wir wären alle schlimm dran ohne ihn. Riccio hat früher viel gestohlen, Mosca, Wespe und er kennen sich schon länger. Es ging ihnen, glaub ich, ziemlich schlecht, bis sie Scipio getroffen haben. Sie sprechen nicht gern davon. Später hat Wespe dann mich und Bo aufgelesen, und Scipio hat uns aufgenommen.« Prosper hob den Kopf. »Warum erzähl ich Ihnen das eigentlich alles? Sie sind doch ein Detektiv, Sie haben das bestimmt schon alles rausgefunden, oder?«

Aber Victor schüttelte den Kopf. »Deine Freunde gehen mich nichts an«, sagte er. »Ich soll nur dafür sorgen, dass ihr, du und dein Bruder, wieder ein Zuhause habt. Hast du nicht inzwischen selber festgestellt, dass Bo zu klein ist, um ohne Eltern zurechtzukommen? Was passiert, wenn dieser Herr der Diebe, wie er sich ja wohl nennt, nicht mehr für euch sorgt? Oder wenn die Polizei euch hier aufstöbert? Willst du, dass Bo in einem Waisenhaus landet? Und was dich betrifft, wäre es nicht einfacher, auf irgendeinem Internat die Lehrer zu ärgern, statt mit zwölf Jahren den Erwachsenen zu spielen?«

Prospers Gesicht versteinerte. »Ich sorge gut für Bo«, erwiderte er ärgerlich. »Oder sieht er etwa unglücklich aus? Ich würde auch Geld für uns verdienen, wenn man mich ließe.«

»Das musst du noch früh genug«, antwortete Victor.

Prosper verbarg das Gesicht in seinen verschränkten Armen. »Ich wünschte, ich wär schon erwachsen«, murmelte er.

Mit einem tiefen Seufzer lehnte Victor den Kopf gegen die kalte Wand. »Erwachsen, so, so. Herrgott, soll ich dir ein Geheimnis verraten? Ich wundere mich immer noch, wenn ich in den Spiegel schau und mir mein altes Gesicht angucke. Victor, denk ich manchmal, du bist ja schon ganz schön groß geworden. Als Kind wollte ich auch immer erwachsen sein. Ich habe mir sogar mal einen Zaubertrank gebraut, aus Rasiercreme, Bier und anderen scharf riechenden Sachen, die mein Vater gern zu sich nahm. Hat nicht gewirkt. Gott, war mir schlecht damals. Aber dein Bruder hat, glaube ich, eine Menge Spaß daran, ein Kind zu sein, oder?«

»Das würde Esther ihm schon gründlich austreiben«, antwortete Prosper. »Sie hält nicht viel von Spaß. Und ihr Mann schon gar nicht.«

»Da könntest du Recht haben.« Victor seufzte. »Ich schätze, eure Mutter war ihrer Schwester nicht besonders ähnlich, was?«

Prosper schüttelte den Kopf. »He, wo ist die Schildkröte?«, fragte er besorgt, stand auf und öffnete die Tür der einzigen Toilettenkabine. Suchend leuchtete er mit der Taschenlampe in den engen Verschlag. »Komm her!«, hörte Victor ihn leise rufen. »Wo willst du denn hin, hier gibt es nichts zu entdecken.«

»Ich glaube, wir sollten Paulas Spaziergang beenden«, sagte Victor, als Prosper mit der Schildkröte auf dem Arm zurückkam. »Sie holt sich nur kalte Füße auf den Fliesen. Das ist bestimmt nicht gut für ihre Erkältung.«

»Stimmt«, murmelte Prosper, setzte Paula vorsichtig zurück in ihren Karton und hockte sich wieder neben Victor auf die Decke. »Haben Sie auch einen Bruder?«, fragte er.

Victor schüttelte den Kopf. »Nein. Ich hatte keine Geschwister. Aber ist es nicht so, dass Geschwister auch eine ziemliche Plage sein können?«

»Kann sein.« Prosper zuckte die Achseln. »Bo und ich, wir haben uns immer gut vertragen. Na ja, fast immer. Verdammt.« Er fuhr sich mit dem Ärmel über die Augen. »Jetzt fang ich auch noch an zu heulen.«

Victor räusperte sich. »Deine Tante sagt, ihr seid hierher gekommen, weil eure Mutter euch so viel von Venedig erzählt hat.«

Prosper putzte sich die Nase. »Stimmt«, sagte er mit belegter Stimme. »Das hat sie. Und es ist alles so, wie sie erzählt hat. Als wir am Bahnhof aus dem Zug stiegen, Bo und ich, da hatte ich plötzlich Angst, dass sie sich alles nur ausgedacht hat, die Häuser auf Stelzen, die Straßen aus Wasser, die geflügelten Löwen. Aber es war alles wahr. Die Welt ist voller Wunder, hat sie immer zu uns gesagt.«

Victor schloss für einen Augenblick die Augen. »Hör mal zu, Prosper«, sagte er müde. »Vielleicht kann ich ja noch mal mit deiner Tante reden ... damit sie euch beide nimmt ...«

Prosper presste ihm die Hand auf den Mund.

Jemand war vor der Tür. Und es war nicht Mosca. Dessen Schnarchen war immer noch deutlich zu hören.

»Bo!«, zischte Prosper, als sich ein tintenschwarzer Kopf durch die Tür schob. »Was suchst du denn hier? Geh sofort wieder schlafen!«

Doch Bo war schon zu ihnen hereingeschlüpft. »Was machst du hier, Prop?«, murmelte er verschlafen. »Willst du Victor in den Kanal schmeißen?«

»Wie kommst du denn auf so was?« Prosper guckte seinen Bruder entgeistert an. »Los, geh ins Bett zurück.«

Bo zog die Tür leise hinter sich zu. »So wie Mosca könnte ich auch Wache halten!«, sagte er und trat fast in den Schildkrötenkarton. Erschrocken zog er den Fuß zurück.

»Darf ich vorstellen?«, sagte Victor. »Das ist Paula.«

»Hallo, Paula«, murmelte Bo und hockte sich zwischen Prosper und Victor auf die Decke. Nachdenklich bohrte er den Finger in die Nase und starrte Victor an. »Du bist ein ziemlich guter Lügner, was?«, sagte er. »Willst du uns wirklich für Esther fangen? Wir gehören ihr aber gar nicht.«

Victor starrte verlegen seine Schuhspitzen an. »Na ja, Kinder müssen nun mal irgendwo hingehören«, brummte er.

»Gehörst du jemandem?«

»Das ist was anderes.«

»Weil du erwachsen bist, was?« Bo lugte neugierig in die Schildkrötenschachtel, aber von Paula war nur der Panzer zu sehen. »Prosper passt schon auf mich auf«, sagte Bo. »Und Wespe. Und Scipio.«

»So, so, Scipio«, brummte Victor. »Ist der noch hier, dieser Scipio?«

»Nein, der schläft nicht hier.« Bo schüttelte so verächtlich den Kopf, als müsste Victor das wissen. »Scipio hat viel zu tun. Er ist sooo schlau. Deshalb hat er auch ...«, Bo beugte sich verschwörerisch zu Victor herüber und senkte die Stimme zu einem Flüstern, »... den Auftrag vom Conte gekriegt. Prosper will ja nicht mitmachen, aber ich ...«

»Halt den Mund, Bo!«, fuhr Prosper dazwischen. Er sprang auf und griff nach Bos Hand. »Das geht Sie alles nichts an«, sagte er zu Victor. »Sie haben selbst gesagt, die anderen interessieren Sie nicht. Also was soll das Gefrage nach Scipio?«

»Euer Herr der Diebe ...«, hob Victor an.

Aber Prosper kehrte ihm den Rücken zu. »Komm, Bo, wird Zeit, dass du schläfst«, sagte er und zog seinen kleinen Bruder zur Tür. Doch Bo sträubte sich und riss seine Hand los. »Warte doch mal.

Ich hab eine Idee!«, rief er. »Wieso binden wir Victor nicht los und er geht zu Esther und sagt ihr, dass wir leider von einer Brücke gefallen sind und dass sie nicht mehr nach uns suchen muss, weil wir ja tot sind. Geld gibt sie ihm dann bestimmt trotzdem, weil er ja nichts dafür kann, dass wir so dumm sind und von einer Brücke fallen. Ist das nicht gut, Prop?«

»Meine Güte, Bo!« Prosper stöhnte auf. Unsanft schob er Bo auf die Tür zu. »Keiner wird ihn in den Kanal werfen, aber wir könnten ihn auch nicht freilassen, selbst wenn er uns hoch und heilig verspricht, dass er uns nicht verrät. So einem kann man nicht trauen.«

»So einem? Sehr freundlich!«, rief Victor den beiden nach, aber da hatte Prosper schon die Tür hinter sich zugezogen. Und Victor blieb allein zurück mit der Dunkelheit und den kalten Fliesen in seinem Rücken. Sie werden mich also nicht in den Kanal werfen, dachte er. Wie großzügig. Na ja, wenigstens bin ich den Knebel los. Am Waschbecken über seinem Kopf tropfte der Wasserhahn. Und draußen schnarchte immer noch der Wache haltende Mosca. Würde Esther Hartlieb mir glauben, dass die zwei von der Brücke gefallen sind?, dachte Victor. Bestimmt nicht.

Und dann schlief er tatsächlich ein.

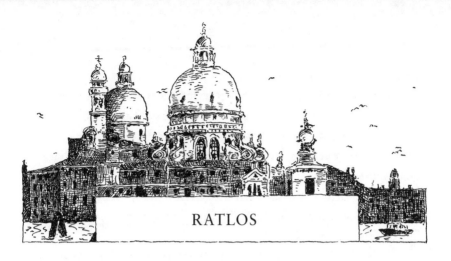

RATLOS

»Also, was machen wir mit dem Schnüffler?«, fragte Riccio.

Prosper hatte frisches Brot zum Frühstück gekauft, aber keiner von ihnen bekam mehr als ein Stück davon hinunter. Die Einzigen, die gut geschlafen hatten, waren Bo und Mosca, der so lange friedlich auf seinem Wachtposten geschnarcht hatte, bis Riccio gekommen war, um ihn abzulösen. Wespe goss sich schon die dritte Tasse Kaffee ein. Die ganze Nacht hatte sie derselbe Alptraum geplagt: Eine Meute winziger, fetter Hunde hatte sie durch ein fremdes Haus gejagt und hinter jeder Tür, die sie öffnete, wartete ein gewaltig großer, hämisch grinsender Carabiniere, der aussah wie Victor, der Schnüffler.

»Mach die Zigarette aus, Riccio!«, knurrte sie müde. »Das ist nicht gut für Bo, wie oft soll ich dir das noch erzählen?«

Mürrisch drückte Riccio die Kippe auf dem Boden aus. »Also, was machen wir?«, fragte er. »Die ganze Nacht hab ich kein Auge zugekriegt, weil der Kerl da im Klo herumliegt.«

»Was sollen wir schon machen?« Mosca zuckte die Achseln. »Wir lassen ihn erst laufen, wenn Scipio ein neues Versteck für uns gefunden hat. Scip sagt, mit dem Geld vom Conte können wir uns eine eigene Insel in der Lagune kaufen, wenn wir wollen.«

»Ich will aber keine Insel!« Riccio verzog angeekelt das Gesicht. »Ich will hier bleiben, in der Stadt, oder glaubst du, ich will jeden Tag mit so einem schaukelnden Boot fahren? Pfui Teufel!«

»Erzähl das Scipio«, unterbrach Wespe ihn ungeduldig und sah auf ihre Uhr. »In zwei Stunden treffen wir uns mit ihm, hast du das vergessen?«

»Also, ich hätte gern eine Insel!« Mit einem Seufzer richtete Mosca sich auf. »Wir könnten uns selbst unsere Fische fangen. Und Gemüse anbauen ...«

»Fische fangen, pah!« Riccio rümpfte verächtlich die Nase. »Die kannst du allein essen. Ich ess keine Fische aus der Lagune. Die sind vergiftet von all dem Dreck, den die Fabriken auf dem Festland ins Meer pumpen.«

»Ja, ja.« Mosca schnitt ihm eine Fratze und stand auf. »Ich bring unserem Gefangenen mal einen Kaffee. Oder soll er bloß Wasser und Schimmelbrot kriegen?«

»Das wär auch noch zu schade für den!«, rief Riccio. »Wieso seid ihr alle so scheißfreundlich zu dem Kerl? Nur wegen dem müssen wir uns ein neues Versteck suchen! Dabei ist das doch unser ...«, er stockte, »... Zuhause hier. Das beste Zuhause, das wir je hatten. Und er hat es uns kaputtgemacht! Dafür kriegt er auch noch einen Kaffee?«

Bedrückt schwiegen die anderen. Es war für sie alle ein schrecklicher Gedanke, das Kino für immer verlassen zu müssen. Riccio hatte Recht, sie fühlten sich geborgen hier, obwohl der Saal sich nachts mit schwarzen Schatten füllte und es schon jetzt manchmal so kalt wurde, dass ihr Atem weiß in der Luft hing. Aber es war ihr Sternenversteck, ihre Zuflucht vor Regen und Kälte und vor der Nacht. Sicher wie eine Burg, zumindest hatten sie das geglaubt.

»Wir werden schon was Neues finden«, murmelte Mosca, während er für Victor den Rest Kaffee in einen Becher goss. »Was genauso Gutes. Vielleicht sogar besser.«

»Ach ja?« Riccio starrte mit düsterer Miene den sternenbestickten Vorhang an. »Ich will aber nichts Besseres finden. Warum werfen wir den Kerl nicht einfach in den Kanal? Ja, das wär das Beste! Was schnüffelt er auch hinter uns her?«

»Riccio!« Entsetzt sah Wespe ihn an.

»Stimmt doch!« Riccios Stimme wurde schrill vor Wut. Tränen standen ihm in den Augen. »Nur wegen dem Scheißkerl verlieren wir unser Sternenversteck. So eins finden wir nie wieder! Egal, was Scipio faselt von viel Geld und einer Insel. Alles Blödsinn! Dieser Schnüffler kommt einfach hier rein und wir müssen unsere Sachen packen und wieder raus auf die Straßen. Das ist doch verrückt.«

Die anderen schwiegen. Keiner von ihnen wusste, was er sagen sollte. »Wenn der Winter erst mal richtig da ist«, murmelte Mosca schließlich, »wird es bestimmt scheußlich kalt hier.«

»Na und? Bestimmt nicht so kalt wie draußen!« Riccio vergrub schluchzend den Kopf in den Armen.

Bestürzt sahen die anderen sich an.

»He, Riccio, ist doch schon gut!«, sagte Wespe, setzte sich neben ihn und legte ihm tröstend den Arm um die Schulter. »Hauptsache, wir bleiben zusammen, oder?« Aber Riccio stieß sie weg.

»Victor verrät uns sowieso nicht!«, verkündete Bo und goss seinen Kätzchen Milch in eine Schale. »Ganz bestimmt nicht.«

»Ach, Bo!«, murmelte Mosca.

Prosper hatte die ganze Zeit nichts gesagt, aber jetzt räusperte er sich. »Ihr müsst den Schnüffler nicht in den Kanal werfen, um hier bleiben zu können«, sagte er stockend. »Wenn Bo und ich verschwinden, hat er keinen Grund mehr, hier rumzuschnüffeln. Wir haben euch den Ärger eingebrockt, also werden wir gehen. Wir müssen sowieso weg, weit weg. Jetzt, wo unsere Tante weiß, dass wir in Venedig sind.«

Bo starrte seinen großen Bruder mit offenem Mund an. Und auch Wespe drehte sich mit entgeistertem Blick zu Prosper um. »Blödsinn!«, rief sie. »Alles Blödsinn. Wo willst du denn hin? Wir gehören doch zusammen. Euer Ärger ist unser Ärger.«

»Genau.« Mosca nickte. »Euer Ärger ist unser Ärger. Stimmt's, Riccio?« Er stieß Riccio den Ellbogen in die Seite, aber Riccio sagte nichts.

»Ihr bleibt hier und Victor, der Schnüffler, bleibt im Männerklo«, fuhr Wespe fort, »wir werden es so machen, wie Scipio gesagt hat. Wir schleichen uns in das Haus von Signora Spavento, stehlen ihr diesen Holzflügel, bringen ihn dem Conte und machen uns mit den fünf Millionen ein gutes Leben auf irgendeiner von den Inseln draußen in der Lagune, wo uns keiner findet. Auch nicht dieser Detektiv. Ans Bootfahren kann man sich bestimmt gewöhnen. Hoffe ich«, setzte sie hinzu. Wespe wurde es auf dem Wasser genauso schnell schlecht wie Riccio.

»Dann müssen wir aber seinen Schildkrötenmann füttern«, sagte Bo. »Damit er nicht verhungert, bis wir Victor laufen lassen.«

»Seinen Schildkrötenmann?« Mosca verschluckte sich fast an seinem kalten Kaffee.

»Er wohnt unter Victors Schreibtisch«, murmelte Prosper und spielte gedankenverloren mit einem von Bos Plastikfächern herum. »Seine Frau sitzt in einem Pappkarton bei Victor im Klo. Ihr müsst aufpassen, dass ihr nicht auf sie drauftretet, wenn ihr reingeht.«

Ungläubig starrte Mosca ihn an.

»Na, hab ich vielleicht nicht Recht?«, rief Riccio aufgebracht.
»Wo gibt's denn so was, dass man sich um die Haustiere von seinen Gefangenen kümmern muss? Habt ihr schon mal einen Film gesehen, wo die Gangster die Schildkröte oder Katze von irgendwem füttern?«

»Wir sind aber keine Gangster!«, unterbrach Wespe ihn ärgerlich. »Und deshalb lassen wir auch keine unschuldigen Schildkröten verhungern. Los, bring dem Kerl endlich seinen Kaffee, Mosca.«

DIE CASA SPAVENTO

Als Riccio und Wespe aufbrachen, um sich wie verabredet mit Scipio am Campo Santa Margherita zu treffen, schloss Prosper sich ihnen an.

Mehr als zwei Tage war er nicht aus dem Versteck gekommen, aus Angst vor Victor, und er sehnte sich nach frischer Luft. Mosca blieb bereitwillig bei ihrem Gefangenen, denn er hatte immer noch ein schlechtes Gewissen wegen der verschlafenen Nachtwache. Und Bo wollte unbedingt auf die einsame Schildkröte aufpassen, wohl, weil er keine Lust hatte, den ganzen weiten Weg zum Campo Santa Margherita zu laufen.

»Gut, dann kannst du auch gleich aufpassen, dass deine Kätzchen nicht wieder die Taube jagen«, sagte Wespe, bevor sie ihm zum Abschied einen dicken Kuss gab. »Wir brauchen sie nämlich noch.«

»Weiß ich doch«, brummte Bo, und die Taube Sofia, die aufgeplustert auf der Lehne eines Klappsessels hockte, ließ, wie zur Bekräftigung von Wespes Worten, einen weißen Klecks Taubendreck auf den Sitz fallen.

Seufzend holte Mosca einen Lappen und machte sich ans Saubermachen.

Es war wirklich ein weiter Weg zum Campo Santa Margherita. Der Platz lag in Dorsoduro, dem südlichsten Stadtteil von Venedig, jenseits des Canal Grande. Die Häuser, die ihn säumten, waren vielleicht nicht so prachtvoll und anmutig wie die an anderen Plätzen der Stadt, aber viele standen schon seit mehr als fünfhundert Jahren. Es gab kleine Geschäfte, Cafés, Restaurants, jeden Morgen einen Fischmarkt und in der Mitte des Platzes den Zeitungskiosk, von dessen Besitzer Riccio so viel über Ida Spavento erfahren hatte. Am Campanile von Santa Margherita wachte ein steinerner Drache, und Riccio behauptete, dass zu seinen Füßen früher Stiere und Bären gejagt worden waren, wie auf dem Campo San Polo im Norden der Stadt.

Der sonst so belebte Platz lag fast ausgestorben da, als die drei Kinder ihn betraten. Es war ein kalter, regnerischer Tag, und die Stühle vor den Cafés waren leer, nur ein paar Frauen schoben ihre Kinderwagen an den Tischen vorbei. Auf den Bänken unter den kahlen Bäumen saßen alte Männer und schauten missmutig zum Himmel hinauf, der heute aussah, als hätte jemand ein graues Laken über die Stadt gespannt. Selbst der Putz der Häuser schien schmutzig und leblos und konnte sein Alter an diesem trüben Tag nicht verbergen.

Das Haus, dem sie bald ihren nächtlichen Besuch abstatten wollten und dessen Grundriss nicht nur Mosca inzwischen im Schlaf vor sich sah, schien auch von besseren Tagen zu träumen. Es sah keineswegs so aus, als berge es hinter den ockerfarbenen Mauern einen Schatz, für den jemand fünf Millionen Lire zu zahlen bereit war. Den Garten an der Rückseite, verborgen im Gewirr der Häuser, fand nur, wer davon wusste. Durch eine dunkle, überbaute Gasse gelangte man zu ihm, dessen Eingang kaum mehr war als ein schwarzes Loch zwischen der Casa Spavento und ihrem Nachbarhaus.

Riccio hatte die Gasse bereits erkundet, zusammen mit Mosca. Sogar die Mauer waren sie schon hinaufgeklettert, hinter der der Garten lag, hatten hinübergespäht auf winterkahle Beete und kiesbestreute Wege. Und heute wollte Riccio sich noch einmal mit Scipio hinschleichen. Aber Scipio kam nicht. Die Zeit verstrich, und Riccio, Prosper und Wespe warteten immer noch vor dem Zeitungskiosk. Hunde schnüffelten an ihnen, Katzen schlichen sich an fette Tauben heran, und Frauen schleppten schwere Einkaufstüten über das nasse Pflaster, aber Scipio tauchte nicht auf.

»Seltsam!«, sagte Wespe und hüpfte frierend von einem Fuß auf den anderen. »So sehr hat er sich noch nie verspätet, wenn wir irgendwo verabredet waren.«

»Warum wollte er sich eigentlich hier mit euch treffen?«, fragte Prosper. »Will er sich am helllichten Tag das Türschloss angucken?«

»Unsinn! Letzte Besichtigung des Tatorts oder so«, murmelte Riccio. »Woher sollen wir das wissen? Außerdem ist es an der Mauer auch am Tag ziemlich düster, Mosca und mir ist da bisher auch niemand begegnet. Hat Scipio euch mal erzählt, wie er im Palazzo Falier einer Frau die Ringe von den Fingern gezogen hat, während sie schlief?«

»Ja, ja, wir kennen jede einzelne von Scipios Geschichten, genau wie du.« Wespe seufzte und sah sich mit gerunzelter Stirn um. »Keine Spur von ihm. Was ist bloß los?«

»He, sieh mal da!« Riccio fasste nach ihrem Arm. »Da kommt die Haushälterin der Spavento vom Einkaufen!«

Eine dicke Frau watschelte über den Platz, in einer Hand die Leinen von drei Hunden, in der anderen zwei voll gestopfte Einkaufstaschen. Die Hunde kläfften jeden an, der in die Nähe ihrer kleinen

Schnauzen kam, und die Dicke musste sie immer wieder zurück an ihre Seite zerren.

»Na, so ein Zufall!«, flüsterte Riccio und sah ihr neugierig hinterher.

»Das mit den Hunden gefällt mir nicht«, raunte Wespe. »Was, wenn sie doch im Haus sind, wenn wir uns reinschleichen? So klein sind sie nun auch wieder nicht.«

»Ach, mit denen werden wir schon fertig.« Riccio steckte eine Zeitschrift, in der er geblättert hatte, zurück in den Ständer, strich sich über das struppige Haar und zwinkerte den anderen beiden zu. »Wartet hier.«

»Was hast du vor?«, flüsterte Wespe besorgt. »Mach keinen Blödsinn.«

Aber Riccio schlenderte schon pfeifend über den Platz. Überall schien er dabei hinzublicken, nur nicht in die Richtung von Signora Spaventos Haushälterin, die sichtlich Mühe hatte, mit dem Tempo ihrer Hunde Schritt zu halten.

»Aus dem Weg!«, trompetete die Dicke.

Aber Riccio dachte gar nicht daran. Gerade als sie an Riccio vorbeisteuerte, trat er ihr so plötzlich in den Weg, dass sie nicht mehr ausweichen konnte. Die zwei prallten zusammen, die voll gestopften Taschen landeten auf dem Pflaster des Platzes und die Hunde sprangen bellend Äpfeln und Kohlköpfen hinterher, die über die regennassen Steine rollten.

»Verdammt, was hat der Igel vor?«, flüsterte Wespe Prosper zu. Eifrig sprang Riccio den Kohlköpfen nach, während die Signora sich schimpfend bückte, um die Äpfel aufzuklauben.

»Bist du des Teufels, mir so in den Weg zu stolpern?«, hörten sie die Dicke schimpfen.

»*Scusi!*« Riccio lächelte sie so breit an, dass er all seine schlechten

Zähne entblößte. »Ich such doch bloß die Praxis von Doktor Spavento, dem Zahnarzt. Ist sie in dem Haus da?«

»Unsinn!«, antwortete die Dicke barsch. »Hier wohnt kein Zahnarzt. Auch wenn du bestimmt dringend einen nötig hättest. Das ist das Haus von Signora Ida Spavento, sie ist die Einzige, die darin wohnt, und jetzt geh mir aus dem Weg, bevor ich einen Kohlkopf nach dir werfe.«

»Tut mir wirklich Leid, Signora.« Riccio machte ein so zerknirschtes Gesicht, dass selbst Prosper und Wespe, die unauffällig ein paar Schritte weiter standen, fast darauf hereingefallen wären. »Soll ich Ihnen vielleicht helfen, die Taschen ins Haus zu tragen?«

»Ach, sieh mal einer an – ein echter Kavalier!« Die Dicke strich sich eine graue Haarsträhne aus der Stirn und blickte schon etwas wohlwollender auf Riccio herab. Aber dann runzelte sie plötzlich die Stirn. »Moment mal. Willst du etwa an diesem kleinen Unfall auch noch etwas verdienen, du Schlitzohr?«

Gekränkt schüttelte Riccio den Kopf. »Kein Gedanke, Signora!«

»*Va bene*, dann nehme ich das Angebot an!« Signora Spaventos Haushälterin hielt Riccio die Taschen hin und schlang die Hundeleinen fest um das fleischige Handgelenk. »Schließlich hab ich nicht oft das Glück, dass mir ein Kavalier über den Weg läuft.«

In sicherem Abstand schlenderten Wespe und Prosper den beiden nach. Und beobachteten, wie Riccio sich noch einmal mit einem triumphierenden Lächeln zu ihnen umdrehte, bevor er im Haus von Ida Spavento verschwand.

Es dauerte ziemlich lange, bis er wieder herauskam. Wie ein kleiner Graf blieb er in der Eingangstür stehen, zufrieden mit sich und der Welt, und leckte an dem gewaltigen Eis, das er als Lohn für so viel schwere Arbeit bekommen hatte. Dann zog er lässig die Tür hinter sich zu und lief zurück zu Wespe und Prosper.

»Keine Riegel von innen!«, raunte er ihnen mit Verschwörermiene zu. »Nicht mal zwei Schlösser. Große Angst vor Einbrechern scheint diese Signora Spavento wirklich nicht zu haben.«

»War sie auch zu Hause?«, fragte Prosper und blickte zu dem Balkon über der Eingangstür hinauf.

»Ich hab sie nicht gesehen.« Riccio ließ Wespe an seinem Eis lecken. »Aber die Küche ist genau da, wo sie auf dem Grundriss eingezeichnet war, ich hab der Dicken die Tüten hingeschleppt. Also stimmt es wohl auch, dass das Schlafzimmer unterm Dach ist. Ich sag euch, wenn Signora Ida Spavento wirklich so früh schlafen geht, wie es aussieht, wird das Ganze leichter als Kerzen klauen.«

»Ja, ja, freu dich mal nicht zu früh!«, murmelte Wespe und musterte voll Unbehagen die fremden Fenster, in deren Scheiben sich grau der Himmel spiegelte.

»Warte, das Beste kommt noch!«, flüsterte Riccio. »Von der Küche führt eine Hintertür hinaus in den Garten. Die war nicht eingezeichnet. Und – haltet euch fest – die hat auch keine Riegel. Diese Signora Spavento ist wirklich sehr leichtsinnig, oder?«

»Du vergisst immer wieder die Hunde«, entgegnete Wespe. »Was, wenn sie doch nicht der Haushälterin gehören und deine Würste nicht mögen?«

»Ach was, alle Hunde lieben Würste, stimmt's, Prop?«

Prosper nickte nur und blickte auf seine Uhr. »Verdammt. Es ist schon fast eins«, murmelte er besorgt, »und Scipio ist immer noch nicht da. Hoffentlich ist ihm nichts passiert!«

Sie warteten noch eine halbe Stunde. Dann war selbst Riccio überzeugt, dass der Herr der Diebe nicht mehr kommen würde. Mit bedrückten Gesichtern machten sie sich auf den Weg zur Wohnung ihres Gefangenen, um seine verlassene Schildkröte zu füttern.

»Ich versteh das nicht«, sagte Riccio, als sie vor Victors Haustür standen. »Was kann denn bloß passiert sein?«

»Ach, wahrscheinlich ist gar nichts passiert«, sagte Wespe, als sie sich die steile Treppe zu Victors Büro hinaufquälten. »Wenn wir uns im Versteck verabredet haben, ist er schließlich schon oft zu spät gekommen.« Aber sie blickte genauso beunruhigt drein wie die anderen zwei.

Victors Schildkrötenmann sah wirklich einsam aus. Als Prosper und Wespe sich über seinen Karton beugten, traute er sich kaum, den Kopf aus dem Panzer zu schieben, erst als Prosper ihm ein Salatblatt hinhielt, streckte er den faltigen Hals heraus.

Riccio ignorierte die Schildkröte. Er fand es immer noch lächerlich, sich um das Haustier eines Gefangenen zu kümmern. Stattdessen probierte er vor dem Spiegel Victors falsche Bärte aus. »He, guck mal, Prop!«, rief er und klebte sich Victors Walrossbart unter die Nase. »Hatte er das Ding nicht im Gesicht, als du mit ihm zusammengestoßen bist?«

»Kann schon sein«, antwortete Prosper und musterte Victors Schreibtisch. Unter dem Löwen, der als Briefbeschwerer diente, klemmte ein Foto von den beiden Schildkröten und neben der Schreibmaschine lagen dicht beschriebene Blätter Papier und ein angebissener Apfel.

»Und wie seh ich jetzt aus?«, fragte Riccio und strich sich über einen rotblonden Vollbart.

»Wie ein Waldgnom«, antwortete Wespe, zog ein Buch aus dem Regal, in dem Victor seine zerlesenen Kriminalromane sammelte, und machte es sich damit auf einem der Besucherstühle bequem. Prosper setzte sich in Victors Sessel und durchsuchte die Schreibtischschubladen. Nichts als Zettel und Büroklammern, ein Stempelkissen, eine Schere, Schlüssel, Postkarten, drei verschiedene Tüten Bonbons.

»Hat er zufällig Zigaretten da?« Riccio setzte sich eine falsche Nase auf.

»Der raucht nicht, der lutscht Bonbons«, antwortete Prosper und schob die Schubladen wieder zu. »Habt ihr irgendwo Akten gesehen? Er muss doch Akten über seine Fälle haben.«

»Ach was, der ist bloß Detektiv geworden, weil er sich gern verkleidet. So was wie Akten hat der bestimmt gar nicht.« Riccio klebte sich buschige Brauen über die Augen, drückte sich einen Hut auf das struppige Haar und versuchte seinem Gesicht einen würdevollen Ausdruck zu geben. »Was meint ihr? Ob ich später mal ungefähr so aussehe? Nur größer natürlich.«

»Irgendwas muss er sich doch aufschreiben.«

Prosper hatte die Ordner gerade in Victors einzigem Schrank entdeckt, als das Telefon klingelte. Wespe hob nicht mal den Kopf. »Lass es klingeln«, murmelte sie. »Ist bestimmt nicht für uns.«

Sie ließen es klingeln. Riccio probierte sämtliche Hüte, Bärte und Perücken aus und fotografierte sein Spiegelbild, bis der Film in Victors Kamera voll war, während Prosper am Schreibtisch saß und Victors Aktenordner durchsah. Nach zehn Minuten klingelte das Telefon wieder, gerade als Prosper das Foto von sich und Bo in einer Klarsichthülle entdeckte. Wie gebannt starrte er es an.

Wespe blickte von ihrem Buch auf. »Was ist das?«

»Nur ein Foto. Von mir und Bo. Meine Mutter hat es gemacht, an meinem elften Geburtstag.«

Das Telefon schrillte noch einmal. Und war wieder still.

Prosper sah das Foto an. Ballte die Finger zur Faust, ohne es zu merken.

Wespe schob ihre Hand über den Schreibtisch und strich ihm über die verkrampften Finger. »Was hat der Schnüffler denn so aufgeschrieben über euch?«, fragte sie.

Prosper steckte das Foto in seine Jacke und schob ihr Victors gekritzelte Notizen hin. »Ist kaum zu entziffern.«

»Lass mal sehen.« Wespe legte ihr Buch weg und beugte sich über den Schreibtisch. »Oh, sehr sympathisch scheint er deine Tante auch nicht zu finden. Ich glaub, er nennt sie ›Spitznase‹ und deinen Onkel ›Kleiderschrank‹. *Haben kein Interesse an dem Älteren*«, las sie vor. »*Sieht eben nicht mehr aus wie ein Teddybär.*« Wespe lächelte Prosper an. »Nein, das tust du wirklich nicht. Er ist gar nicht so dumm, dieser Schnüffler.« Schon wieder klingelte das Telefon. »Du meine Güte, ich hätte nicht gedacht, dass der seltsame Kerl so viel Kundschaft hat.« Entnervt griff Wespe zum Hörer. »*Pronto!*«, sagte sie mit verstellter Stimme. »Büro Victor Getz. Was kann ich für Sie tun?«

Riccio presste sich die Hand vor den Mund, um nicht loszuprusten, aber Prosper lauschte mit besorgtem Gesicht.

»Wie war der Name?« Wespe gab Prosper ein Zeichen. »Hartlieb?«

Prosper zuckte zusammen, als hätte ihn jemand ins Gesicht geschlagen. Wespe drückte auf einen Knopf am Telefon, und Esthers Stimme schallte durch Victors Büro. Sie sprach nicht sehr schnell, aber ihr Italienisch war gut: »... versuche seit Tagen, Herrn Getz zu erreichen. Er hat mir doch gesagt, er wäre den Jungen auf der Spur. Er hat sogar angekündigt, mir ein Foto der beiden zu schicken, das er auf dem Markusplatz gemacht hat ...«

Wespe warf Prosper einen erschrockenen Blick zu. »Davon weiß ich nichts«, stammelte sie. »Das, ähm, das könnte auch ein Irrtum gewesen sein. Gestern hat er nämlich eine neue Spur verfolgt. Ganz neu. Herr Getz glaubt jetzt, dass die Jungen nicht mehr hier sind, nicht mehr in Venedig, mein ich. Hallo?«

Vom anderen Ende der Leitung kam nur Schweigen.

Die drei Kinder in Victors Büro wagten sich kaum zu rühren.

»Das ist ja sehr interessant!«, sagte Esther mit scharfer Stimme. »Aber ich würde diese Auskunft gerne von Herrn Getz persönlich bekommen. Holen Sie ihn bitte umgehend an den Apparat.«

»Er, er ...«, Wespe geriet ins Stottern, vor Aufregung vergaß sie, ihre Stimme zu verstellen, »... er ist nicht da. Ich bin nur seine Sekretärin. Er ist gerade wegen eines anderen Auftrags unterwegs.«

»Wer sind Sie?« Jetzt klang Esthers Stimme gereizt. »Meines Wissens hat Herr Getz überhaupt keine Sekretärin.«

»Natürlich hat er eine Sekretärin!« Wespe klang ehrlich entrüstet. »Was denken Sie denn, verdammt noch mal? Herr Getz wird Ihnen das Gleiche erzählen wie ich, aber er ist im Moment unterwegs. Versuchen Sie es in einer Woche noch mal.«

»Jetzt hören Sie mir mal zu, wer immer Sie sind ...« Esthers Stimme wurde noch schneidender. »Ich habe Herrn Getz die Nachricht auch schon auf den Anrufbeantworter gesprochen, aber es schadet nichts, wenn Sie es ihm noch einmal zusätzlich ausrichten. Mein Mann hat in zwei Tagen wieder geschäftlich in Venedig zu tun, und ich erwarte Herrn Getz am Dienstag im *Sandwirth*. Und zwar um Punkt drei Uhr. Schönen Tag noch.« Dann klickte es in der Leitung.

Mit bedrücktem Gesicht legte Wespe auf. »Ich glaub, das hab ich nicht so gut gemacht«, murmelte sie.

»Wir müssen weg«, sagte Prosper und brachte die Ordner, die er durchgesehen hatte, zurück an ihren Platz. Wespe warf ihm einen besorgten Blick zu. Dann lief sie zu Victors Regal und schob sich schnell noch ein paar Bücher unter den Pullover.

»Mann, wäre es nicht toll, wenn jemand Nettes so wild hinter einem her wäre?« Riccio schob gedankenversunken die Zunge in seine Zahnlücke. »Irgendein netter, stinkreicher Onkel oder Opa, so wie in den Geschichten, die Wespe immer vorliest.«

»Esther ist reich«, sagte Prosper.

»Wirklich?« Riccio stopfte Victors Bärte in seinen Rucksack. Die falsche Nase steckte er auch ein. »Na, vielleicht fragst du sie dann mal, ob sie mich statt Bo nimmt? Viel größer bin ich ja nicht, und ans Nettsein stell ich keine großen Ansprüche. Solange sie mich nicht allzu oft verhaut ...«

»So was tut sie nicht«, murmelte Prosper und durchsuchte noch einmal die Schubladen. »Was für ein Foto hat sie gemeint? Verdammt, ich wusste doch, dass der Kerl Bo beim Taubenfüttern fotografiert hat. Riccio, nimm die Kamera mit, vielleicht ist der Film noch drin.«

Riccio hängte sich die Kamera um den Hals und stellte sich noch einmal vor Victors Spiegel. »Guten Tag, Signora Esther!«, sagte er und lächelte mit zusammengekniffenen Lippen, damit man seine Zahnlücke nicht sah. »Wollen Sie meine neue Mutter sein? Ich habe gehört, Sie schlagen nicht und Geld sollen Sie auch haben.«

»Vergiss es, Igelchen!«, sagte Wespe und schaute ihm über die Schulter. »Prospers Tante will einen hübschen kleinen Teddybären und keinen Igel mit schlechten Zähnen. Los, lasst uns hier verschwinden. Den Schildkrötenmann nehmen wir am besten auch erst mal mit, sonst müssen wir jeden Tag herkommen, solange der Schnüffler unser Gefangener ist.«

»Vielleicht ist Scipio ja inzwischen im Versteck aufgetaucht!«, sagte Riccio hoffnungsvoll, als sie Victors Wohnungstür hinter sich zuzogen.

»Vielleicht«, sagte Prosper.

Aber so recht glauben konnten sie das alle drei nicht.

WUT UND STREIT

Bo öffnete die Tür, als sie zurück ins Versteck kamen.

»Wo ist Mosca?«, fragte Prosper. »Ich hab dir doch gesagt, du sollst nicht an die Tür gehen!«

»Musste ich aber, weil Mosca keine Zeit hat«, antwortete Bo. »Victor zeigt ihm nämlich gerade, wie man sein Radio repariert.« Dann hüpfte er pfeifend wieder davon.

Die Tür zum Männerklo stand offen, als Prosper, Wespe und Riccio dort ankamen, und sie hörten Mosca lachen.

»Ich fass es nicht!«, schimpfte Riccio und baute sich in der offenen Tür auf. »Was zum Teufel treibst du da, Mosca? Stellst du dir das unter Wachehalten vor? Wer hat dir gesagt, dass du ihn losbinden sollst?«

Erschrocken drehte Mosca sich zu ihm um. Er kniete neben Victor auf der Decke und reichte ihm gerade einen Schraubenzieher aus seiner Werkzeugkiste. »Reg dich ab, Riccio. Er hat mir sein Ehrenwort gegeben, dass er nicht wegläuft«, sagte er. »Victor hat eine Menge Ahnung von Radios, ich glaub, er kriegt es wieder hin.«

»Scheiß auf dein Radio!«, rief Riccio. »Und scheiß auf sein Ehrenwort. Der Kerl wird sofort wieder gefesselt.«

»Hör mal zu, Igelchen.« Victor kam steifbeinig auf die Füße. »Auf mein Ehrenwort scheißt man nicht einfach, verstanden? Ich weiß nicht, wie du es hältst, aber auf die Ehrenworte von Victor Getz kann man sich hundertprozentig verlassen.«

»Genau.« Bo stellte sich vor Victor, als wolle er ihn beschützen. »Er ist nämlich jetzt unser Freund.«

»Freund?« Riccio schnappte nach Luft. »Ja, bist du denn total verrückt geworden, du Baby? Er ist unser Gefangener, unser Feind!«

»Hör auf, Riccio!«, sagte Wespe. »Die Fesseln sind Blödsinn, wir können ihn genauso gut einschließen. Um aus dem Klofenster zu klettern, ist er ja wohl zu dick und zu groß, oder?«

Riccio antwortete nicht. Mit düsterer Miene verschränkte er die Arme vor der schmalen Brust. »Ihr werdet schon sehen, was Scipio dazu sagt!«, drohte er. »Auf den hört ihr ja vielleicht.«

»Wenn er irgendwann wieder auftaucht«, sagte Prosper.

»Wieso, ich denk, ihr habt euch mit ihm getroffen?« Erstaunt richtete Mosca sich auf.

»Mehr als zwei Stunden haben wir vor dem Kiosk gewartet«, sagte Wespe. »Aber er ist nicht gekommen.«

»So, so«, brummte Victor und hockte sich wieder neben das Radio. »So, so, so. Aber meine Schildkröte habt ihr hoffentlich nicht vergessen.«

»Nein. Wir haben sie sogar mitgebracht.« Prosper guckte ihn an. »Was sollte dieses ›so, so, so‹ heißen?«

Victor zuckte die Achseln und zog eine Schraube fest.

»Na los, raus damit!«, fuhr Riccio ihn an. »Sonst hat deine Schildkröte das letzte Mal was zu fressen gekriegt!«

Bedrohlich langsam drehte Victor sich zu ihm um. »Du bist ja wirklich ein reizendes Bürschchen«, knurrte er. »Was wisst ihr eigentlich über euren Anführer?«

Wespe machte den Mund auf, aber Victor hob die Hand. »Ja, ja, er ist gar nicht euer Anführer. Schon begriffen. Aber das war nicht meine Frage. Noch mal, was wisst ihr über ihn?«

Die Kinder sahen sich an.

»Wieso, was sollen wir schon über ihn wissen?« Mosca lehnte sich gegen die geflieste Wand. »Wir reden alle nicht viel über das, was früher war. Scipio ist im Waisenhaus aufgewachsen, genau wie Riccio, das hat er uns mal erzählt, aber mit acht Jahren ist er weggelaufen, und seitdem schlägt er sich allein durch. Eine Zeit lang hat sich ein alter Juwelendieb um ihn gekümmert, der hat ihm alles beigebracht, was man so zum Leben braucht. Als der Alte gestorben ist, hat Scipio die schönste Gondel gestohlen, die am Canal Grande lag, hat den alten Dieb reingelegt und raus auf die Lagune treiben lassen. Und seitdem geht er gern seine eigenen Wege.«

»Und nennt sich der Herr der Diebe«, sagte Victor. »Er lebt also vom Stehlen und ihr auch.«

»Das werden wir dir gerade erzählen!«, spottete Riccio. »Und wenn es so wäre? Du würdest Scipio nie erwischen, selbst wenn du es hundertmal versuchst. Er ist der Herr der Diebe. Keiner kann ihm was vormachen. Barbarossa hat uns letztes Mal vierhunderttausend Lire für seine Beute bezahlt! Da staunst du, was?«

Mosca stieß ihm warnend den Ellbogen in die Seite, aber zu spät. »So, so, Barbarossa, der alte Fuchs.« Victor nickte. »Den kennt ihr also auch. Wisst ihr was? Ich wette meine Schildkröten gegen das Radio hier, dass ich euch sagen kann, wo Scipio die Sachen gestohlen hat.«

Argwöhnisch kniff Riccio die Augenbrauen zusammen. »Na und? Das hat schließlich sogar in der Zeitung gestanden.« Mosca stieß ihm noch einmal den Ellbogen in die Seite, aber Riccio war viel zu aufgebracht, um es zu bemerken.

»In der Zeitung?« Victor hob die Augenbrauen. »Ach, du meinst wahrscheinlich den Einbruch im Palazzo Contarini?« Er lachte. »Unsinn. Hat Scipio euch etwa erzählt, dass er das war?«

»Was soll das heißen, zum Teufel?« Riccio ballte die Fäuste, als wollte er auf Victor losstürzen, aber Wespe hielt ihn zurück.

»Das soll heißen«, antwortete Victor gelassen, »dass euer Scipio zwar ein raffinierter Bursche ist und ein unglaublich einfallsreicher Lügner, aber keinesfalls der, für den ihr ihn haltet.«

Mit einem Aufschrei riss Riccio sich von Wespe los. Prosper bekam ihn erst zu fassen, als er Victor schon die magere Faust auf die Nase gedroschen hatte.

»Schluss, Riccio!«, rief Prosper und hielt den immer noch wutschnaubenden Riccio im Schwitzkasten fest. »Lass ihn ausreden. Und Sie«, fuhr er Victor an, »hören auf, in Rätseln zu reden! Sonst lass ich Riccio wieder los.«

»Was für eine Drohung!«, brummte Victor. »Bo, gib mir mal dein Taschentuch.«

Hastig zog Bo es aus seiner Hosentasche.

»Also gut, reden wir Klartext«, sagte Victor und putzte sich die schmerzende Nase. Wenigstens blutete sie nicht. »Wie habt ihr Scipio kennen gelernt?« Ohne die ratlosen Gesichter der Kinder zu beachten, sammelte er ein paar Schrauben auf und warf sie in Moscas Werkzeugkasten.

Riccio war rot geworden.

»Nun erzähl schon«, sagte Mosca.

»Ich hab ihm was gestohlen«, knurrte Riccio. »Das heißt, ich hab es versucht, aber er hat mich erwischt. Da hab ich ihm gedroht, dass er Ärger mit meiner Bande kriegt, wenn er mich nicht loslässt, und er hat gesagt, er lässt mich laufen, wenn ich ihm die Bande vorstelle.«

»Wir hausten damals im Keller eines verfallenen Hauses«, erklärte Mosca. »Riccio, Wespe und ich. Drüben in Castello, da findet man immer einen Unterschlupf, weil da keiner mehr wohnen will. Es war scheußlich feucht, wir waren ständig krank und zu essen hatten wir auch nicht gerade viel …«

»Sag es ruhig, es ging uns dreckig«, unterbrach Riccio ihn ungeduldig. »›In so einem Rattenloch könnt ihr doch nicht wohnen!‹, hat Scipio gesagt und uns hierher gebracht, ins Sternenversteck. Er hat das Schloss vom Notausgang geknackt und uns gesagt, dass wir die Vordertür verrammeln sollen. Und seitdem … ging es uns gut. Bis du aufgetaucht bist.«

»Ja, ja, schon gut. Victor, der Spielverderber.« Victor sah Prosper an. »Und als Wespe dich und Bo auflas«, sagte er zu ihm, »hat der Herr der Diebe euch beide auch noch mit durchgefüttert.«

»Er hat uns sogar Jacken besorgt und Decken. Und die hier hat Scip mir auch geschenkt.« Bo setzte sich neben Victor und hielt ihm eine von seinen kleinen Katzen unter die Nase. Geistesabwesend kraulte Victor ihr die Ohren, bis sie zu schnurren begann und ihm mit der rauen Zunge die Finger leckte.

»Wieso hast du gesagt, Scipio ist ein Lügner?«, fragte Wespe.

»Ach, vergesst, was ich gesagt habe.« Victor strich Bo über das schwarz gefärbte Haar. »Erklärt mir nur noch eins. Bo hat mir erzählt, dass ihr bald sehr viel Geld haben werdet … von einem Auftrag war die Rede … ihr habt doch wohl nicht irgendwelche größeren Dummheiten vor?«

»Verdammt, Bo, konntest du schon wieder deine verdammte Klappe nicht halten?« Riccio riss sich von Prosper los, aber der fing ihn gleich wieder ein.

»He, Riccio, so redest du nicht mit meinem kleinen Bruder, verstanden?«, sagte er.

»Dann pass du besser auf ihn auf!«, rief Riccio ärgerlich und stieß Prospers Hände weg. »Er wird dem Kerl noch alles verraten!«

»Bo, du erzählst gar nichts mehr, klar?«, sagte Prosper, ohne Riccio aus den Augen zu lassen.

Aber Bo warf seinem Bruder bloß einen trotzigen Blick zu und flüsterte Victor ins Ohr: »Wir werden mit Scipio in ein Haus einbrechen. Aber da sollen wir nur so einen komischen Holzflügel stehlen.«

»Bo!«, rief Wespe.

»Ihr wollt irgendwo einbrechen?« Victor kam sofort wieder auf die Füße. »Seid ihr verrückt geworden? Wollt ihr alle im Kinderheim landen?« Vorwurfsvoll baute er sich vor Prosper auf. »Passt du so auf deinen kleinen Bruder auf? Indem du ihm beibringst, sich in fremde Häuser zu schleichen?«

»Unsinn!« Prosper wurde blass um die Nase. »Bo macht bei dem Einbruch nicht mit.«

»Mach ich doch!«, rief Bo.

»Machst du nicht!«, fuhr Prosper ihn an.

»Hört auf!«, schrie Riccio und zeigte wutbebend auf Victor. »Nur er ist schuld! Nur er! Alles war in Ordnung, alles war bestens. Aber weil er hier rumgeschnüffelt hat, streiten wir uns plötzlich dauernd und brauchen ein neues Versteck.«

»Ihr braucht kein neues Versteck!«, polterte Victor zurück. Das Blut stieg ihm zu Kopf, so sehr regte er sich auf. »Verflucht noch mal, ich habe nicht vor, euch zu verraten! Aber das sieht anders aus, wenn ihr einen Einbruch plant, verstanden? Was passiert denn mit dem Kleinen, wenn ihr alle von den Carabinieri geschnappt werdet? Ein Einbruch! Das ist was anderes als Handtaschen und Fotoapparate zu stehlen!«

»Scipio weiß, wie man so was macht! Der Herr der Diebe klaut keine Handtaschen!«, schrie Riccio. Seine Stimme überschlug sich fast. »Also untersteh dich und mach ihn hier schlecht, du aufgeblasener Ochsenfrosch!«

Victor schnappte nach Luft. »Aufgeblasener Ochsenfrosch? Herr der Diebe? Ich will dir mal was sagen!« Drohend machte er einen Schritt auf Riccio zu. Mosca und Wespe stellten sich schützend vor ihren Freund, aber Victor schob sie ungeduldig zur Seite. »Ihr seid auf den größten Ochsenfrosch hereingefallen, der sich jemals aufgeblasen hat. Unternehmt doch mal einen kleinen Ausflug in die Fondamenta Bollani 233. Dort erfahrt ihr alles über den Herrn der Diebe, was ihr wissen wollt. Oder vielleicht sollte ich besser sagen: was ihr nicht wissen wollt.«

»Fondamenta Bollani?« Riccio biss sich beunruhigt auf die Lippen. »Was soll das werden? Eine Falle?«

»Blödsinn.« Victor kehrte ihm den Rücken zu und hockte sich wieder neben das auseinander geschraubte Radio. »Aber vergesst nicht, euren Gefangenen einzuschließen, bevor ihr geht«, sagte er über die Schulter. »Ich werde jetzt dieses Ding reparieren.«

DER JUNGE HERR MASSIMO

Nicht einer wollte im Kino bleiben, selbst Riccio nicht, obwohl er
während des ganzen Weges verkündete, wie schändlich er es fand,
Scipio nachzuspionieren. Mosca hatte Victor eingeschlossen, dann
waren sie losgelaufen. Und da standen sie nun, vor dem Haus, des-
sen Adresse Victor genannt hatte: Fondamenta Bollani 233.
Auf so ein herrschaftliches Haus waren sie nicht gefasst gewesen.
Eingeschüchtert blickten sie hinauf zu den hohen, spitzbogigen
Fenstern. Sie fühlten sich klein und schäbig, eingeschüchtert. Nur
zögernd traten sie auf den Eingang zu, dicht aneinander gedrängt.
»Wir können da doch nicht einfach klingeln!«, flüsterte Wespe.
»Aber einer muss klingeln!«, zischte Mosca. »Vom Rumstehen er-
fahren wir bestimmt nicht, was der Schnüffler gemeint hat.«
Keiner rührte sich.
»Ich sag es noch mal. Scipio wird schäumen vor Wut, wenn er
merkt, dass wir ihm nachspionieren!«, flüsterte Riccio. Unbehag-
lich musterte er das goldene Namensschild neben dem Portal.
Massimo stand in verschnörkelten Buchstaben darauf.
»Lassen wir Bo klingeln«, schlug Wespe vor. »Bo ist am unver-
dächtigsten. Oder?«

»Nein. Ich mach's!« Prosper schob Bo hinter sich und drückte, ohne lange zu überlegen, auf den goldenen Knopf. Zweimal. Er hörte, wie die Klingel drinnen durchs Haus schrillte. Die anderen versteckten sich zu beiden Seiten des vergitterten Portals. Als ein Mädchen mit schneeweißer Schürze hinter dem Eisengitter erschien, stand nur Prosper auf der Schwelle, hinter sich Bo, der dem Mädchen verlegen zulächelte.

»*Buona sera, signora*«, sagte Prosper. »Ist ...«, er blickte zu dem steinernen Wappen hoch, »kennen Sie zufällig einen Jungen, der Scipio heißt?«

Das Mädchen runzelte die Stirn. »Was soll das? Ist das ein dummer Scherz? Was wollt ihr von ihm?« Missbilligend musterte sie Prosper vom Kopf bis zu den staubigen Schuhen. So fleckenlos wie ihre weiße Schürze war seine Hose nicht. Und an seinem Pullover klebte etwas Taubendreck.

»Dann – dann ist es richtig?« Prospers Zunge fühlte sich plötzlich an wie etwas Fremdes in seinem Mund. »Er wohnt hier? Scipio?«

Der Gesichtsausdruck des Mädchens wurde noch abweisender. »Ich glaube, ich hole besser Dottor Massimo«, sagte sie, doch da schob Bo sich hinter Prospers Rücken hervor.

»Scipio will uns aber bestimmt sehen«, sagte er. »Wir sollten uns heute mit ihm treffen.«

»Treffen?« Das Mädchen blickte immer noch misstrauisch, aber als Bo sie anlächelte, stahl sich auch auf ihren Mund die Spur eines Lächelns. Ohne ein weiteres Wort öffnete sie das schwere Gitter. Prosper zögerte einen Atemzug, doch Bo huschte wie ein Wiesel über die Schwelle. Bevor Prosper ihm folgte, erhaschte er noch einen besorgten Blick von Wespe.

Das Mädchen führte die beiden Jungen durch eine dunkle, säulengeschmückte Eingangshalle in den Innenhof des Hauses. Bo steuerte sofort auf die Freitreppe zu, die in den ersten Stock hinaufführte, aber das Mädchen hielt ihn sanft, aber entschieden zurück. »Ihr wartet hier unten«, sagte sie und zeigte auf eine steinerne Bank am Fuß der Treppe. Dann stieg sie, ohne ihnen noch einen Blick zuzuwerfen, die steilen Stufen hinauf und verschwand oben hinter der Brüstung.

»Vielleicht ist es ein ganz anderer Scipio!«, flüsterte Bo Prosper zu. »Oder er hat sich hier eingeschlichen, um das Haus später in Ruhe auszurauben.«

»Vielleicht«, murmelte Prosper und sah sich unbehaglich um, während Bo zu dem Brunnen in der Mitte des Hofes lief.

Zehn Minuten können sehr lang sein, wenn man mit klopfendem Herzen dasitzt und wartet – auf etwas, das man nicht versteht, auf etwas, das man eigentlich nicht wissen will. Bo schien das Ganze nicht sonderlich zu bedrücken, er war glücklich damit, die Löwenköpfe am Brunnen zu betasten und die Hände in das kalte Wasser zu stecken. Aber Prosper fühlte sich furchtbar. Belogen, verraten. Was tat Scipio in diesem Haus? Wer war er?

Als Scipio endlich oben hinter der Treppenbrüstung erschien, starrte Prosper zu ihm hoch wie zu einem Geist. Und Scipio starrte zurück, das Gesicht blass und fremd. Dann kam er mit bleischweren Schritten die Treppe herunter. Bo lief ihm entgegen.

»Na, Scip?«, sagte er und blieb am Fuß der Treppe stehen. Aber Scipio antwortete nicht. Auf der letzten Stufe zögerte er und sah Prosper an. Schweigend erwiderte Prosper seinen Blick, bis Scipio den Kopf senkte. Als er ihn wieder hob, um etwas zu sagen, erschien ein Mann oben an der Treppe, groß und hager, mit den gleichen dunklen Augen, wie Scipio sie hatte.

»Was machst du noch hier?«, rief er mit gelangweilter Stimme.

»Hast du heute nicht Nachhilfeunterricht?« Er streifte Bo und Prosper mit einem kurzen, irritierten Blick.

»Erst in einer Stunde«, antwortete Scipio, ohne zu seinem Vater hochzusehen. Seine Stimme klang anders als sonst, als wäre er nicht sicher, ob er die richtigen Worte finden würde. Kleiner kam er Prosper auch vor, aber vielleicht lag das an dem riesigen Haus oder daran, dass er seine hochhackigen Stiefel nicht trug. Er war gekleidet wie eins der reichen Kinder, die man manchmal durch die Fenster der vornehmen Restaurants sah, wie sie dasaßen, stocksteif, und mit Messer und Gabel aßen, ohne sich zu bekleckern. Bo erfüllte das immer mit großer Bewunderung.

»Was steht ihr da herum?« Scipios Vater winkte ungeduldig mit der Hand, als wären die drei Jungen lästige Vögel, die ihm das Pflaster verschmutzten. »Geh mit deinen Freunden auf dein Zimmer. Du weißt genau, dass der Hof kein Kinderspielplatz ist.«

»Sie … gehen gleich wieder«, antwortete Scipio mit belegter Stimme. »Sie wollten mir bloß … was bringen.«

Aber sein Vater hatte sich schon umgedreht. Schweigend beobachteten die Jungen, wie er wieder hinter einer Tür verschwand.

»Du hast einen Vater, Scip?«, flüsterte Bo ungläubig. »Hast du auch eine Mutter?«

Scipio schien nicht zu wissen, wo er hingucken sollte. Unruhig fingerte er an seiner feinen seidenen Weste herum. Dann nickte er. »Ja, aber sie ist viel unterwegs.« Er sah Prosper ins Gesicht – und schaute wieder weg. »Guck mich nicht so an. Ich kann das alles erklären. Ich hätte es euch sowieso bald gesagt.«

»Du kannst es uns jetzt gleich allen erklären«, antwortete Prosper und griff nach Scipios Arm. »Komm, die anderen warten draußen. Und sie frieren bestimmt schon.« Er wollte den Herrn der

174

Diebe mit zur Tür ziehen, aber Scipio machte sich los und blieb am Fuß der Treppe stehen.

»Der verdammte Schnüffler hat mich verraten, stimmt's?«

»Wenn du uns nicht belogen hättest, hätte er nichts zu verraten gehabt«, antwortete Prosper. »Los, komm.«

»Ich hab gleich Unterricht, du hast es doch gehört!« Scipios Stimme klang trotzig. »Ich erkläre euch später alles. Heute Abend. Heute Abend kann ich mich freimachen. Mein Vater fährt weg. Und das mit dem Einbruch …«, er senkte die Stimme, »… das bleibt wie abgesprochen. Schon morgen Nacht können wir es tun. Habt ihr das Haus beobachtet, wie ich gesagt habe?«

»Hör auf, Scip!«, fuhr Prosper ihn an. »Ich wette, du hast noch nie in deinem Leben was gestohlen.« Er sah, wie Scipio einen erschrockenen Blick nach oben warf. »Wahrscheinlich stammt deine ganze Beute aus diesem Haus, stimmt's?«, fragte Prosper mit gedämpfter Stimme. »Wie konntest du den Auftrag des Conte annehmen? Du bist doch garantiert noch nie irgendwo eingebrochen! Wenn du so geheimnisvoll im Versteck aufgetaucht bist, hast du dich da mit einem Schlüssel durch irgendeine Tür reingeschlichen, die wir nicht kennen? Der Herr der Diebe! Mein Gott, waren wir blöd!« Verächtlich verzog Prosper den Mund, aber er fühlte sich ganz taub vor Enttäuschung und Traurigkeit. Bo klammerte sich an seine Hand, während Scipio nicht wusste, wo er hinschauen sollte.

»Komm jetzt!«, sagte Prosper noch mal. »Komm mit raus zu den anderen.« Er drehte sich um, doch Scipio stand immer noch wie angewurzelt da.

»Nein«, sagte er, »ich erklär euch später alles. Jetzt hab ich keine Zeit.« Dann drehte er sich um und lief die Treppe hinauf, so hastig, dass er fast stolperte. Aber er sah sich nicht ein einziges Mal um.

Mosca, Riccio und Wespe warteten immer noch neben dem Portal, als Prosper mit Bo herauskam. Fröstelnd lehnten sie an der Mauer, mit bedrückten Gesichtern.

»Na, bitte!«, rief Riccio, als Prosper und Bo allein aus dem Haus traten. »Es war nicht unser Scipio!« Er konnte seine Erleichterung kaum verbergen. Doch plötzlich machte er ein erschrockenes Gesicht. »Verflucht, wir müssen schnell zurück zum Versteck! Versteht ihr denn nicht? Das war ein Trick von dem Schnüffler, um uns wegzulocken, damit er ausreißen kann!«

»Sei doch mal still, Riccio«, sagte Wespe und sah Prosper an. »Also?«

»Victor hat uns nicht belogen«, sagte Prosper. »Lasst uns hier verschwinden.« Und ehe die anderen noch etwas fragen konnten, steuerte er auf die nächste Brücke zu.

»He, warte doch!«, rief Mosca ihm nach, aber Prosper ging so schnell, dass die anderen ihn erst am anderen Kanalufer einholten. Neben dem Eingang eines Restaurants blieb er stehen und lehnte sich gegen die Mauer.

»Was ist passiert?«, fragte Wespe besorgt, als sie neben ihm stand. »Du siehst ja aus wie der Tod höchstpersönlich!«

Prosper schloss die Augen, damit die anderen seine Tränen nicht sahen. Er spürte, wie Bo ihm die Hand streichelte, ganz sacht, mit seinen kurzen Fingern. »Versteht ihr denn nicht? Ich sag doch, der Schnüffler hat nicht gelogen!«, stieß er hervor. »Der Einzige, der gelogen hat, ist Scipio. Er wohnt in dem Palast da, Bo und ich haben seinen Vater gesehen. Sie haben ein Dienstmädchen und einen Hof mit einem Brunnen. Der Herr der Diebe! Weggelaufen aus dem Waisenhaus. All sein geheimnisvolles Getue, sein ›Ich-komm-allein-zurecht‹, sein ›Ich-brauch-keine-Erwachsenen‹-Gerede, alles Lüge! Nichts als Lüge! Mann, er hat wirklich seinen

Spaß gehabt mit uns. He, ein bisschen Waisenkind spielen, das ist abenteuerlich! Und wie wir ihn angehimmelt haben.« Prosper fuhr sich mit dem Ärmel übers Gesicht.

»Aber die Beute ...« Moscas Stimme war kaum hörbar.

»Ach ja, die Beute.« Prosper lachte spöttisch. »Wahrscheinlich hat er die Sachen seinen Eltern gestohlen. Der Herr der Diebe – der Herr der Lügner ist er.«

Riccio stand da wie jemand, den man verprügelt hatte. »Er war da? Du – hast ihn gesehen?«, fragte er.

Prosper nickte. »Ja, er war da. Aber er war zu feige rauszukommen.« Bo schob den Kopf unter Wespes Arm.

Die anderen sagten kein Wort. Wespe blickte hinüber zur *Casa Massimo*, wie sie dastand und sich im Kanalwasser spiegelte. Hinter einigen Fenstern brannte Licht, obwohl es noch früh am Nachmittag war. Es war ein düsterer, grauer Tag.

»Ist doch nicht so schlimm, Prop«, sagte Bo und sah seinen großen Bruder besorgt an. »Ist doch nicht so schlimm.«

»Lasst uns nach Hause gehen«, murmelte Wespe.

Und das taten sie.

Den ganzen Rückweg sprach keiner von ihnen ein Wort.

EIN EHRENWORT

Es war nicht schwer für Victor, das Schloss seines Gefängnisses zu knacken. Den Werkzeugkasten hatte Mosca ihm abgenommen, bevor die Kinder verschwunden waren, aber Victor hatte für Notfälle immer etwas Draht und andere nützliche Kleinigkeiten in seiner doppelten Schuhsohle versteckt. Er stand schon im Vorraum, den Karton mit den Schildkröten unter dem Arm, als er beschloss, nicht ohne ein paar Abschiedssätze zu gehen. Weil er kein Papier fand, schrieb er seine Nachricht mit einem Filzer auf die weiß getünchte Wand:

Achtung, dies ist ein Victor-Ehrenwort, und wie ich euch schon sagte, Victor-Ehrenworte werden nie gebrochen: Die Hartliebs werden von mir nichts erfahren – es sei denn, ich höre in nächster Zeit von irgendwelchen seltsamen Einbrüchen. Wir sehen uns. Bestimmt.

Victor

Als Victor fertig war, trat er einen Schritt zurück und betrachtete, was er geschrieben hatte. Ich muss verrückt geworden sein, dachte er, als er die eigenen Worte noch einmal las. Dann überlegte er, ob

er noch nach der Pistole suchen sollte, die Prosper ihm abgenommen hatte, oder nach seinem gestohlenen Portemonnaie. Aber wo
sollte er da suchen? In dem Durcheinander zwischen den Matratzen? Zwischen dem Gerümpel im Vorraum? Womöglich über-
raschte die Bande ihn dabei und das Ganze begann von vorn.

Ach was, ich geh nach Hause, dachte Victor. Jeder Knochen tat
ihm weh nach der Nacht auf den Fliesen. Müde bahnte er sich
einen Weg zu der Eingangstür, die die Kinder schon wieder verbarrikadiert hatten, und trat hinaus auf die Gasse.

Drei Häuser weiter schwatzten ein paar Frauen vor einer offenen
Haustür miteinander. Als sie Victor aus dem verlassenen Kino
kommen sahen, schwiegen sie verblüfft, aber er grüßte sie, als gebe
es nicht den geringsten Grund zur Verwunderung, zog die papp-
verklebte Tür hinter sich zu und machte sich mit seinen Schildkröten auf den Heimweg.

DER EINBRUCH

»Ihr glaubt das doch wohl nicht?«, rief Riccio, als sie Victors Ge-kritzel und das leere Klo entdeckten. »Wir müssen ihn sofort wie-der einfangen.«

»Ach ja? Und wie?«, fragte Mosca und lugte durch die aufgebro-chene Klotür. Auf der Decke, die sie ihrem Gefangenen über die Fliesen gelegt hatten, stand das Radio. Zusammengeschraubt. Nicht ein Teilchen lag noch daneben. Mosca ging hin und drehte an den Knöpfen, während die anderen immer noch vor Victors Ge-kritzel standen.

»Bleibt uns gar nichts anderes übrig als zu glauben, was da steht«, sagte Wespe. »Oder willst du dir jetzt gleich ein neues Versteck suchen, Riccio?«

»Und den Einbruch, den Handel mit dem Conte, willst du das alles etwa vergessen, bloß weil dieser Schnüffler es sagt?«

»Nein, will ich nicht. Aber von dem Einbruch erfährt er doch so-wieso erst, wenn die Sache gelaufen ist. Und wir sind dann mit dem Geld längst verschwunden. Irgendwohin.«

»Irgendwohin.« Riccio starrte Victors Gekritzel an. Dann drehte er sich abrupt um und verschwand durch die Tür zum Kinosaal. Wespe wollte ihm nach, aber Prosper hielt sie zurück. »Warte mal«, sagte er. »Ihr wollt den Flügel immer noch rauben? Habt ihr denn gar nichts begriffen? Scipio ist noch nie irgendwo einge- brochen!«

»Wer redet denn von Scipio?« Wespe verschränkte die Arme. »Wir werden die Sache ohne Scipio machen. Jetzt doch erst recht. Wovon sollen wir leben, wenn der Herr der Diebe keine Beute mehr bringt, und damit ist ja jetzt wohl Schluss, oder? Dem Conte kann doch egal sein, wer ihm den Flügel beschafft. Und wenn wir die fünf Millionen haben, dann brauchen wir niemanden mehr, keine Er- wachsenen und schon gar keinen Herrn der Diebe. Vielleicht ...«, Wespe musterte noch einmal Victors Abschiedsnachricht, »viel- leicht sollten wir es gleich morgen Nacht erledigen. Je eher, desto besser. Was denkst du? Willst du nicht doch mitmachen?«

»Und was wird mit Bo?« Prosper sah sie an und schüttelte den Kopf. »Nein. Wenn ihr unbedingt euren Hals riskieren wollt, in Ordnung. Ich wünsch euch Glück. Aber ich werde nicht mitma- chen. In zwei Tagen kommt meine Tante nach Venedig. Bis dahin haben Bo und ich die Stadt verlassen. Ich versuch, uns auf irgend- ein Schiff zu schmuggeln. Oder in ein Flugzeug ... Irgendwas, was uns weit weg bringt. Das haben andere auch schon geschafft. Vor ein paar Tagen stand so was in der Zeitung.«

»Ja, und ich ärgere mich, dass ich es dir vorgelesen habe. Ver- stehst du denn nicht?« Wespes Stimme klang zornig, aber in ihren Augen standen Tränen. »Das ist noch viel verrückter, als in ein fremdes Haus zu schleichen! Wir gehören doch jetzt alle zu- sammen, du und Bo und Riccio und Mosca – und ich. Wir sind doch jetzt so was wie eine Familie, da ...«

»He, Leute, kommt doch mal her!«, rief Mosca aus dem Männer- klo. »Ich glaub, dieser Schnüffler hat das Radio tatsächlich repa- riert! Sogar das Kassettenteil funktioniert wieder.«

Aber Wespe und Prosper beachteten ihn nicht.

»Überleg es dir doch noch mal!«, sagte Wespe, und ihre Stimme klang so flehend, dass es Prosper wehtat. »Bitte.« Dann drehte sie sich um und lief Riccio nach.

Das Abendessen fiel aus. Keiner von ihnen hatte Hunger. Nur Bo verschlang zwei Schüsseln voll pappiger Cornflakes, während seine Kätzchen um ihn herumschnurrten und hastig vom Boden schleckten, was er verschüttete. Mosca tauchte überhaupt nicht auf. Er hatte sich eine Angel geschnappt und sein Radio und war nach draußen an den Kanal gegangen, wo sein Boot lag, das immer noch dringend einen Anstrich brauchte. Riccio hatte sich so tief in seinen Schlafsack vergraben, dass nicht einmal mehr die Haare herausschauten, und Prosper versuchte alle quälenden Gedanken aus seinem Kopf zu vertreiben, indem er den Taubendreck von den Sitzen und vom Boden schrubbte. Die Taube des Conte beobachtete ihn dabei. Mit schief gelegtem Kopf hockte sie in dem Korb, den sie ihr aufgehängt hatten, und blickte zu ihm herunter. Wespe lag auf ihrer Matratze und las einen von den Krimis aus Victors Regal, aber irgendwann merkte sie, dass sie dieselbe Seite schon dreimal gelesen hatte, klappte das Buch zu und half Prosper wortlos beim Saubermachen. Als Bo müde wurde, las Wespe ihm eine Gutenachtgeschichte vor und schlief anschließend mit ihm im Arm ein. Riccio schnarchte schon zwischen seinen Stofftieren, aber Mosca war noch nicht wieder aufgetaucht, als Prosper unter seine Decke kroch. Eine Weile lag er wach da und dachte nach, über Ehrenworte und Lügen, über Väter und Tanten, über Freundschaft und ein Zuhause und blinde Passagiere. Er drehte sich auf die Seite und betrachtete Wespe und Bo, wie sie aneinander geschmiegt schliefen, und Riccio, der in seinem Schlafsack vor sich hinmurmelte, und er fühlte sich geborgen, trotz allem, was an diesem scheußlichen Tag passiert war. Aber als er den anderen den Rücken zuwandte, da griff die Dunkelheit nach ihm; sie drückte ihm die schwarzen Finger auf die Augen, bis er sich so furchtbar verloren fühlte, dass er sich das Kissen über den Kopf zog.

Als er endlich einschlief, träumte Prosper, er wäre mit Bo wieder in dem Zug, mit dem sie nach Venedig gekommen waren. Sie wollten sich einen Platz suchen, aber jedes Mal, wenn Prosper eine Abteiltür aufschob, saß Esther dahinter. Er rannte mit Bo den engen Zuggang hinunter, öffnete immer neue Türen, und hinter jeder wartete Esther und griff nach Bo. Prosper hörte sein Herz schlagen und Bo hinter sich rufen, aber er konnte nicht verstehen, was er rief. Bo schien sich immer weiter zu entfernen, obwohl Prosper seine Hand hielt. Dann versperrte plötzlich Victor ihnen den Gang. Und als Prosper sich umdrehte und verzweifelt die nächste Tür aufzerrte, um ihm zu entkommen, da war dahinter nichts als Dunkelheit, eiskalte, pechschwarze, bodenlose Dunkelheit, und bevor er zurückweichen konnte, stürzte er schon hinein. Und Bo war nicht mehr bei ihm.

Nass geschwitzt fuhr Prosper hoch. Um ihn herum war es dunkel. Dunkel und kalt. Aber nicht so kalt wie in seinem Traum. Prosper tastete nach der Taschenlampe, die er immer neben seinem Kissen liegen hatte, und knipste sie an. Wespes Matratze war leer. Sie war nicht mehr da und Bo auch nicht. Erschrocken sprang Prosper auf, lief zu Riccios Matratze und zerrte den Schlafsack auf. Nichts als schmutzige Stofftiere. Und unter Moscas Decke lag nur sein Radio.

Sie waren fort. Alle fort. Mit Bo.

Prosper wusste sofort, wo sie waren. Trotzdem stolperte er durch die Dunkelheit zu dem Schrank, in dem Mosca alles gesammelt hatte, was sie für den Einbruch besorgt hatten: ein Seil, die Grundrisse, Wurst für die Hunde, Schuhcreme, um sich die Gesichter zu schwärzen – es war alles verschwunden.

Wieso haben sie Bo mitgenommen?, dachte Prosper verzweifelt, während er sich anzog. Wie konnte Wespe das zulassen?

Der Mond stand hoch über der Stadt, als Prosper aus dem Kino stolperte. Menschenleer lagen die Gassen da und über den Kanälen hing in grauweißen Schwaden der Nebel.

Prosper rannte. Seine Schritte hallten so laut auf dem Pflaster, dass er selbst erschrak. Er musste die anderen einholen, bevor sie über die Mauer kletterten, bevor sie sich in das fremde Haus schlichen. Bilder drängten sich in seinen Kopf, Bilder von Polizisten, die einen strampelnden Bo davontrugen, die Wespe und Mosca mitnahmen und Riccio ins Igelhaar griffen.

Die Accademia-Brücke war glitschig vom Nebel, und hoch über dem Canal Grande rutschte Prosper aus und schlug sich das Knie auf. Aber er rappelte sich wieder auf und rannte weiter, über leere Plätze, vorbei an schwarz in den Himmel ragenden Kirchen. Für ein paar wirre Augenblicke kam es Prosper vor, als wäre er aus der Zeit gefallen. Ohne Menschen sah die Stadt so alt aus, so ururalt.

Als er den Ponte dei Pugni erreichte, bekam er kaum noch Luft. Keuchend stieg er die Stufen hinab, lehnte sich gegen die Brüstung und starrte auf die Fußabdrücke im steinernen Boden der Brücke. Von Riccio wusste er, dass hier früher jedes Jahr Faustkämpfe stattgefunden hatten, zwischen den Vertretern des Ost- und des Westteils der Stadt. Die Kämpfe hatten immer im Wasser geendet, und meist war es sehr blutig dabei zugegangen. Die Abdrücke hatten den kämpfenden Männern gezeigt, wo sie sich aufstellen mussten.

Prosper rang nach Atem und lief mit zitternden Beinen weiter. Nur noch durch die Gasse dort, dann stolperte er auf den Campo Santa Margherita. Das Haus von Ida Spavento lag auf der rechten Seite, fast am Ende des Platzes. Keins der Fenster war erleuchtet. Prosper lief auf die Haustür zu und lauschte. Nichts. Natürlich nicht. Sie wollten ja über die Gartenmauer steigen. Prosper versuchte ruhiger zu atmen. Wenn der Eingang zu der Gasse, die dorthin führte, nur nicht so unheimlich ausgesehen hätte. Von dem steinernen Torbogen grinsten Fratzen auf Prosper herab, und als der Mond zwischen den Wolken hervorkam und alles in sein blasses Licht tauchte, schienen sie lebendig zu werden und Grimassen zu schneiden. Da kniff Prosper einfach die Augen zu und stolperte blind weiter, die Finger an der kalten Wand.

Nur ein paar Schritte in die pechschwarze Finsternis und es wurde wieder heller. Die Gartenmauer der *Casa Spavento* erhob sich grau zwischen den eng stehenden Häusern, und obendrauf hockte eine dunkle Gestalt. Prosper spürte Wut und Erleichterung zugleich, als er sie entdeckte.

Die Knie zitterten ihm, das Atmen schmerzte. Seine Schritte hallten laut durch die Stille. Erschrocken blickte die Gestalt auf der Mauer zu ihm herunter. Es war Wespe, er erkannte sie trotz ihres geschwärzten Gesichts.

»Wo ist Bo?«, stieß Prosper hervor und hielt sich die schmerzenden Seiten. »Warum habt ihr ihn mitgenommen? Hol ihn sofort zurück!«

»Beruhige dich!«, zischte Wespe zu ihm hinunter. »Wir haben ihn nicht mitgenommen! Er ist uns einfach nachgeschlichen. Und dann hat er gedroht, dass er den ganzen Campo Santa Margherita wachschreit, wenn wir ihm nicht über die Mauer helfen! Was sollten wir denn machen? Du weißt doch, wie stur er sein kann.«

»Er ist schon drin?« Prosper erstickte fast an seiner Angst.

»Fang!« Wespe warf ihm das Seil zu, das sie gerade eingeholt hatte. Ohne nachzudenken schlang Prosper sich das Ende um sein Handgelenk und kletterte zu ihr hinauf. Die Mauer war hoch und schartig und er schürfte sich die Hände an den Steinen wund. Als er sich endlich über den Sims zog, holte Wespe das Seil wortlos ein und half ihm, sich in den fremden Garten hinunterzulassen. Sein Mund war trocken vor Angst, als er den Fuß der Mauer erreichte. Wespe warf ihm das Seilende zu und sprang ihm nach.

Trockenes Laub raschelte unter ihren Schuhen, als sie an winter-kahlen Beeten und leeren Blumenkübeln vorbei zum Haus schli-chen. Mosca und Riccio machten sich schon an der Küchentür zu schaffen. Mosca war kaum zu entdecken in der Dunkelheit und Riccio hatte sich das Gesicht geschwärzt wie Wespe. Bo versteckte sich erschrocken hinter Moscas Rücken, als er Prosper sah.

»Ich hätte dich bei Esther lassen sollen!«, zischte Prosper. »Ver-dammt, was hast du dir dabei gedacht, Bo?«

Bo biss sich auf die Lippen. »Ich wollte aber mit«, murmelte er.

»Wir beide verschwinden hier wieder«, sagte Prosper leise. »Komm mit.« Er versuchte Bo hinter Moscas Rücken hervorzuzie-hen, aber Bo schlüpfte ihm unter den Fingern weg.

»Nein, ich bleib hier!«, rief er so laut, dass Mosca ihm erschro-cken die Hand auf den Mund presste. Riccio und Wespe guckten besorgt zu den Fenstern im obersten Stock hinauf, aber sie blieben dunkel. »Lass ihn, Prosper, bitte!«, flüsterte Wespe. »Es wird schon alles gut gehen.«

Langsam nahm Mosca seine Hand von Bos Mund. »Mach das nicht noch mal, klar?«, raunte er. »Ich dachte, ich fall tot um vor Schreck.«

»Sind die Hunde da?«, fragte Prosper.

Wespe schüttelte den Kopf. »Gehört haben wir sie jedenfalls noch nicht«, flüsterte sie.

Riccio kniete sich mit einem Seufzer wieder vor die Küchentür. Mosca leuchtete ihm mit seiner Taschenlampe. »Verdammt, das Schloss ist so rostig, dass es klemmt!«, schimpfte Riccio leise.

»Ach, deshalb brauchen sie keinen Riegel«, murmelte Mosca.

Wespe beugte sich zu Prosper, der mit dem Rücken an der Mauer des fremden Hauses lehnte und zum Mond hinaufstarrte. »Du brauchst nicht mit reinzukommen«, flüsterte sie. »Ich pass schon auf Bo auf.«

»Wenn Bo reingeht, geh ich auch«, antwortete Prosper.

Mit einem Stoßgebet stieß Riccio die Tür auf. Mosca und er schlüpften als Erste hinein, dann Bo, dann Wespe. Nur Prosper zögerte einen Moment, doch dann folgte er den anderen.

Die Geräusche eines fremden Hauses umfingen sie. Eine Uhr tickte, der Kühlschrank brummte. Mit einem Gemisch aus Scham und Neugier schlichen sie weiter.

»Macht die Tür zu!«, flüsterte Mosca.

Wespe ließ ihre Taschenlampe über die Wände schweifen. Ida Spaventos Küche hatte nichts Besonderes an sich. Töpfe, Pfannen, Gewürzgläser, eine Espressokanne, ein großer Tisch, ein paar Stühle …

»Soll einer von uns als Wache hier bleiben?«, fragte Riccio leise.

»Wozu?« Wespe öffnete die Tür zum Flur und lauschte. »Die Polizei wird wohl kaum über die Gartenmauer kommen. Geh du voran!«, flüsterte sie Mosca zu.

Mosca nickte und schob sich aus der Tür.

Sie führte hinaus auf einen engen Flur, genau wie auf dem Grundriss eingezeichnet, und schon nach wenigen Metern stießen sie auf die Treppe, die nach oben führte. Neben den Stufen hingen Masken an der Wand, unheimlich sahen sie aus im Licht der Taschenlampen. Eine ähnelte der, die Scipio immer trug.

Die Treppe endete vor einer Tür. Mosca öffnete sie einen Spaltbreit, lauschte und winkte die anderen dann auf einen Flur hinaus, der etwas breiter war als der im Erdgeschoss. Zwei Deckenlampen beleuchteten ihn matt. Irgendwo pochte eine Heizung, sonst war alles still. Mosca legte warnend den Finger an die Lippen, als sie an der Treppe vorbeikamen, die nach oben führte. Besorgt blickten sie die schmalen Stufen hinauf.

»Vielleicht ist ja doch keiner zu Hause«, flüsterte Wespe. Das Haus kam ihr so ausgestorben vor mit all den stillen, dunklen Zimmern. Hinter den ersten beiden Türen waren ein Bad und eine winzige Abstellkammer, das wusste Mosca von dem Grundriss, den der Conte ihnen gegeben hatte.

»Aber jetzt wird es interessanter«, flüsterte er, als sie vor der dritten Tür standen. »Das müsste der *salotto* sein. Vielleicht hat Signora Spavento den Flügel ja übers Sofa gehängt.« Er wollte gerade die Hand auf die Klinke legen, als jemand die Tür öffnete.

Mosca stolperte gegen die anderen, so erschrocken fuhr er zurück. Doch in der offenen Tür stand nicht Ida Spavento, sondern Scipio.

Der Scipio, der ihnen vertraut war. Er trug seine Maske, die hochhackigen Stiefel, die lange schwarze Jacke und dunkle Lederhandschuhe.

Riccio starrte ihn nur entgeistert an, aber Moscas Gesicht wurde starr vor Ärger. »Was machst du hier?«, fuhr er Scipio an.

»Was macht ihr hier?«, zischte Scipio zurück. »Das ist mein Auftrag.«

»Halt bloß den Mund!« Mosca gab ihm einen Stoß vor die Brust, dass Scipio zurückstolperte. »Du verlogener Bastard! Du hast uns wirklich fein an der Nase herumgeführt. Der Herr der Diebe! Für dich ist das hier vielleicht ein Abenteuerspiel, aber wir brauchen das Geld, klar? Und deshalb werden *wir* den Flügel für den Conte stehlen. Sag schon, ist er dadrin?«

Scipio zuckte nur die Schultern.

Mosca schob ihn unsanft zur Seite und verschwand in dem dunklen Zimmer.

»Wie bist du hier eigentlich reingekommen?«, knurrte Riccio Scipio an.

»Das war nicht besonders schwer, sonst wärt ihr ja wohl auch nicht hier«, antwortete Scipio spöttisch. »Und ich sag es jetzt noch mal. *Ich* bringe dem Conte den Flügel. Nur ich. Ihr kriegt euren Anteil, wie jedes Mal, aber jetzt verschwindet.«

»Du verschwindest«, sagte Mosca und tauchte wieder hinter ihm auf. »Sonst erzählen wir deinem Vater, dass sein feiner Sohn sich nachts in fremde Häuser schleicht!« Seine Stimme war so laut geworden, dass Wespe sich zwischen die zwei drängte.

»Schluss jetzt!«, flüsterte sie. »Habt ihr vergessen, wo wir hier sind?«

»Du kannst dem Conte sowieso nichts bringen, Herr der Diebe«, raunte Riccio Scipio gehässig zu. »Nicht mal eine Nachricht kannst du ihm schicken, weil wir nämlich seine Taube haben.«

Scipio presste die Lippen zusammen. An die Taube hatte er offenbar nicht gedacht.

»Kommt«, raunte Mosca, ohne Scipio noch eines Blickes zu würdigen. »Lasst uns weitersuchen. Ich nehm mit Prosper die linke Tür, Riccio und Wespe die rechte.«

»Und wehe, du kommst uns in die Quere, Herr der Diebe!«, fügte Riccio hinzu.

Scipio antwortete nicht. Reglos stand er da und sah ihnen nach. Mosca, Riccio und Wespe waren schon hinter den Türen verschwunden, als Prosper sich noch mal umdrehte. Scipio stand immer noch da und rührte sich nicht.

»Geh nach Hause, Scip«, sagte Prosper leise. »Die anderen sind ziemlich wütend auf dich.«

»Ziemlich«, murmelte Bo und musterte Scipio mit besorgtem Gesicht.

»Und ihr?«, fragte Scipio. Als Prosper nicht sofort antwortete, drehte er sich mit einem Ruck um und lief zu der Treppe, die nach oben führte.

»Seht euch das an«, flüsterte Mosca, als Prosper Bo durch die offene Tür schob. »*Laboratorio* stand auf dem Grundriss, und ich hab mich gefragt, was das heißen soll. Es ist ein Fotolabor! Mit allem Drum und Dran.« Bewundernd ließ er seine Taschenlampe durch den Raum streifen.

»Scip ist nach oben gegangen«, sagte Prosper.

»Was?«, fragte Mosca entgeistert und fuhr erschrocken herum, als Riccio und Wespe sich durch die Tür schoben.

»Drüben im Esszimmer ist der Flügel auch nicht«, flüsterte Wespe. »Wie sieht es hier aus?«

»Scipio ist nach oben gegangen«, zischte Mosca. »Wir müssen ihm nach!«

»Nach oben?« Riccio fuhr sich durch das struppige Haar. Davor hatten sie alle Angst gehabt: dass sie hinauf in das Stockwerk schleichen mussten, wo die Besitzerin des Hauses ahnungslos in ihrem Bett lag und schlief.

»Der Flügel *muss* oben sein«, flüsterte Mosca. »Und wenn wir uns nicht beeilen, kriegt der Herr der Diebe ihn vor uns!«

Unschlüssig standen sie in dem dunklen Fotolabor und sahen sich an. »Mosca hat Recht«, murmelte Wespe. »Ich hoffe nur, die Treppe knarrt nicht so wie die andere.«

Da ging plötzlich das Licht an. Rotes Licht.

Erschrocken drehten die Kinder sich um. Jemand stand in der Tür, eine Frau in einem dicken Wintermantel, mit einer Jagdflinte unter dem Arm.

»Entschuldigt«, sagte Ida Spavento und richtete die Flinte auf Riccio, wohl, weil er ihr am nächsten stand. »Habe ich euch eingeladen?«

»Bitte! Bitte, nicht schießen!«, stammelte Riccio und streckte die Arme in die Höhe. Bo war schon hinter Prosper und Wespe verschwunden.

»Oh, ich habe eigentlich nicht vor zu schießen«, sagte Ida Spavento. »Aber ihr könnt es mir nicht verdenken, dass ich erst mal die alte Flinte geholt habe, als ich euer Geflüster gehört habe. Da gehe ich endlich mal wieder aus, und was finde ich bei meiner Rückkehr? Eine Bande kleiner Diebe, die mit Taschenlampen in meinem Haus herumschleicht! Ihr könnt froh sein, dass ich nicht gleich die Carabinieri gerufen habe.«

»Bitte! Rufen Sie nicht die Polizei!«, flüsterte Wespe. »Bitte nicht.«

»Na ja, vielleicht nicht. Ihr seht nicht sehr gefährlich aus.« Ida Spavento ließ die Flinte sinken, zog eine Schachtel Zigaretten aus der Manteltasche und steckte sich eine zwischen die Lippen. »Hattet ihr es auf meine Fotoapparate abgesehen? Die könnt ihr doch draußen auf den Gassen leichter bekommen.«

»Nein, wir ... wollten nichts Wertvolles stehlen, Signora«, sagte Wespe mit stockender Stimme, »wirklich nicht.«

»Ach, nein? Was dann?«

»Den Flügel«, stammelte Riccio. »Und der ist ja nur aus Holz.« Er hielt die Hände immer noch hoch, obwohl der Gewehrlauf nur auf seine Füße gerichtet war.

»Den Flügel?« Ida Spavento lehnte das Gewehr an die Wand im Flur.

Mit einem erleichterten Seufzer ließ Riccio die Hände sinken, und Bo traute sich zögernd hinter Prospers Rücken hervor.

Ida Spavento musterte ihn mit gerunzelter Stirn. »Na, da ist ja noch einer«, sagte sie. »Wie alt bist du? Fünf? Sechs?«

»Fünf«, murmelte Bo und starrte sie argwöhnisch an.

»Fünf. *Madonna!* Ihr seid wirklich eine sehr junge Diebesbande.« Ida Spavento lehnte sich gegen den Türrahmen und sah sie einen nach dem anderen an. »Was mach ich jetzt mit euch? Brecht in mein Haus ein, wollt mich bestehlen … Was wisst ihr von dem Flügel? Und wer hat euch erzählt, dass ich ihn habe?«

»Sie haben ihn also wirklich?« Riccio sah sie mit großen Augen an.

Ida Spavento antwortete nicht. »Was wolltet ihr mit ihm?«, wiederholte sie und klopfte die Asche von ihrer Zigarette.

»Jemand hat uns beauftragt, ihn zu stehlen«, murmelte Mosca.

Ida Spavento sah ihn ungläubig an. »Beauftragt? Wer?«

»Das verraten wir nicht!«, sagte eine Stimme hinter ihr.

Überrascht drehte Ida Spavento sich um. Aber ehe sie wusste, wie ihr geschah, griff Scipio nach ihrer Flinte und richtete den Lauf auf sie.

»Scipio, was machst du?«, rief Wespe entgeistert. »Stell sofort das Gewehr zurück!«

»Ich hab den Flügel!«, sagte Scipio, ohne die Flinte zu senken. »Er hing oben im Schlafzimmer. Also kommt und lasst uns verschwinden.«

»Scipio? Wer ist das nun schon wieder?« Ida Spavento trat ihre Zigarette auf dem Boden aus und verschränkte die Arme. »In meinem Haus wimmelt es ja heute Nacht von ungebetenen Gästen. Eine interessante Maske trägst du da, mein Lieber, so eine ähnliche habe ich auch, nur dass ich sie selten bei Einbrüchen benutze. Aber jetzt stell das Gewehr weg.«

Scipio machte einen Schritt zurück.

»Um diesen Flügel ranken sich seltsame Geschichten«, sagte Ida Spavento. »Hat euer Auftraggeber sie euch erzählt?«

Scipio beachtete sie nicht. »Wenn ihr jetzt nicht kommt, dann geh ich allein!«, rief er den anderen zu. »Mit dem Flügel. Und das Geld, das ich dafür bekomme, werd ich auch nicht mit euch teilen.« Die Flinte bebte in seinen Fingern.

»Kommt ihr jetzt endlich?«, rief er noch einmal.

Da machte Ida Spavento einen Schritt auf ihn zu, packte den Gewehrlauf und zog Scipio die Flinte mit einem Ruck aus der Hand.

»Schluss jetzt!«, sagte sie. »Das Ding funktioniert sowieso nicht. Und jetzt gib mir meinen Flügel zurück.«

Scipio hatte den Flügel in eine Decke eingeschlagen und ihn in Ida Spaventos Badezimmer versteckt, als er die Stimmen auf dem Flur hörte.

»Wir hätten ihn gehabt!«, murmelte er mit düsterer Miene, als er ihr das Bündel vor die Füße legte. »Wenn diese Dummköpfe nicht wie versteinert dagestanden hätten.« Verächtlich blickte er zu den anderen hinüber, die dicht zusammengedrängt vor der Tür zum Fotolabor standen. Riccio senkte als Einziger zerknirscht den Kopf. Die anderen erwiderten feindselig Scipios Blick.

»Halt bloß den Mund! Du bist doch total übergeschnappt!«, knurrte Mosca. »Hier mit einem Gewehr rumzufuchteln.«

»Ich hätte doch nicht geschossen!«, schrie Scipio ihn an. »Ich wollte doch nur, dass wir das Geld kriegen. Ich hätte euch auch *alles* gegeben. Du hast selbst gesagt, ihr braucht es.«

»Das Geld? Ach ja, natürlich.« Ida Spavento ging in die Hocke und schlug die Decke auseinander, mit der Scipio den Flügel umwickelt hatte. »Wie viel wollte euer Auftraggeber euch denn, wenn ich fragen darf, für meinen Flügel zahlen?«

»Sehr, sehr viel«, antwortete Wespe.

Zögernd trat sie neben die fremde Frau. Da lag der Flügel. Vor ihren Füßen. Die weiße Farbe war verblichen und brüchig, wie bei dem Flügel, dessen Foto der Conte ihnen gegeben hatte. Doch auf diesem waren überall noch Sprengsel von Gold zu entdecken.

»Verratet mir seinen Namen.« Ida Spavento schlug die Decke wieder zusammen und richtete sich mit dem Bündel auf. Die Flügelspitze ragte noch aus der Decke. »Ihr verratet mir den Namen eures Auftraggebers und ich erzähle euch, warum er viel Geld für ein Stück Holz bezahlen wollte.«

»Wir wissen seinen Namen nicht«, antwortete Riccio.

»Er nennt sich der Conte.« Mosca rutschten die Worte raus, ohne dass er wusste, warum. Er erntete dafür einen finsteren Blick von Scipio. »Was guckst du so, Herr der Diebe?«, fuhr er ihn an. »Warum sollten wir es ihr nicht sagen?«

»Der Herr der Diebe.« Ida Spavento hob die Augenbrauen. »Oh! Da muss ich mich wohl geehrt fühlen, dass du dich in mein Haus geschlichen hast, was?« Sie warf Scipio einen spöttischen Blick zu. »Na gut, ich brauche jetzt einen Kaffee. Ich vermute, es wartet niemand voll Sorge darauf, dass ihr nach Hause kommt, oder?« Fragend sah sie die Kinder an.

Keiner antwortete ihr. Nur Wespe schüttelte den Kopf. »Nein«, sagte sie leise.

»Gut, dann leistet mir Gesellschaft«, sagte Ida Spavento, »und wenn ihr wollt, erzähle ich euch eine Geschichte. Von einem verlorenen Flügel und einem Karussell. – Dir auch«, sagte sie, als sie an Scipio vorbeiging. »Aber vielleicht hat der Herr der Diebe ja noch etwas Besseres zu tun?«

EINE ALTE GESCHICHTE

Scipio kam mit in Ida Spaventos Küche. Aber er hielt sich abseits, lehnte immer noch in der Tür, als die anderen schon um den großen Tisch herumsaßen. Vor ihnen auf der bunten Tischdecke lag der Flügel. Ida Spavento hatte ihn aus der Decke gewickelt, bevor sie sich ans Kaffeekochen machte.

»Er sieht schön aus«, sagte Wespe und strich vorsichtig mit den Fingern über das Holz. »Es ist bestimmt der Flügel von einem Engel, oder?«

»Von einem Engel? O nein.« Ida Spavento nahm ihre Espressokanne vom Feuer. Der Kaffee zischte in der kleinen Kanne, als sie sie auf den Tisch stellte. »Das ist der Flügel eines Löwen.«

»Eines Löwen?« Ungläubig sah Riccio sie an.

Ida Spavento nickte. »Allerdings.« Mit gerunzelter Stirn griff sie in ihre Manteltasche. »Wo sind denn jetzt meine Zigaretten?«

»Riccio!« Mosca stieß Riccio den Ellbogen in die Seite, und Riccio zog mit zerknirschter Miene die Schachtel unter der Jacke hervor. Wespe wurde rot bis an den Scheitel.

»'tschuldigung«, murmelte Riccio. »War nur ein Reflex, kommt nicht wieder vor.«

»Na, das will ich hoffen.« Ida Spavento schob die Schachtel in ihre Tasche. Dann holte sie Zucker und eine Tasse für sich, Gläser und Saft für die Kinder. Für Scipio war auch eins dabei, aber er blieb in der Tür stehen. Nur die Maske hatte er abgenommen.

»Was ist das nun für eine Geschichte?«, fragte Mosca und goss sich ein Glas Saft ein.

»Geht sofort los.« Ida Spavento hängte den Mantel über die Stuhllehne, trank einen Schluck von ihrem Kaffee und nahm sich eine Zigarette.

»Krieg ich auch eine?«, fragte Riccio.

Ida sah ihn erstaunt an. »Natürlich nicht. Das ist eine ungesunde Angewohnheit.«

»Na, und Sie?«

Ida seufzte. »Ich versuche es mir abzugewöhnen. Kommen wir zu der Geschichte.« Sie lehnte sich auf ihrem Stuhl zurück. »Habt ihr schon einmal die Geschichte vom Karussell der Barmherzigen Schwestern gehört?«

Die Kinder schüttelten den Kopf.

»Das Waisenhaus für Mädchen im Süden der Stadt«, sagte Riccio, »das gehört auch irgendwelchen Barmherzigen Schwestern.«

»Genau.« Ida rührte sich noch etwas Zucker in ihren Kaffee. »Vor mehr als einhundertfünfzig Jahren, so erzählt man sich, machte ein reicher Kaufmann diesem Waisenhaus ein sehr wertvolles Geschenk. Er ließ auf dem Hof ein Karussell aufbauen, mit fünf wunderschönen Holzfiguren, deren Bild man noch heute über dem Portal des Waisenhauses sieht. Unter einem bunten Baldachin aus Holz drehten sich ein Einhorn, ein Seepferd, ein Wassermann, eine Meerjungfrau und ein geflügelter Löwe. Böse Zungen behaupteten damals, dass der reiche Mann sein schlechtes Gewissen mit diesem Geschenk beruhigen wollte, weil er einst selbst das unerwünschte Kind seiner Tochter vor dem Waisenhaus ausgesetzt hatte, doch andere bestritten das und sagten, er sei ein warmherziger Mann gewesen und habe so seinen Reichtum mit den armen, elternlosen Kindern teilen wollen. Wie dem auch sei, bald sprach man überall in Venedig von dem wunderbaren Karussell, was einiges zu bedeuten hat in einer Stadt, die so reich an Wundern ist wie diese. Aber es dauerte nicht lange, da verbreitete sich das Gerücht, dass durch dieses Karussell rätselhafte Dinge hinter den Waisenhausmauern geschähen.«

»Rätselhafte Dinge?« Riccio blickte Ida Spavento mit großen Augen an. So sah er auch Wespe immer an, wenn sie ihnen vorlas …

Ida nickte. »Ja. Rätselhafte Dinge. Man erzählte sich überall in der Stadt, dass ein paar Runden auf dem Karussell der Barmherzigen Schwestern aus Kindern Erwachsene machten und aus Erwachsenen wieder Kinder.«

Ein paar Augenblicke blieb es ganz still. Dann lachte Mosca ungläubig auf. »Wie soll denn das vor sich gehen?«

Ida zuckte die Achseln. »Davon weiß ich nichts. Ich erzähle nur, was ich gehört habe.«

Scipio löste sich von dem Türrahmen, an dem er gelehnt hatte, und setzte sich auf die Tischkante neben Prosper und Bo.

»Was hat der Flügel mit dem Karussell zu tun?«, fragte er.

»Dazu komm ich jetzt«, sagte Ida und goss Bo noch etwas Saft ein. »Die Schwestern und die Waisenkinder hatten nicht lange Freude an ihrem Geschenk. Das Karussell wurde geraubt. Schon nach wenigen Wochen. Eines Tages machten die Schwestern mit den Kindern einen Ausflug nach Burano und als sie zurückkehrten, war das Tor aufgebrochen, der Hof leer und das Karussell verschwunden. Es ist nie wieder aufgetaucht. Aber die Diebe hatten in ihrer Eile etwas verloren …«

»Den Flügel des Löwen«, flüsterte Bo.

»Genau.« Ida Spavento nickte. »Er blieb unbeachtet auf dem Hof des Waisenhauses zurück, wo ihn irgendwann eine Schwester fand. Keiner glaubte ihr so recht, als sie behauptete, es sei ein Teil des wundersamen Karussells. Aber sie bewahrte ihn auf und nach ihrem Tod landete er auf dem Dachboden des Waisenhauses, wo ich ihn entdeckte. Viele, viele Jahre später.«

»Was wollten Sie da oben?«, fragte Mosca.

Ida drückte ihre Zigarette aus. »Ich habe oft oben bei den Taubenschlägen gespielt«, sagte sie. »Sie sind sehr alt, noch aus der Zeit, als man sich seine Briefe per Taubenpost schickte. In Venedig war das sehr beliebt. Wenn die reichen Venezianer im Sommer aufs Land zogen, schickten sie so Nachrichten in die Stadt. Ich spielte meistens, dass mich jemand dort oben eingesperrt hätte und dass ich meine Tauben fliegen ließ, um Hilfe zu holen. Und dabei fand ich irgendwann in all dem alten Taubendreck den Flügel. Eine der alten Schwestern wusste noch, wo er angeblich hingehört hatte, und sie erzählte mir von dem Karussell. Als sie merkte, wie sehr die Geschichte mir gefiel, schenkte sie mir den Flügel.«

»Sie haben in dem Waisenhaus gespielt?« Scipio sah sie argwöhnisch an. »Wie sind Sie da hingekommen?«

Ida strich sich das Haar zurück. »Ich lebte in diesem Waisenhaus«, antwortete sie. »Mehr als zehn Jahre war ich dort. Es waren nicht gerade meine glücklichsten Jahre, aber einige Schwestern besuche ich noch ab und zu.«

Wespe betrachtete Ida einen Moment lang, als sähe sie ihr Gesicht zum ersten Mal. Dann griff sie in ihre Jacke und zog das Foto heraus, das der Conte ihnen überlassen hatte. Sie schob Ida das Bild hin. »Das da hinter dem Flügel, finden Sie nicht auch, dass das wie der Kopf von einem Einhorn aussieht?«

Ida Spavento beugte sich über das Foto. »Woher habt ihr das Foto?«, fragte sie. »Von eurem Auftraggeber?«

Wespe nickte.

Scipio trat vor das Küchenfenster. Draußen war es immer noch dunkel. »Man wird erwachsen, wenn man auf diesem Karussell fährt?«, fragte er.

»Nach ein paar Runden. Eine seltsame Geschichte, oder?« Ida stellte ihre Tasse in den Abguss. »Aber bestimmt kann euer Auftraggeber sie euch noch viel besser erzählen. Ich glaube, er weiß, wo das Karussell der Barmherzigen Schwestern geblieben ist. Warum sollte er euch sonst beauftragt haben, den Flügel zu stehlen? Wahrscheinlich dreht es sich nicht, solange dem Löwen der zweite Flügel fehlt.«

»Er ist schon sehr alt«, sagte Prosper. »Es bleibt ihm nicht mehr viel Zeit, das Karussell zum Laufen zu bringen.«

»Wissen Sie, Signora«, Mosca strich mit der Hand über den Flügel. Das Holz fühlte sich rau an. »Wenn dieser Flügel wirklich zu dem Löwen auf dem Karussell gehört, dann können Sie doch eigentlich nicht viel damit anfangen. Dann können Sie ihn doch auch uns geben, oder?«

Ida Spavento lächelte. »So, könnte ich das?« Sie öffnete die Tür zum Garten und ließ die kalte Nachtluft herein. Eine ganze Weile stand sie so da, mit dem Rücken zu den Kindern, dann drehte sie sich plötzlich um. »Wie wäre es mit einem Handel?«, fragte sie. »Ich überlasse euch den Flügel, damit ihr ihn dem Conte bringen könnt und er euch bezahlt, und dafür ...«

»Jetzt kommt der Haken«, murmelte Riccio.

»Dafür«, fuhr Ida Spavento fort, »folgen wir dem Conte, wenn er sich mit meinem Flügel davonmacht, und finden so vielleicht das Karussell der Barmherzigen Schwestern. Ich sagte ›wir‹, weil ich natürlich mitkommen werde, das gehört mit zu dem Handel.« Gespannt sah sie ihre nächtlichen Besucher an. »Na, was sagt ihr dazu? Ich verlange keinen Anteil an eurer Belohnung. Das Fotografieren bringt mir mehr Geld ein, als ich allein verbrauchen kann. Ich würde nur zu gern einmal dieses Karussell sehen. Kommt schon, sagt ja!«

Aber die Kinder sahen nicht sonderlich begeistert aus.

»Wir folgen ihm? Was soll das denn heißen?« Riccio brach sich fast die Zungenspitze zwischen den Zähnen ab.

»Ich weiß nicht, dieser Conte ist irgendwie unheimlich«, murmelte Mosca. »Was ist, wenn er uns erwischt? Ich glaube, er könnte ziemlich unangenehm werden.«

»Aber macht euch das Foto denn nicht neugierig?« Ida schloss die Tür zum Garten wieder und ging zurück zu ihrem Stuhl. »Wollt ihr das Karussell nicht auch gern mal sehen? Es soll wunderschön sein!«

»Der Löwe auf dem Markusplatz ist auch wunderschön«, brummte Mosca. »Gucken Sie sich besser den an.«

Da stand Scipio auf. Es war nicht leicht, die finsteren Blicke der anderen zu übersehen, aber er versuchte sein Bestes. »Ich würde das Angebot annehmen«, sagte er. »Es ist fair. Wir kriegen unser Geld, und selbst wenn der Conte bemerkt, dass wir ihm folgen, schneller laufen als er können wir allemal.«

»Ich hör immer ›wir‹«, knurrte Mosca. »Mit ›wir‹ ist es vorbei, du verlogener Angeber. Du gehörst nicht zu uns, du hast nie zu uns gehört, auch wenn du so getan hast.«

»Ja, geh zurück zu dem vornehmen Haus, in dem du lebst!«, rief Riccio. »Die armen, elternlosen Kinder haben keine Lust mehr, mit dir *Scipio, der Herr der Diebe* zu spielen.«

Scipio stand da und biss sich auf die Lippen. Er machte den Mund auf, um etwas zu erwidern – und machte ihn wieder zu. Riccio und Mosca musterten ihn feindselig, aber Wespe starrte bedrückt die Tischplatte an und Bo schob seinen Kopf unter Prospers Arm, als wollte er sich verstecken.

»Erklärt ihr mir, worum es geht?«, fragte Ida Spavento, aber als niemand antwortete, ging sie zum Waschbecken und spülte die Espressokanne aus.

»Ich geh nicht zurück«, sagte Scipio plötzlich. Ganz heiser klang seine Stimme. »Ich geh nie, nie wieder nach Hause zurück. Das ist vorbei. Ich brauch sie nicht. Sie sind sowieso nie da. Und wenn, dann behandeln sie mich wie ein lästiges Haustier. Wenn es dieses Karussell wirklich gibt, dann werde ich noch schneller draufsitzen als der Conte, und ich werde erst wieder runtersteigen, wenn ich einen Kopf größer als mein Vater bin und mir ein Bart am Kinn wächst. Wenn ihr den Handel nicht machen wollt, dann mache ich ihn eben allein, ich finde das Karussell und keiner behandelt mich mehr wie einen schlecht dressierten Hund oder seufzt, wenn ich was sage. Nie mehr.«

Es war so still nach Scipios Ausbruch, dass sie draußen im Garten eine Katze schreien hören konnten.

»Ich glaub, wir sollten Signora Spaventos Angebot annehmen«, sagte Wespe in die Stille hinein. »Und wir sollten den Streit begraben, bis wir den Flügel dem Conte übergeben und das Geld von ihm bekommen haben. Schließlich haben wir im Moment genug Sorgen am Hals, auch ohne dass wir uns gegenseitig das Leben schwer machen, stimmt's?« Sie sah zu Prosper und Bo hinüber. »Also, ist irgendwer gegen den Handel?«

Keiner rührte sich.

»Dann ist es abgemacht«, sagte Wespe. »Der Handel gilt, Signora Spavento.«

SCIPIO, DER LÜGNER

Über den Dächern der Stadt graute schon der Morgen, als die Kinder aus Ida Spaventos Haus traten. Scipio schloss sich den anderen wortlos an, obwohl Riccio und Mosca auf dem ganzen langen Weg zurück zum Versteck kein Wort mit ihm wechselten. Manchmal blickte Riccio sich so feindselig zu Scipio um, dass Prosper sich vorsorglich zwischen die beiden schob. Den Flügel hatten sie bei Ida Spavento gelassen, sie wollte ihn mitbringen an dem Tag, an dem sie sich mit dem Conte treffen würden. »Wenn sich vorher nicht noch andere Diebe in mein Haus schleichen und ihn stehlen«, hatte sie zum Abschied gesagt.

Bo war so schläfrig, dass Prosper ihn die letzte Hälfte des Weges auf dem Rücken tragen musste, doch als sie endlich das Kino erreichten, müde und mit schweren Füßen, war Bo plötzlich wieder hellwach. Also ließen sie ihn die Taube des Conte fangen.

Glücklich stellte er sich unter den Korb, füllte seine Hand mit Körnern und streckte sie ihr entgegen, wie Victor es ihm auf dem Markusplatz gezeigt hatte. Die Taube ruckte mit dem Kopf und schielte argwöhnisch zu ihm hinunter, aber dann flatterte sie auf seine

Hand. Bo zog kichernd die Schultern hoch, als sie sich an seinen Ärmel krallte. Vorsichtig trug er sie zum Notausgang, während sie hektisch nach den Körnern zwischen seinen Fingern pickte.

»Geh zum Kanal mit ihr, Bo!«, flüsterte Mosca, als er ihm die Tür aufhielt.

Draußen war es inzwischen hell, ein kalter Morgen. Die Taube plusterte sich auf und blinzelte verwirrt, als Bo mit ihr ins Freie trat. Zwischen den eng stehenden Häusern ließ sie die Flügel angelegt. Erst unten am Kanal, wo der Wind ihr ins Gefieder fuhr und ihr die Federn sträubte, schwang sie sich von Bos Hand in die Luft. Hinauf in den Morgenhimmel stieg sie, der fast so grau wie ihre Federn war, und flog schneller und schneller, bis sie hinter den Schornsteinen der Stadt verschwunden war.

»Wann sollen wir uns die Nachricht vom Conte bei Barbarossa abholen?«, fragte Prosper, als sie fröstelnd ins Kino zurückkehrten. »Schon am Tag, nachdem wir die Nachricht losgeschickt haben? Da kann sie nicht allzu weit fliegen müssen.«

»Tauben fliegen am Tag Hunderte von Kilometern«, antwortete Scipio. »Sie würde es bis zum Abend leicht nach London oder Paris schaffen.« Als Wespe ihn ungläubig ansah, setzte er hinzu: »Habe ich gelesen.« Nicht in dem arroganten Ton, den er früher so gern benutzt hatte, sondern verlegen, fast entschuldigend.

»Na, es ist ja wohl nicht gerade wahrscheinlich, dass der Conte in Paris wohnt«, sagte Riccio verächtlich. »Aber ist ja auch egal. Die Taube ist unterwegs und du solltest jetzt nach Hause verschwinden.«

Scipio zuckte zusammen. Hilfe suchend sah er zu Prosper hinüber, aber der wich seinem Blick aus. Auch er hatte noch nicht vergessen, wie Scipio sich benommen hatte, als die anderen vor der Tür seines Elternhauses auf ihn gewartet hatten. Vielleicht erriet

Scipio seine Gedanken, denn er wandte den Blick wieder ab. Er schien nicht zu wissen, bei wem sonst er sich Hilfe erhoffen konnte. Bo tat, als merkte er von dem schwelenden Streit nichts, und fütterte seine Katzen.

Wespe hielt den Kopf gesenkt, als wollte sie Scipio nicht ansehen. »Riccio hat Recht, Scip«, sagte sie und betrachtete mit gerunzelter Stirn ihre Fingernägel. »Du musst zurück. Wir können es uns nicht leisten, dass dein Vater die ganze Stadt auf den Kopf stellt, weil sein Sohn verschwunden ist. Was meinst du, wie schnell er auf sein altes Kino käme? Und dann würde bald die Hälfte der Polizei von Venedig hier vor der Tür stehen. Wir haben doch schon genug Ärger.«

Scipios Gesicht versteinerte und Prosper sah, wie er den alten Scipio zurückholte, den trotzigen, hochmütigen Scipio, der sich zu wehren wusste gegen so viel Feindseligkeit. »Ach so«, sagte er und verschränkte die Arme vor der Brust, »Prosper und Bo werft ihr nicht raus, dabei verdankt ihr es ihnen, dass dieser Detektiv hier herumgeschnüffelt hat. Aber ich – ich darf nicht bleiben, obwohl ich euch das Versteck hier gezeigt habe, obwohl ich euch versorgt habe, mit Geld und warmen Kleidern! Sogar die Matratzen habe ich herangeschafft, mit Moscas löchrigem Boot, beinahe abgesoffen bin ich dabei. Ich hab die Decken besorgt und die Heizöfen, als es hier kalt wurde. Meint ihr, es war leicht, meinen Eltern all die Sachen zu stehlen?«

»Na klar war es leicht.« Mosca musterte Scipio herablassend. »Wahrscheinlich haben sie das Dienstmädchen verdächtigt oder den Koch oder irgendwen sonst von euren tausend Dienern.«

Darauf antwortete Scipio nicht. Er wurde scharlachrot.

»Bingo«, sagte Riccio. »Volltreffer.«

»Sie haben jemand anderen verdächtigt?« Wespe blickte Scipio erschrocken an.

Scipio knöpfte sich die Jacke zu, bis zum Hals. »Mein Kindermädchen.«

»Und? Hast du sie denn wenigstens in Schutz genommen?«

»Na, wie denn?« Wütend erwiderte Scipio Wespes entgeisterten Blick. »Damit mein Vater mich in ein Internat schickt? Meint ihr, da ist es netter als im Waisenhaus? Ihr kennt meinen Vater nicht! Der würde mich wegen eines geklauten Manschettenknopfs zwingen, mit einem Schild um den Hals herumzulaufen, auf dem steht: Ich bin ein kleiner, dreckiger Dieb!«

»Haben sie sie eingesperrt?« Nun hatte Bo doch mitgehört, obwohl er sich so viel Mühe gegeben hatte wegzuhören. »Richtig ins Gefängnis?«

»Wen?« Ungeduldig drehte Scipio sich zu ihm um, die Arme immer noch verschränkt, als könnten sie ihn schützen vor den vorwurfsvollen Blicken der anderen.

»Das Mädchen.« Bo kaute auf seiner Unterlippe.

»Ach was!« Scipio zuckte die Achseln. »Sie konnten ihr doch nichts beweisen. Sie ist fristlos entlassen worden, das ist alles. Wenn ich diese verflixte Zuckerzange nicht genommen hätte, dann hätten sie sowieso nichts gemerkt. Das meiste hab ich aus Zimmern gestohlen, die keiner benutzt, wo die Sachen bloß vor sich hinstauben. Aber als meine Mutter entdeckt hat, dass ihre wunderbare Zuckerzange fehlt, hat sie gemerkt, dass auch noch ein paar andere Sachen weg waren. Na ja. Jetzt hab ich eben kein Kindermädchen mehr.«

Die anderen musterten Scipio, als kröchen ihm Schlangen aus den Haaren.

»Mann, Scip!«, murmelte Mosca.

»Ich hab das nur für euch getan!«, rief Scipio. »Habt ihr schon vergessen, wie ihr euch durchgeschlagen habt, bevor ich mich um euch gekümmert habe?«

»Verschwinde!«, fuhr Riccio ihn an. Wütend gab er Scipio einen Stoß vor die Brust. »Wir kommen auch ohne dich klar. Wir wollen nichts mehr mit dir zu tun haben. Wir hätten dich gar nicht erst wieder hier reinlassen sollen.«

»Ihr hättet mich nicht wieder reinlassen sollen?« Scipio brüllte so laut, dass Bo sich die Ohren zuhielt. »Was bildest du dir ein? Das hier gehört alles meinem Vater!«

»Ach ja, genau!«, schrie Riccio zurück. »Dann verpfeif uns doch bei ihm, du aufgeblasener Goldfisch!«

Da ging Scipio auf ihn los. Die beiden verkrallten sich so wütend ineinander, dass Wespe und Prosper es nur mit Moscas Hilfe schafften, sie auseinander zu zerren.

Als Bo sah, dass Riccio das Blut aus der Nase lief und Scipios Gesicht ganz zerkratzt war, schluchzte er so laut los, dass die anderen sich erschrocken zu ihm umdrehten.

Wespe war noch schneller bei ihm als Prosper. Tröstend schlang sie den Arm um Bo und strich ihm übers Haar, das am Scheitel schon wieder blond nachwuchs. »Geh nach Hause, Scip«, sagte sie ungeduldig. »Wir geben dir Bescheid, sobald wir wissen, wann wir uns mit dem Conte treffen. Vielleicht haben wir die Nachricht schon morgen Nachmittag, einer von uns geht gleich nach dem Frühstück zu Barbarossa.«

»Was?« Riccio schubste Mosca weg, der ihm das Blut von der Nase wischen wollte. »Wieso willst du ihm Bescheid geben?«

»Hör auf, Riccio!«, fuhr Prosper ihn ärgerlich an. »Ich hab Scipios Vater gesehen. Du würdest dich nicht trauen, dem auch nur einen Silberlöffel zu klauen. Und beichten würdest du es ihm erst recht nicht.«

Riccio schniefte nur und presste sich den Handrücken unter die Nase.

»Danke, Prop«, murmelte Scipio. Seine Wange war gestreift wie Zebrafell von Riccios Fingernägeln. »Bis morgen!«, murmelte er, zögerte und wandte sich noch einmal um. »Ihr sagt mir wirklich Bescheid, oder?«

Prosper nickte.

Aber Scipio zögerte noch immer. »Der Detektiv …«, sagte er.

»Der ist abgehauen«, meinte Mosca.

»Was?«

»Ach, das macht nichts. Wir haben sein Ehrenwort, dass er uns nicht verrät«, sagte Bo und befreite sich aus Wespes Umarmung. »Er ist nämlich jetzt unser Freund.«

Scipio guckte Bo so verblüfft an, dass Wespe laut loslachte: »Na, Freund ist wohl übertrieben«, sagte sie. »Du weißt ja, Bo hat einen Narren an dem Kerl gefressen. Aber verraten wird er uns wohl wirklich nicht.«

»Na, wenn ihr meint.« Scipio zuckte die Achseln. »Bis morgen dann.« Langsam schlenderte er durch die rot gepolsterten Sitzreihen, strich mit den Fingern über die Lehnen und musterte im Vorbeigehen den sternenbestickten Vorhang. Ganz langsam ging er, als warte er immer noch darauf, dass die anderen ihn zurückriefen. Aber keiner rief, nicht einmal Bo. Der streichelte seine Kätzchen.

Er hat Angst, dachte Prosper, als er Scipio nachsah, Angst, nach Hause zu kommen. Er erinnerte sich an Scipios Vater, wie er oben an der Treppenbrüstung gestanden hatte. Und Scipio tat ihm Leid.

Scipio und die anderen freuen sich über den Auftrag des Conte, auch wenn es ihnen eigenartig vorkommt, dass sie nichts weiter als einen Holzflügel stehlen sollen.

oben   Victor hat weitere Nachforschungen angestellt und herausgefunden, dass Scipio eigentlich der Sohn des reichen und angesehenen Dottore Massimo ist.

unten   Scipio warnt die anderen: Victor ist auf dem Weg zu ihrem Versteck.

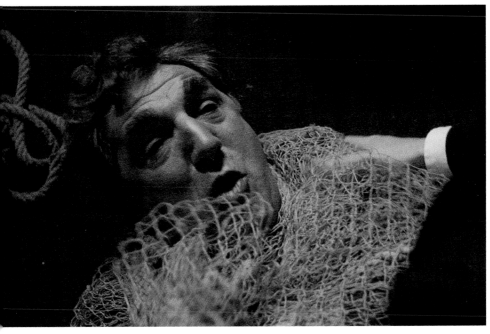

oben   Als Victor im Kino auftaucht, gelingt es der Bande, ihn gefangen zu nehmen.
Doch er verrät den Kindern die wahre Identität Scipios.

unten   Prosper und Bo müssen feststellen, dass Victor Recht hat: Scipio hat sie die ganze
Zeit belogen, was seine Herkunft angeht.

oben Die Bande beschließt, den geplanten Diebstahl des Flügels trotz allem durchzuziehen. Bo, der eigentlich zu Hause bleiben sollte, schleicht sich hinterher.

unten Die Sache geht allerdings gründlich schief und die Kinder werden erwischt.

oben   Die Hausbesitzerin Ida Spavento bedroht die Eindringlinge mit einem Gewehr.

unten   Doch Ida entpuppt sich als nette Frau. Sie schlägt den Kindern vor zusammenzuarbeiten und ist bereit, ihnen den gesuchten Holzflügel zu überlassen.

oben Am nächsten Tag besuchen Ida und die Kinder Schwester Antonia.

unten Dort erzählt ihnen die Schwester von dem Karussell, zu dem der Holzflügel gehört und das aus Erwachsenen Kinder und aus Kindern Erwachsene machen kann.

oben Mitten in der Nacht und draußen auf der Lagune soll die Übergabe des Holzflügels stattfinden.

unten Dabei bekommen die Kinder auch den Conte zu Gesicht.

Der Conte hat bekommen, was er wollte, und macht sich auf den Weg zur Isola Segreta. Heimlich folgen ihm Ida und die Kinder.

NOCH EIN BESUCH

Barbarossas Laden war leer, als Prosper die Tür aufstieß. Die Glöckchen über der Tür schepperten wild, und Bo blieb fasziniert auf der Schwelle stehen und blickte zu ihnen hinauf, bis Wespe ihn in den Laden zog. Eisig kalt war es geworden über Nacht. Der Wind kam nicht länger vom Meer, sondern von den Bergen, trocken und schneidend wehte er über Brücken und Plätze. Der Winter schickte keine Boten mehr, er war selbst in die Stadt des Mondes gekommen und griff ihr mit starren, frostigen Fingern in das alte Gesicht.

»Signor Barbarossa?«, rief Wespe und musterte das Gemälde über der Theke. Auch sie wusste natürlich von dem Guckloch, durch das der Rotbart seine Kundschaft beobachtete.

»Sì, sì, pazienza!«, hörten sie ihn mürrisch rufen.

Barbarossas Augen waren blutunterlaufen, als er seinen Kopf durch den Vorhang vor seiner Bürotür steckte. Prustend schnäuzte er sich in ein gewaltiges Taschentuch. »Ah, ihr habt den Kleinen dabei. Passt auf, dass er nicht wieder etwas zerbricht. Was habt ihr mit seinem Engelshaar angestellt? Sag guten Tag, Zwerg.«

»*Buon giorno*«, murmelte Bo und schnitt Barbarossa hinter Prospers Rücken eine Fratze.

»Ah! *Buon giorno*. Sein Italienisch klingt langsam besser. Kommt herein!« Mit einer ungeduldigen Handbewegung winkte Barbarossa die Kinder in sein Büro.

»Der Winter, was zum Teufel will der Winter schon hier? Ist die ganze Welt verrückt geworden?«, schimpfte er, während er sich zurück an seinen Schreibtisch schleppte. »Diese Stadt ist schon im Sommer schwer zu ertragen, aber der Winter hier bringt den gesündesten Mann an den Rand des Grabes. Doch wem erzähle ich das? Kinder wissen von so etwas nichts. Kinder frieren nicht, Kinder hüpfen in Pfützen herum und bekommen nicht einmal einen Schnupfen. Der Schnee setzt ihnen eine Mütze auf den Kopf und sie stört das nicht, während unsereins mit jeder Schneeflocke dem Tod etwas näher kommt.« Seufzend, als wäre er ein sterbenskranker Mann, ließ Barbarossa sich in seinen Stuhl fallen. »Halsschmerzen, Kopfschmerzen und ständig tropft diese Nase!«, stöhnte er. »Abscheulich! Als wäre man ein menschlicher Wasserhahn.« Er zog sich den Schal noch etwas fester um den fetten Hals und musterte seine Besucher über den Rand des Taschentuchs. »Keine Tasche, kein Beutel? Passt die Beute des Herrn der Diebe diesmal in eure Hosentaschen?«

Bo streckte die Hand aus und betastete einen kleinen Blechtrommler, der auf Barbarossas Schreibtisch stand.

»Finger weg, das ist wertvoll!«, schnauzte der Rotbart und schob Bo ein Hustenbonbon hin.

»Wir wollen nichts verkaufen«, sagte Wespe. »Der Conte wollte bei Ihnen einen Brief für uns hinterlegen.« Bo hatte das Hustenbonbon ausgewickelt und schnupperte misstrauisch daran.

»Ach ja, der Brief des Conte.« Barbarossa schnäuzte sich noch einmal geräuschvoll und stopfte das Taschentuch zurück in seine Westentasche. Die Weste war mit winzigen goldenen Gondeln bestickt. »Seine Schwester, die Contessa, hat ihn gestern Abend für euch abgegeben. Er selbst kommt nur selten in die Stadt.« Der Rotbart steckte sich auch ein Hustenbonbon in den Mund und öffnete mit einem tiefen Seufzer die oberste Schreibtischschublade. »Hier, bitte sehr!« Mit gelangweilter Miene reichte er Wespe einen schmalen Umschlag. Es stand nichts darauf, weder eine Anschrift noch ein Absender. Aber als Wespe nach dem Umschlag greifen wollte, zog Barbarossa ihn zurück.

»Mal ganz unter Freunden«, schnurrte er und senkte vertraulich die Stimme, »verratet mir, was ihr für den Conte stehlen solltet. Der Herr der Diebe hat den Auftrag ja offenbar zufrieden stellend ausgeführt, nicht wahr?«

»Kann schon sein«, antwortete Prosper ausweichend und zog Barbarossa den Umschlag aus den Fingern.

»He, he, he!« Ärgerlich stemmte der Rotbart die Fäuste auf seinen Schreibtisch. Bo verschluckte sich fast an seinem Hustenbonbon vor Schreck. »Du bist wirklich ein frecher Bursche, weißt du das?«, fuhr Barbarossa Prosper an. »Hat dir niemand beigebracht, dass man sich Erwachsenen gegenüber respektvoll benimmt?« Ein heftiger Niesanfall ließ ihn auf seinen Stuhl zurückplumpsen.

Prosper antwortete ihm nicht. Wortlos steckte er den Umschlag in die Innentasche seiner Jacke. Bo aber spuckte das angelutschte Hustenbonbon in seine Hand und knallte es dem Rotbart auf den Schreibtisch. »Da, kannst du zurückhaben. Weil du meinen Bruder angebrüllt hast«, sagte er.

Verdutzt starrte Barbarossa auf das klebrige Bonbon.

Mit ihrem freundlichsten Lächeln beugte Wespe sich über seinen Schreibtisch. »Wie steht's mit Ihnen, Signor Barbarossa? Hat

Ihnen niemand beigebracht, wie man sich Kindern gegenüber benimmt?«, fragte sie.

Der Rotbart musste so heftig husten, dass sein Gesicht röter als seine Nase wurde. »Ist ja schon gut. Beim Löwen von San Marco, seid ihr schnell beleidigt!«, grunzte er in sein Taschentuch. »Ich verstehe diese Geheimnistuerei nicht! Wisst ihr was, wir spielen einfach ein kleines Ratespiel miteinander, wenn ihr mir nicht direkt antworten wollt! Ich fange an.« Er beugte sich über den Schreibtisch. »Ist das, was der Conte so heiß begehrt, aus – Gold?«

»Nein!«, antwortete Bo und schüttelte mit breitem Grinsen den Kopf. »Überhaupt nicht.«

»Überhaupt nicht?« Barbarossa runzelte die Stirn. »Lass mich noch mal raten. Silber?«

»Ganz falsch.« Bo trat von einem Fuß auf den anderen. »Rate noch mal.«

Doch bevor der Rotbart die nächste Frage stellen konnte, schob Prosper seinen kleinen Bruder schon durch den Perlenvorhang. Wespe folgte ihnen.

»Kupfer?«, rief Barbarossa ihnen hinterher. »Nein, wartet, es ist ein Gemälde. Eine Figur!«

Prosper öffnete die Ladentür. »Raus mit dir, Bo«, sagte er, aber Bo blieb noch mal stehen. »Alles falsch!«, rief er durch den Laden. »Es ist aus riiiesigen Diamanten. Und Perlen.«

»Was du nicht sagst!« Barbarossa kämpfte sich hastig durch seinen Vorhang. »Beschreib mir das näher, Kleiner!«

»Machen Sie sich eine Wärmflasche und legen Sie sich ins Bett, Signor Barbarossa!«, sagte Wespe, zog Bo mit nach draußen – und blieb überrascht neben Prosper stehen.

Schneeflocken wirbelten durch die Gasse, sie fielen so dicht vom schmutzig weißen Himmel, dass Bo die Augen zukniff. Alles war plötzlich grau und weiß, als hätte jemand die Farben der Stadt wegradiert, während sie in Barbarossas Laden waren.

»Es ist also eine Kette. Oder ein Ring?« Aufgeregt steckte Barbarossa den Kopf aus seiner Ladentür. »Warum plaudern wir nicht noch ein bisschen? Ich lade euch zu einem Stück Torte ein, drüben in der Pasticceria. Was haltet ihr davon?«

Aber die Kinder schlenderten davon, ohne ihn zu beachten.

Sie hatten nur noch Augen für den Schnee. Die kalten Flocken setzten sich auf ihre Gesichter und auf ihr Haar. Bo leckte sich verzückt eine von der Nase und streckte die Hände in die Luft, als wolle er sie fangen, während Wespe ungläubig hinauf zu den Wolken blinzelte. Seit Jahren hatte es nicht mehr geschneit in Venedig. Die Leute, die ihnen entgegenkamen, blickten ebenso verzaubert drein wie die Kinder. Sogar die Verkäuferinnen traten aus den Geschäften, um zum Himmel zu schauen.

Prosper, Wespe und Bo blieben auf der nächsten Brücke stehen, lehnten sich über die steinerne Brüstung und beobachteten, wie das silbrig graue Wasser die Flocken verschlang. Sacht deckte der Schnee die umstehenden Häuser zu, die rostbraunen Dächer, die schwarzen Balkongitter und die Blätter der Herbstblumen, die hinter den Gittern in Töpfen und Plastikeimern wuchsen.

Prosper spürte den Schnee feucht und kalt auf seinem Haar. Und ganz plötzlich erinnerte er sich an ein anderes Land, fast vergessen, fern, an eine Hand, die ihm den Schnee aus den Haaren gestrichen hatte. Und er stand da, zwischen Wespe und Bo, starrte blind auf die Häuser, die sich im Wasser spiegelten, und wagte es, die Erinnerung ein paar Momente lang zu kosten. Verwirrt spürte er, dass es nicht mehr so sehr schmerzte, sich zu erinnern. Vielleicht lag es an Wespe und Bo, so warm und vertraut an seiner

Seite. Selbst die steinerne Brüstung unter seinen Fingern schien vertraut und schützte ihn vor dem Schmerz.

»Prop?« Wespe legte ihm den Arm um die Schulter und sah ihn besorgt an, während Bo dastand und die Flocken mit der Zunge fing. »Alles in Ordnung?«

Prosper wischte sich den Schnee vom Haar und nickte.

»Mach den Umschlag auf«, sagte Wespe. »Ich will erfahren, wann ich den Conte endlich auch zu Gesicht bekomme.«

»Woher willst du wissen, dass er selbst kommt?« Prosper zog den Umschlag aus der Jacke. Er war versiegelt, wie der Umschlag aus dem Beichtstuhl, aber das Siegel sah seltsam aus. Als hätte jemand es mit roter Farbe überpinselt.

Wespe nahm Prosper den Umschlag aus der Hand. »Den hat jemand geöffnet!« Besorgt sah sie Prosper an. »Barbarossa!«

»Macht nichts«, sagte Prosper. »Deshalb hat der Conte Scipio den Treffpunkt schon im Beichtstuhl genannt. Er hat vorausgesehen, dass der Rotbart den Brief öffnen wird. Offenbar kennt er ihn sehr gut.«

Vorsichtig schlitzte Wespe den Umschlag mit ihrem Taschenmesser auf. Bo lugte ihr über die Schulter. Wieder stand die Nachricht des Conte auf einer kleinen Karte, aber diesmal waren es nur ein paar Worte.

»Barbarossa hat vor Enttäuschung bestimmt in seinen Schreibtisch gebissen, als er den Umschlag geöffnet hat«, sagte Prosper und las vor:

am verabredeten Treffpunkt
auf dem Wasser
haltet Ausschau nach einer roten Laterne
in der Nacht von Dienstag auf Mittwoch, 1 Uhr

»Morgen Nacht schon!« Prosper schüttelte den Kopf. »Um ein Uhr. Reichlich spät.« Er schob den Umschlag mit der Nachricht wieder in seine Tasche und zauste Bo das schwarz gefärbte Haar. »Das mit den riesigen Diamanten war wirklich gut, Bo. Habt ihr Barbarossas gierige Augen gesehen?«

Bo leckte sich kichernd eine Schneeflocke von der Hand.

Aber Wespe blickte voll Unbehagen über die Brückenbrüstung. »Auf dem Wasser?«, murmelte sie. »Wie meint er das denn? Soll die Übergabe etwa auf einem Boot stattfinden?«

»Ist doch kein Problem«, antwortete Prosper. »Moscas Boot ist groß genug für uns alle.«

»Stimmt«, sagte Wespe. »Aber es gefällt mir trotzdem nicht. Ich kann nicht gut schwimmen, und Riccio wird schon schlecht, wenn er Boote nur anguckt.« Besorgt sah sie hinunter auf den Kanal, der immer noch die Schneeflocken fraß. Eine Gondel glitt in den Schatten der Brücke. Fröstelnd hockten drei Touristen auf den zugeschneiten Kissen. Wespe beobachtete sie mit finsterer Miene, bis das Boot unter der Brücke verschwand.

»Du magst keine Boote?« Prosper zupfte spöttisch an Wespes dünnem Zopf. »Aber du bist doch hier geboren, ich denk, alle Venezianer lieben Boote.«

»Da denkst du falsch«, antwortete Wespe schroff und drehte dem Wasser den Rücken zu. »Kommt, die anderen warten bestimmt schon.«

Der Schnee machte die Stadt noch stiller als sonst. Wespe und Prosper gingen schweigend nebeneinanderher, aber Bo hüpfte wie ein Floh voraus und summte selbstvergessen vor sich hin.

»Ich will nicht, dass Bo mitkommt zu der Übergabe!«, flüsterte Prosper Wespe zu.

»Kann ich verstehen«, flüsterte sie zurück. »Aber wie willst du

215

ihm das klarmachen, ohne dass er uns allen das Trommelfell zer-
schreit?«

»Keine Ahnung«, murmelte Prosper ratlos. »Er ist wirklich
furchtbar stur, besonders, wenn ich was sage. Kannst du nicht mit
ihm reden?«

»Reden?« Wespe schüttelte den Kopf. »Reden nützt da gar nichts.
Nein, ich hätte da eine bessere Idee. Auf die Weise kann ich mich
auch um die Bootsfahrt drücken. Nur den Conte werd ich dann
wieder nicht zu sehen kriegen.«

ARMER, KRANKER VICTOR

Victor lag im Bett, die Decke über dem Kopf.

Seit zwei Tagen lag er so da. Stand nur auf, um zum Klo zu gehen, die Schildkröten zu füttern oder sich unten in der Pasticceria etwas Kuchen zu kaufen. Nicht mal der Schnee draußen auf seinem Balkon konnte ihn aufheitern.

»Erkältet«, brummte er, als die Bäckerin ihn besorgt nach seinem Gesundheitszustand fragte. »Habe mich bei meiner Schildkröte angesteckt.« Dann verkroch er sich mit dem Kuchen wieder im Bett. Er ging nicht ans Telefon und öffnete nicht, wenn es klingelte. Er sah fern, beobachtete die Schneeflocken, die an seinem Fenster vorbeitrieben, und redete sich ein, dass er krank war und deshalb unmöglich die Hartliebs im Hotel *Sandwirth* treffen konnte.

Unmöglich. Nicht zu schaffen. Ganz einfach. Esther Hartliebs Nachricht auf seinem Anrufbeantworter hatte er ohnehin gleich gelöscht.

Victor durchforstete die Zeitungen nach Einbruchsmeldungen, aber alles, was er fand, war ein Artikel über einen diebischen Fahrstuhlführer in einem Hotel am Bahnhof. Das erfüllte ihn seltsamerweise mit Erleichterung.

Alles war seltsam, seit er aus seiner Gefangenschaft zurückgekehrt war. Zum Teufel, er wusste nicht, was mit ihm los war. Ständig musste er an diese Kinder denken. Die Stille in seiner Wohnung langweilte ihn plötzlich. Manchmal erwischte er sich dabei, wie er lauschte, aber auf was? Glaubte er, dass die Bande ihn besuchen kam?

Seufzend hob er die Beine aus dem Bett und tapste in sein Büro. Irgendwann werde ich sowieso noch mal bei diesen kleinen Dieben vorbeigucken, dachte er, schließlich haben sie meine falschen Bärte gestohlen. Victor setzte sich hinter seinen Schreibtisch und zog aus dem untersten Fach ein Fotoalbum. Mit gerunzelter Stirn, die Finger klebrig vom Kuchen, blätterte er darin herum. Da waren sie. Seine Eltern. Er hatte nie gewusst, was in ihren Köpfen vorging. Jetzt war er selbst erwachsen, aber er wusste es immer noch nicht. Da, das Kind in dem Kinderwagen, um das seine Eltern so steif herumstanden, das war er, an seinem ersten Geburtstag. Zumindest hatten sie ihm erzählt, dass er das war. Victor konnte sich nicht erinnern, jemals so ausgesehen zu haben, so rund und rosig, mit dichtem dunklem Flaum auf dem Kopf. Er blätterte weiter. An das Gesicht, das er mit sechs Jahren vor die Kamera gehalten hatte, erinnerte er sich schon eher. Sein zwölf Jahre altes Gesicht hatte er vor dem Spiegel oft stundenlang nach Pickeln abgesucht. Aber trotzdem war es ihm fremd, fremd wie das Gesicht eines anderen Menschen.

Victor ließ das Album offen auf dem Schreibtisch liegen und tapste auf Socken zu seinem Spiegel. Die Nase hatte sich nicht allzu sehr verändert. Oder doch? Was war mit den Augen? Er trat so dicht vor den Spiegel, dass er das eigene Spiegelbild in seinen Pupillen sah. Blieben die Augen gleich? Blickte derselbe Victor aus den Augen des Einjährigen oder des Sechsjährigen, der gerade in die Schule gekommen war? Wer steckte dadrin in dem ständig sich wandelnden Körper? Wie konnte er vergessen, wer er mal gewesen war, wie er sich gefühlt hatte mit zwei, mit fünf, mit dreizehn?

Victor sah zur Uhr, die neben der Schlafzimmertür an der Wand hing. Zehn Uhr. Was für ein Tag war heute? Ja, wie er befürchtet hatte. Es war Dienstag, der Tag, an dem er sich mit den Hartliebs treffen sollte. Es war ihm nicht gelungen, ihn einfach zu verschlafen. Mit einem Seufzer kehrte Victor in sein Schlafzimmer zurück, stand einen Augenblick unentschlossen zwischen seinem Kleiderschrank und dem verlockend weich und warm aussehenden Bett – und öffnete den Schrank. Was sollte er der spitznasigen Esther und ihrem Mann erzählen? Was *wollte* er ihnen erzählen?

Ich habe keine Ahnung, dachte Victor, während er sich anzog. Auf keinen Fall die Wahrheit.

VERGEBLICHE LÜGEN

Victor verspätete sich. Es war schon Viertel vor vier, als er die vornehme Eingangshalle des *Gabrielli Sandwirth* betrat. Vor knapp einem Monat war er zuletzt hier gewesen. Da hatte er jemanden beschattet, der in diesem Hotel abgestiegen war. Viele Hotels der Stadt hatte Victor auf diese Weise kennen gelernt. Im *Sandwirth* hatte er, soweit er sich erinnerte, einen schwarzen Vollbart getragen und eine abscheuliche Brille. Er hatte sich selbst kaum im Spiegel erkannt, ein sicheres Zeichen für eine gelungene Verkleidung. Heute trug er sein eigenes Gesicht, was ihm eigenartigerweise immer das Gefühl gab, ein Stück kleiner zu sein.

»*Buona sera*«, sagte er, als er an den Empfangstresen trat. Hinter einem gewaltigen Blumenstrauß tauchte der Kopf der Empfangsdame auf. »*Buona sera*. Was kann ich für Sie tun?«

»Mein Name ist Victor Getz. Ich habe eine Verabredung mit dem Ehepaar Hartlieb ...«, Victor lächelte entschuldigend, »... zu der ich mich bedauerlicherweise etwas verspätet habe. Könnten Sie wohl nachfragen, ob die Herrschaften sich noch auf ihrem Zimmer befinden?«

»Aber natürlich.« Die Frau strich sich lächelnd das schwarze

220

Haar hinter die Ohren. »Was sagen Sie zu dem Schnee?«, fragte sie, während sie zum Telefonhörer griff. »Können Sie sich erinnern, wann es in Venedig zuletzt geschneit hat?«

Sie ließ das Wort »Schnee« wie eine Praline auf den Lippen zergehen. Victor konnte sich ihr Kindergesicht so deutlich vorstellen, als hätte sie ihm ein altes Foto von sich gezeigt. Er musste lächeln, als er beobachtete, wie ihr Blick immer wieder nach draußen wanderte, zu den Flocken, die so langsam an den großen Fenstern vorbeischwebten, als drehe sich die Welt plötzlich im Zeitlupentempo.

»Hallo, Signora Hartlieb«, sagte sie in den Hörer. »Hier ist ein Signor Victor Getz für Sie.«

Die Hartliebs hatten keinen Blick für den Schnee übrig. Vor ihren Fenstern schwamm San Giorgio Maggiore auf der Lagune, als wäre es gerade daraus emporgetaucht. Der Anblick war so schön, dass es Victor einen Stich ins Herz gab, aber Esther und ihr Mann standen mit dem Rücken zum Fenster, Seite an Seite, und hatten nur Augen für ihn. Feindselige Augen. Unbehaglich verschränkte Victor die Finger auf dem Rücken.

Warum habe ich mir nicht wenigstens einen Schnurrbart angeklebt?, dachte er. Das hätte das Lügen wesentlich erleichtert. Aber die Kinder hatten ihm ja all seine wunderbaren Bärte gestohlen. Also waren sie auch schuld, wenn die spitznasige, scharfäugige Esther ihn beim Lügen ertappte.

»Ich bin froh, dass Sie meine Nachricht erhalten haben«, begann sie in perfektem Englisch. Sie sprach mit Victor nur in seiner Muttersprache. »Nach dem Telefonat mit Ihrer unfreundlichen Sekretärin hatte ich schon daran gezweifelt, dass Sie überhaupt noch in der Stadt sind.«

»Ich verlasse diese Stadt so gut wie nie«, antwortete Victor. »Ich vermisse sie zu sehr, wenn ich fort bin.«

»Wirklich!« Esther hob die schmal gezupften Augenbrauen um fast einen Zentimeter.

Erstaunlich, dachte Victor, das schaffe ich nicht.

»Also bitte, Signor Getz.« Herr Hartlieb war immer noch groß wie ein Schrank und fast so blass wie die Schneeflocken, die draußen vorbeiwirbelten. »Berichten Sie uns von Ihren Ermittlungen.«

»Meine Ermittlungen, ja.« Victor wippte nervös auf den Zehenspitzen. »Das Ergebnis meiner Ermittlungen ist leider eindeutig. Der Kleine ist nicht mehr in der Stadt, ebenso wenig wie sein großer Bruder.«

Die Hartliebs wechselten einen raschen Blick.

»Ihre Sekretärin hatte so etwas angedeutet«, sagte Max Hartlieb. »Aber ...«

»Meine Sekretärin?«, unterbrach Victor ihn – und erinnerte sich noch gerade rechtzeitig daran, dass Wespe, Prosper und Riccio in seinem Büro gewesen waren, um die Schildkröte zu füttern. »Ach ja, natürlich, meine Sekretärin.« Er zuckte bedauernd die Schultern. »Wie Sie wissen, war ich Bo und seinem Bruder schon dicht auf den Fersen. Das Foto, das ich Ihnen geschickt habe, beweist das ja wohl. Leider hatte ich damals keine Gelegenheit, mir die zwei zu schnappen. All die Leute, Sie verstehen schon, aber ich fand heraus, dass Ihre Neffen sich mit einer Bande junger Diebe zusammengetan hatten. Leider hat mich einer von ihnen erkannt, ich habe ihn vor langer Zeit bei einem Handtaschendiebstahl ertappt. Tja, dieser kleine Langfinger hat Ihre Neffen wohl davon überzeugt, dass sie in Venedig nicht mehr sicher sind. Meine Nachforschungen haben zu meinem Bedauern ergeben ...« Er räusperte sich. Warum bekam er beim Lügen bloß immer einen Kloß in den Hals? »... hm, meine Nachforschungen ergaben, dass die beiden sich vor zwei oder drei Tagen auf eine der großen Fähren geschmuggelt haben, die hier regelmäßig festmachen. Sie haben von Ihrem Fenster aus einen guten Blick auf die Anlegestellen.«

Verwirrt drehten die Hartliebs sich um und blickten hinunter zum Kai, wo sich ein Schwarm frierender Touristen auf einen Ausflugsdampfer drängte. »Aber ...«, Esther Hartlieb sah so enttäuscht aus, dass sie Victor fast Leid tat, »... wohin fuhr dieses Schiff, um Gottes willen?«

»Korfu«, antwortete Victor. Wie kaltblütig ihm das über die Lippen kam, mal abgesehen von dem Kloß im Hals. Was tue ich da?, dachte er. Belüge meine Auftraggeber! Wenn ich Pinocchio wäre, würde meine Nase jetzt da vorn durch die Scheibe stoßen und alle Tauben der Stadt könnten darauf Platz nehmen ...

»Korfu!«, rief Esther Hartlieb und blickte ihren Mann an, als müsste er sie auf der Stelle vorm Ertrinken retten.

»Sie sind sich da hundertprozentig sicher?«, fragte Max Hartlieb misstrauisch.

Victor erwiderte seinen Blick mit der unschuldigsten Miene, die er zustande brachte. Nur räuspern musste er sich schon wieder. Was für ein Glück, dass sein Gegenüber nicht ahnte, was das bedeutete. »Nun, ganz sicher kann ich natürlich nicht sein«, sagte er. »Wenn man sich auf ein Schiff schmuggelt, steht man schließlich nicht auf der Passagierliste, aber ich habe einigen Matrosen das Foto der Jungen gezeigt, als das Schiff heute Mittag wieder hier anlegte, und zwei haben sie eindeutig wieder erkannt. Sie konnten sich nur nicht darauf einigen, an welchem Tag die beiden an Bord waren.«

Tröstend drückte Max Hartlieb seine Frau an sich. Steif wie eine

Schaufensterpuppe ließ sie sich umarmen und blickte dabei Victor an. Einen Atemzug lang hatte er das ungute Gefühl, dass ihm die Lüge mit roter Farbe auf die Stirn geschrieben stand.

»Das kann nicht sein!«, sagte Esther Hartlieb und löste sich von ihrem Mann. »Ich habe Ihnen doch erzählt, dass es kein Zufall ist, dass Prosper nach Venedig gekommen ist. Diese Stadt erinnert ihn an seine Mutter. Ich glaube nicht, dass er wieder fortgehen würde. Wohin denn, um Himmels willen?«

»Wahrscheinlich ist er auf das Schiff gestiegen, weil er gemerkt hat, dass es hier nicht so paradiesisch ist wie in den Geschichten seiner Mutter«, meinte ihr Mann.

»... und dass sie nicht hier ist, selbst wenn es so aussieht wie das Paradies«, murmelte Victor und sah aus dem Fenster.

»Nein. Nein. Nein.« Esther Hartlieb schüttelte energisch den Kopf. »Unsinn. Ich habe immer noch das Gefühl, dass er hier ist, und wenn Prosper hier ist, dann ist Bo es auch.«

Victor blickte auf seine Schuhe. Es klebte noch etwas Schneematsch daran. Was konnte er sagen?

»Ich habe das Foto vervielfältigen lassen, das Sie uns von den Jungen geschickt haben, Signor Getz«, fuhr Esther Hartlieb fort. »Es kam kurz nach dem Telefonat mit Ihrer Sekretärin bei uns an, und ich habe Plakate davon drucken lassen. Die Belohnung, die wir aussetzen, ist beträchtlich. Ich weiß, Sie haben mir schon einmal davon abgeraten, die Jungen auf diese Weise zu suchen, und ich gebe zu, mit einer Belohnung lockt man immer auch Gesindel an, aber ich werde die Plakate aufhängen lassen, an jedem Kanal, in jeder Bar, jedem Café und jedem Museum. Der Auftrag ist sogar schon erteilt. Ich werde Bo finden, bevor er in dieser elenden Stadt an Lungenentzündung oder Schwindsucht stirbt. Man muss ihn vor seinem selbstsüchtigen Bruder schützen!«

Da schüttelte Victor nur müde den Kopf. »Haben Sie es denn immer noch nicht begriffen?«, sagte er ungeduldig. »Die beiden sind nur weggelaufen, weil Sie Bo von diesem Bruder trennen wollten.«

»Was nehmen Sie sich denn für einen Ton heraus?«, rief Esther Hartlieb entgeistert. »Jetzt sollen plötzlich wir schuld an allem sein?«

»Die zwei hängen aneinander!«, rief Victor. »Verstehen Sie das denn nicht?«

»Wir werden Bo einen Hund schenken«, antwortete Max Hartlieb gelassen. »Sie werden sehen, wie schnell er da seinen großen Bruder vergisst.«

Victor musterte ihn, als hätte der große Mann gerade sein Hemd aufgeknöpft und ihm mit einem Lächeln gezeigt, dass er kein Herz in der Brust hatte. »Beantworten Sie mir mal eine Frage«, sagte Victor. »Mögen Sie eigentlich Kinder?«

Max Hartlieb runzelte die Stirn. Hinter ihm setzte der Schnee den Engeln von San Giorgio weiße Mützen auf. »Kinder allgemein? Nein, nicht unbedingt. Sie sind zappelig, laut und ziemlich oft schmutzig.«

Victor guckte wieder auf seine Schuhe.

»... und außerdem«, fuhr Max Hartlieb fort, »haben sie nicht die geringste Ahnung, was wichtig ist.«

Victor nickte. »Tja ...«, sagte er langsam, »seltsam, dass aus so nutzlosen Wesen einmal etwas so Großartiges und Vernünftiges wie Sie wird, nicht wahr?«

Dann drehte er sich um und ging. Hinaus aus dem Zimmer mit der wunderschönen Aussicht, den langen Hotelflur hinunter. Im Aufzug klopfte Victor das Herz bis zum Hals, ohne dass er wusste, warum. Die Frau am Empfang lächelte ihm zu, als er durch die

Halle ging. Dann blickte sie wieder nach draußen, wo es langsam dunkel wurde und immer noch schneite.

Der Bootsanleger vor dem Hotel war verlassen, als hätte der eisige Wind ihn leer gefegt. Nur zwei eingemummte Gestalten warteten am Wasser auf das nächste Vaporetto. Victor wollte sich erst auch eine Karte kaufen, aber dann beschloss er zu laufen. Er brauchte Zeit zum Denken und ein Spaziergang würde sein aufgebrachtes Herz beruhigen. Zumindest hoffte er das. Müde stemmte er sich gegen den Wind, ging vorbei am Dogenpalast, vor dem gerade die rosafarbenen Laternen aufleuchteten, und stapfte über den Markusplatz, der fast menschenleer in der Dämmerung lag. Nur die Tauben waren noch da und pickten zwischen den verlassenen Kaffeehausstühlen nach heruntergefallenen Krümeln. Ich muss die Jungen warnen, dachte Victor, während der Wind ihm Eisnadeln ins Gesicht blies. Ich muss ihnen erzählen, wie es steht: dass sie bald ein Plakat mit ihrem Foto an jeder Ecke finden werden. Und dann? Was für eine hinterhältige Frage. Wie sollte er das wissen? Er wusste gar nichts mehr. Nur, dass es lausig kalt war. Nicht mal einen Hut habe ich dabei, dachte Victor, und der Weg zu diesem Kino ist weit. Ich werde morgen früh hingehen. Bei Tageslicht hören sich schlechte Nachrichten nicht ganz so schlimm an.

Müde machte er sich auf den Weg nach Hause. Vor der Haustür fiel ihm ein, dass er in dieser Nacht noch jemanden beobachten musste. Seufzend stieg er die Treppe hinauf. Für eine heiße Tasse Kaffee war noch Zeit.

OHNE BO

Die Sacca della Misericordia ragt in das Häusergewirr von Venedig, als hätte das Meer ein Stück aus der Stadt herausgebissen und verschluckt.

Es war Viertel vor eins, als Mosca sein Boot an der letzten Brücke vor der Bucht zum Halten brachte. Riccio sprang ans Ufer und band es an einem der hölzernen Pfähle fest, die aus dem Wasser ragten. Es war eine endlos lange Fahrt gewesen, durch Kanäle, die Prosper noch nie gesehen hatte. In diesem nördlichsten Teil der Stadt war er erst einmal gewesen. Die Häuser hier waren genauso alt, aber nicht ganz so prächtig wie die im Herzen Venedigs. Wie verwunschen spiegelten sie sich auf den Wellen, so still und dunkel.

Sie waren nur zu dritt, Mosca, Riccio und er.

Wespe hatte Bo zum Abendessen heiße Milch mit Honig gekocht, und er hatte zwei Becher davon getrunken, ohne Verdacht zu schöpfen. Dann hatte sie es sich mit ihm auf ihrer Matratze bequem gemacht, hatte den Arm um ihn gelegt und ihm aus seinem Lieblingsbuch vorgelesen: *Der König von Narnia*. Schon beim dritten Kapitel hatte Bo zu schnarchen begonnen, den Kopf an Wespes Brust gelegt.

Und Prosper hatte sich ganz leise mit Riccio und Mosca davongeschlichen. Wespe hatte versucht nicht allzu besorgt dreinzuschauen, als sie ihnen nachwinkte.

»Hört ihr was?« Angestrengt starrte Riccio in die Nacht. Aus einigen Fenstern drang noch Licht und spiegelte sich auf dem Wasser. Der Schnee sah im Mondlicht seltsam aus, wie Puderzucker auf einer Stadt aus Papier. Prosper blickte den Kanal hinunter. Er glaubte, ein Boot zu hören, aber vielleicht täuschte ihn auch nur seine Ungeduld. Ida Spavento wollte mit ihrem eigenen Boot kommen, und sie sollte Scipio mitbringen.

»Ich glaub, ich hör was!« Vorsichtig kletterte Riccio zurück ins Boot. Mosca stemmte ein Ruder gegen den Holzpfahl, damit das Boot nicht allzu sehr schwankte.

»Wird auch Zeit, dass sie auftauchen!«, flüsterte Prosper und sah auf seine Uhr. »Wer weiß, wie lange der Conte wartet, wenn wir uns verspäten.«

Doch jetzt drangen die Motorengeräusche ganz deutlich durch die Nacht. Ein Boot glitt auf sie zu, viel breiter und schwerer als Moscas, schwarz lackiert wie eine Gondel. Ein massiger Mann hockte am Ruder, und hinter ihm, kaum zu erkennen unter dem Schal, den sie sich um den Kopf geschlungen hatte, saß Ida Spavento mit Scipio.

»Na, endlich!«, rief Mosca leise, als das Boot längsseits ging. »Riccio, mach das Seil los.«

Mit einem feindseligen Blick in Scipios Richtung sprang Riccio noch einmal ans Kanalufer.

»Entschuldigt, Giaco hat sich verfahren«, sagte Ida. »Und der Herr der Diebe war auch alles andere als pünktlich.« Sie richtete sich auf und reichte Prosper vorsichtig ein schweres Bündel, den Flügel des Löwen, eingewickelt in eine Decke, verschnürt mit einem Lederband.

»Mein Vater hatte Besuch von Geschäftsfreunden«, verteidigte Scipio sich. »Es war ziemlich schwierig, unbemerkt aus dem Haus zu kommen.«

»Wäre kein Verlust gewesen, wenn du es nicht geschafft hättest!«, murmelte Riccio. Prosper hockte sich mit dem Flügel ins Heck des Bootes und hielt ihn fest umklammert.

»Am besten, Sie warten mit Ihrem Boot da, wo der Kanal in die Bucht mündet!«, wies Mosca Ida an. »Wenn Sie weiter rausfahren, könnte der Conte Sie entdecken und die Übergabe platzen lassen.«

Ida nickte. »Ja, ja, selbstverständlich!«, sagte sie mit gedämpfter Stimme. Ihr Gesicht war blass vor Aufregung. »Meine Kamera musste ich leider zu Hause lassen, weil der Blitz uns verraten würde, aber«, sie zog einen Feldstecher unter dem Mantel hervor, »der hier wird bestimmt ganz nützlich sein. Und einen Vorschlag möchte ich noch machen ...« Sie musterte Moscas altes Holzboot. »Wenn der Conte nach der Übergabe auf die Lagune hinausfährt, sollten wir zur Verfolgung besser mein Boot nehmen.«

»Auf die Lagune?« Riccio blieb der Mund vor Schreck offen stehen.

»Natürlich!«, raunte Ida. »Hier in der Stadt könnte er das Karussell nie geheim halten. Aber da draußen auf der Lagune gibt es unzählige Inseln, die nie ein Mensch betritt.«

Prosper und Riccio sahen sich an. In der Nacht auf die Lagune hinaus – der Gedanke behagte ihnen beiden nicht.

Aber Mosca zuckte nur die Achseln. Er fühlte sich wohl auf dem Wasser, besonders im Dunkeln, wenn alles still war. Und leer. »Gut, abgemacht«, sagte er. »Mit meinem Boot kann man zum Angeln rausfahren, aber keine Verfolgungsjagd veranstalten. Und wer weiß, was für ein Boot der Conte hat. Sobald wir merken, dass er aus der Bucht rausfährt, rudern wir, so schnell es geht, zu Ihnen zurück und folgen ihm mit dem Motorboot.«

»So machen wir es.« Ida hauchte sich in die kalten Hände. »Ach, wunderbar, so etwas Verrücktes habe ich schon lange nicht mehr gemacht!«, seufzte sie. »Ein echtes Abenteuer! Wenn es bloß nicht so kalt wäre.« Fröstelnd schmiegte sie sich in ihren dicken Mantel.

»Was ist mit dem da?« Riccio wies mit dem Kopf unauffällig auf Idas Bootsführer. »Soll der etwa auch mitkommen?« Mosca und er hatten ihn sofort erkannt: Es war der Ehemann von Ida Spaventos Haushälterin. Er blickte mürrisch wie immer und hatte noch keinen Ton von sich gegeben.

»Giaco?« Ida hob die Augenbrauen. »Der muss mitkommen. Er kann viel besser mit dem Boot umgehen als ich. Außerdem ist er sehr verschwiegen.«

»Na gut, wenn Sie es sagen«, murmelte Riccio.

Giaco zwinkerte ihm zu und spuckte in den Kanal.

»Schluss jetzt mit dem Gerede!« Mosca nahm die Ruder auf. »Wir müssen los.«

»Scipio muss noch mit ins Boot«, sagte Prosper. »Der Conte hat schließlich mit ihm verhandelt. Er würde sich wundern, wenn er nicht dabei wäre.«

Riccio kniff die Lippen zusammen, aber er protestierte nicht, als Scipio in ihr Boot kletterte. Vom Glockenturm von Santa Maria di Valverde schlug es eins, als sie hinaus auf die Sacca della Misericordia ruderten. Nur wenige Lichter spiegelten sich auf dem Wasser. Wie ein Schatten blieb das Boot von Ida hinter ihnen zurück, kaum mehr als ein schwarzer Fleck vor der dunklen Silhouette des Ufers.

DIE INSEL

Der Conte wartete schon auf sie.

Sein Boot ankerte nicht weit vom Westufer der Bucht. Es war ein Segelboot. Die Positionslampen leuchteten hell über das Wasser, und am Heck hing weithin sichtbar eine rote Laterne.

»Ein Segelboot!«, flüsterte Mosca, als sie darauf zuruderten. »Also hatte Ida Recht. Er ist von einer der Inseln gekommen.«

»Bestimmt.« Scipio setzte sich seine Maske auf. »Aber der Wind steht günstig. Da werden wir ihm mit dem Motorboot leicht folgen können.«

»Raus auf die Lagune.« Riccio stöhnte auf. »Oh, verdammt. Verdammt, verdammt.«

Prosper sagte nichts. Er ließ die rote Laterne nicht aus den Augen und hielt das Bündel mit dem Flügel fest umklammert. Der kalte Wind hatte sich fast gelegt und Moscas Boot glitt ruhig über das glatte Wasser. Aber Riccio krallte sich trotzdem am Bootsrand fest und starrte so gebannt auf seine Schuhe, als fürchte er, das Boot würde auf der Stelle umkippen, wenn er auch nur einen Blick auf das schwarze Wasser warf.

Der Conte stand am Heck seines Bootes, in einem grauen weiten Mantel. Er sah nicht so alt und gebrechlich aus, wie Prosper ihn sich nach dem Treffen im Beichtstuhl vorgestellt hatte. Sein Haar war weiß, aber er schien immer noch ein kräftiger Mann zu sein, so aufrecht, wie er da stand. Hinter dem Conte stand noch jemand, kleiner und schmaler als er, schwarz gekleidet von Kopf bis Fuß, aber das Gesicht verbarg eine Kapuze. Als Mosca längsseits ging, warf der zweite Mann Prosper ein Seil mit einem Haken zu, damit die Boote nicht wieder auseinander trieben.

»*Salve!*«, rief der Conte ihnen mit heiserer Stimme zu. »Ich nehme an, euch ist genauso kalt wie mir, also lasst uns das Geschäft schnell hinter uns bringen. Der Winter kommt in diesem Jahr früh.«

»Gut. Hier ist der Flügel.« Prosper reichte Scipio das Bündel und der streckte es vorsichtig dem Conte entgegen. Das schmale Boot schwankte unter Scipios Füßen, er stolperte fast und der Conte beugte sich hastig über den Bootsrand zu ihm hinunter, als fürchte er, das, wonach er so lange gesucht hatte, könnte doch noch verloren gehen. Aber als er das Bündel entgegennahm, sah sein zerfurchtes Gesicht plötzlich wie das eines kleinen Jungen aus, der ein heiß ersehntes Geschenk in den Armen hält.

Ungeduldig schlug er die Decke auseinander.

»Das ist er!«, hörte Prosper ihn flüstern. Fast andächtig strich der alte Mann über das bemalte Holz. »Morosina, sieh ihn dir an.« Ungeduldig winkte er seinem Begleiter. Der hatte die ganze Zeit am Mast des Bootes gelehnt. Erst als der Conte ihn rief, trat er an seine Seite und schob die Kapuze zurück. Die Jungen sahen überrascht, dass es eine Frau war, nicht viel jünger als der Conte, mit hochgestecktem grauem Haar. »Ja, er ist es«, hörte Prosper sie sagen. »Geben wir ihnen ihren Lohn.«

»Erledige du das«, sagte der Conte und schlug die Decke wieder über den Flügel.

Ohne ein Wort reichte die Frau Scipio eine alte Tasche. »Hier, nimm!«, sagte sie. »Und benutz das Geld, um dir einen anderen Beruf zu suchen. Wie alt bist du? Elf, zwölf?«

»Mit dem Geld bin ich erwachsen«, antwortete Scipio, nahm die schwere Tasche entgegen und stellte sie zwischen sich und Mosca ins Boot.

»Hast du das gehört, Renzo?« Die Frau stützte sich auf den Bootsrand und musterte Scipio mit spöttischem Lächeln. »Erwachsen will er sein. So verschieden sind die Wünsche.«

»Den Wunsch wird die Natur ihm bald erfüllen«, antwortete der Conte und schlug das Bündel mit dem Flügel zusätzlich in eine Plane ein. »Mit unseren Wünschen sieht es etwas anders aus. Willst du das Geld noch nachzählen, Herr der Diebe?«

Scipio stellte die Tasche auf Moscas Schoß und öffnete sie.

»Heiliger Pantalon!«, flüsterte Mosca, nahm ein Bündel Geldscheine heraus und begann mit ungläubigem Gesicht, die Scheine zu zählen. Neugierig beugte Prosper sich über seine Schulter. Selbst Riccio vergaß seine Angst vor dem Wasser und stand auf. Aber als das Boot zu schwanken begann, setzte er sich schnell wieder. »Teufel, hat einer von euch schon mal so viel Geld gesehen?«, flüsterte er.

Scipio hielt prüfend einen Schein vor seine Taschenlampe, zählte die Bündel in der Tasche und nickte Mosca zufrieden zu.

»Scheint alles da zu sein«, rief er dem Conte und seiner Begleiterin zu. »Wir zählen es in unserem Versteck noch genau nach.«

Die grauhaarige Frau nickte nur. »*Buon ritorno!*«, sagte sie.

Der Conte trat neben sie. Prosper warf ihm das Seil zu, mit dem sie an dem größeren Boot festgemacht hatten, und der Conte fing es auf. »*Buon ritorno* und viel Glück für die Zukunft«, sagte er. Dann kehrte er ihnen den Rücken zu.

233

Auf ein Zeichen von Scipio nahmen Prosper und Mosca die Ruder auf und mit jedem Eintauchen der Ruderblätter entfernten sie sich weiter vom Boot des Conte. Die Mündung des Kanals, an der Ida auf sie wartete, schien weit, unendlich weit entfernt, und hinter ihnen, Prosper konnte es trotz der Dunkelheit deutlich erkennen, richtete der Conte den Bug seines Bootes dorthin, wo die Sacca della Misericordia sich zur Lagune öffnete.

Scipio hatte Recht gehabt, der Wind war auf ihrer Seite. Nur sacht kräuselte er das Wasser, und als sie Idas Boot erreichten, war das Segel des Conte immer noch zu sehen. Schnell machten sie Moscas Boot im Schutz der Brücke fest und stiegen um auf das größere Boot.

»Nun erzählt schon, ist alles gut gegangen?«, fragte Ida ungeduldig, als die vier an Bord kletterten. »Ich konnte nur sehen, dass er ein Segelboot hat, sonst nichts, ihr wart viel zu weit draußen.«

»Alles klar, das Geld haben wir, und er hat den Flügel«, sagte Scipio und klemmte sich die Tasche mit der Beute zwischen die Beine. »Es war noch eine Frau bei ihm. Und Sie hatten Recht, er segelt raus auf die Lagune.«

»Dachte ich's mir doch.« Ida gab Giaco ein Zeichen, doch der hatte den Motor schon angeworfen und knatterte auf die Bucht hinaus.

»Die rote Laterne hat er leider ausgemacht«, rief Mosca ihm durch den Motorenlärm zu, »aber das Boot ist zum Glück ganz gut zu erkennen.«

Giaco brummte etwas Unverständliches und hielt Kurs, als wäre nichts leichter, als bei Mondlicht einem fremden Boot zu folgen.

»Habt ihr das Geld nachgezählt?«, fragte Ida.

»So ungefähr«, sagte Scipio. »Es ist auf jeden Fall eine ganze Menge.«

»Kann ich auch mal durch das Fernglas sehen?«, fragte Mosca.
Ida reichte ihm den Feldstecher und zog sich den Schal enger um den Kopf. »Siehst du es?«, fragte sie.

»Ja«, antwortete Mosca. »Er kommt ziemlich langsam vorwärts, aber aus der Bucht ist er gleich raus.«

»Komm ihm nicht zu nah, Giaco!«, rief Ida nach vorn.

Aber Giaco schüttelte den Kopf. »Keine Sorge, Signora«, brummte er.

Sie ließen die Stadt hinter sich. Jedes Mal, wenn Prosper zurückblickte, kam sie ihm vor wie ein verlorener Schatz, der in der Dunkelheit schimmerte. Doch irgendwann war das Schimmern verschwunden und es umgab sie nichts als Nacht und Wasser. Das Knattern des Motors durchschnitt verräterisch die Stille, aber ab und zu drangen auch aus anderen Richtungen Motorengeräusche zu ihnen herüber. Sie waren nicht die Einzigen auf der Lagune, auch wenn es ihnen so vorkam. Immer wieder tauchten Lichter in der Dunkelheit auf, rot, grün und weiß, Positionslampen, wie auch Idas Boot sie hatte.

Aber selbst wenn der Conte ihr Boot bemerkt hätte, wie sollte er ahnen, dass er verfolgt wurde? Schließlich hatte er den Herrn der Diebe bezahlt.

Voll Unbehagen blickte Prosper über das Wasser, ein Meer aus Tinte, das irgendwo, kaum erkennbar, mit dem Dunkel des Himmels verschmolz. Bo und er waren noch nie hier draußen gewesen, obwohl die anderen ihnen viel von der Lagune erzählt hatten, von all den Inseln auf dem flachen Wasser, kleine schilfgesäumte Flecken Land mit Ruinen längst verfallener Dörfer und Festungen. Mit Obst- und Gemüsefeldern zur Versorgung der Stadt. Oder Klöstern und Spitälern, in die man früher die Kranken gebracht hatte, fort mit ihnen, fort übers schwarze Wasser.

Umsichtig lenkte der schweigsame Giaco das Boot an den *bricole* vorbei, hölzernen Pfählen, die überall aus dem Wasser ragten und mit ihren weiß markierten Seiten den Weg zwischen den Untiefen wiesen. Im Mondlicht waren sie manchmal kaum zu sehen.

»Da vorn liegt San Michele!«, flüsterte Mosca irgendwann. Langsam fuhren sie an den Mauern der Insel vorbei, auf der seit vielen hundert Jahren die Toten von Venedig begraben wurden. Als die Friedhofsinsel wieder in der Nacht verschwand, nahm das Schiff des Conte Kurs nach Nordosten. Sie ließen Murano, die Glasinsel, hinter sich und fuhren weiter, immer tiefer hinein in das Gewirr von Inseln und grasbedeckten Eilanden.

»Sind wir schon an der Insel vorbei, auf die sie früher die Pestkranken gebracht haben?«, fragte Riccio besorgt, als der Umriss eines verfallenen Hauses vorbeiglitt. In Venedig kannte er sich aus wie kein anderer von ihnen, aber hier zwischen den Inseln war er ein Fremder wie Prosper.

»Das ist doch lange her, Riccio«, murmelte Prosper und dachte, dass das Boot da vorne ewig so weitersegeln würde, ewig und immer. Hoffentlich schlief Bo noch, wenn er zurückkam, sonst würde Wespe eine schlimme Nacht erleben. Bo würde einen Höllenspektakel veranstalten, wenn er erfuhr, dass die anderen sich mit dem Conte trafen und Wespe ihn mit heißer Milch und einem Buch in den Schlaf gelullt hatte, damit sie sich ohne ihn fortschleichen konnten.

»Du meinst San Lazzaro.« Ida Spavento warf ihren glühenden Zigarettenstummel über Bord. »Nein, die Insel liegt auf der anderen Seite der Stadt, aber so unheimlich, wie man sich erzählt, ist es dort gar nicht. *Madonna*, wenn die ganzen Spukgeschichten über die Lagune wahr wären ...«

»Spukgeschichten?« Riccio blies sich in die eiskalten Hände. »Welche denn?«

Mosca lachte, aber sein Lachen klang nicht echt. Sie alle kannten solche Geschichten, Wespe hatte ihnen schon Dutzende erzählt. In ihrem Versteck, eingemummelt in warme Decken, machte es Spaß, sich etwas zu gruseln, aber hier draußen auf dem offenen Wasser, mitten in der Nacht, sah das schon anders aus.

»Lass mal sehen, Mosca.« Riccio griff nach dem Fernglas, um auf andere Gedanken zu kommen. »Wie weit will der Kerl denn noch segeln? Wenn das so weitergeht, sind wir bald in Burano und steif gefroren wie Tiefkühlhähnchen.«

Weiter und weiter ging es durch die Dunkelheit. Sie alle spürten, wie sie schläfrig wurden, trotz der Kälte. Da pfiff Riccio plötzlich leise durch die Zähne. Er kniete sich hin, um besser sehen zu können. »Ich glaube, jetzt dreht er bei!«, raunte er aufgeregt. »Da, er steuert auf die Insel da zu! Keine Ahnung, welche das sein könnte. Erkennen Sie sie, Signora?«

Ida Spavento nahm ihm das Fernglas aus der Hand und spähte hindurch. Prosper beugte sich über ihre Schulter. Auch ohne Fernglas erkannte er zwei Laternen am Ufer, eine hohe Mauer und weiter entfernt, hinter schwarzen Zweigen, den Umriss eines Hauses.

»*Madonna*, ich glaube, ich weiß, welche Insel das ist!« Idas Stimme klang etwas erschrocken. »Giaco, nicht näher! Mach den Motor aus. Und lösch die Positionslampen.«

Als der Motor verstummte, umfing sie die Stille so plötzlich, dass sie Prosper vorkam wie ein unsichtbares Tier, das im Dunkeln lauerte. Er hörte das Wasser der Lagune gegen die Bootswand schwappen, das Atmen von Mosca neben sich und, aus der Ferne, Stimmen, die über das Wasser klangen.

»Ja, sie ist es!«, flüsterte Ida. »Die Isola Segreta, die Geheime Insel. Über sie gibt es wirklich unheimliche Geschichten. Die Vallaresso, eine der ältesten Familien der Stadt, hatten dort früher einen Landsitz, aber das ist lange her. Ich dachte, die Familie wäre fortgezogen und das Anwesen längst verfallen. Doch da habe ich mich wohl getäuscht.«

»Isola Segreta?« Mosca starrte zu den Lichtern hinüber. »Das ist doch die Insel, zu der keiner fährt.«

»Stimmt, es ist nicht leicht, einen Bootsführer zu finden, der das tut«, antwortete Ida, ohne das Fernglas von den Augen zu nehmen. »Die Insel gilt als verhext, es sollen schlimme Dinge auf ihr passiert sein ... Dort soll das Karussell stehen? Das Karussell der Barmherzigen Schwestern?«

»Hört doch mal!«, hauchte Riccio.

Hundegebell schallte übers Wasser, laut und bedrohlich.

»Das müssen mehrere Hunde sein!«, flüsterte Mosca. »Und große dazu.«

»Reicht es Ihnen jetzt nicht, Signora?« Riccios Stimme klang schrill vor Angst. »Wir sind dem Conte gefolgt, bis zu dieser dreimal verfluchten Insel. Von mehr war bei dem Handel nicht die Rede, also sagen Sie dem schweigsamen Kerl da, dass er uns nach Hause fahren soll.«

Aber Ida antwortete nicht. Sie beobachtete die Insel immer noch durch ihr Fernglas. »Sie gehen an Land«, sagte sie leise. »Aha, so sieht euer Conte aus. Ich habe ihn mir nach eurer Beschreibung älter vorgestellt. Und das neben ihm ...«, sie senkte die Stimme noch etwas mehr, »... das ist wohl die Frau, von der Scipio erzählt hat. Wer können die zwei nur sein? Wohnen auf der Insel doch noch Vallaresso?«

Mosca, Prosper und Scipio starrten ebenso gespannt wie Ida zu der Insel hinüber. Nur Riccio hockte mit finsterer Miene neben der Geldtasche und starrte Giacos breiten Rücken an, als könnte das seine Angst besänftigen.

»Da ist ein Bootssteg«, flüsterte Scipio, »und eine steinerne Treppe, die das Ufer hinaufführt, zu einem Tor in der Mauer.«

»Wer ist da auf der Mauer?« Mosca klammerte sich erschrocken an Prospers Arm. »Da stehen zwei weiße Gestalten!«

»Das sind Statuen«, beruhigte Ida ihn. »Steinerne Engel. Jetzt öffnen sie das Tor. Oh, die Hunde sind wirklich groß.«

Selbst die Jungen konnten sie sehen, auch ohne das Fernglas: riesige weiße Doggen, groß wie Kälber. Plötzlich, als hätten sie etwas Ungewohntes gewittert, kehrten sie die Schnauzen dem Wasser zu und begannen zu bellen, so laut und wütend, dass Ida zusammenfuhr und das Fernglas fallen ließ. Prosper griff noch danach, aber der Feldstecher rutschte ihm durch die Finger und landete mit einem lauten Platscher im Wasser.

Das Geräusch durchschnitt die Stille wie ein Schuss.

Entsetzt presste Riccio die Hände auf die Ohren, als könnte er so ungeschehen machen, was passiert war, während die anderen sich erschrocken im Boot zusammenkauerten. Nur Giaco schien das Ganze nicht aus der Ruhe zu bringen. Ungerührt stand er hinter dem Steuer. »Die haben uns gehört, Signora!«, sagte er gelassen.

»Sie sehen in unsere Richtung!«

»Stimmt!«, raunte Scipio und lugte über den Bootsrand. »So ein verfluchtes Pech!«

»Tut mir wirklich Leid!«, flüsterte Ida. »O mein Gott! Zieht die Köpfe ein, du auch, Giaco! Ich glaub, die Frau hat ein Gewehr!«

»Auch das noch!« Mosca stöhnte und zog sich die Jacke über den Kopf.

»Na, dich sehen sie doch sowieso nicht!«, zeterte Riccio und kauerte sich mit der Geldtasche auf den Boden. »Aber wir anderen leuchten wie Mondkäse in der Dunkelheit! Ich hab doch gesagt, das ist alles eine Schnapsidee! Ich hab gesagt, wir sollen umdrehen!«

»Riccio, halt die Klappe!«, fuhr Scipio ihn an.

Die Doggen drüben auf der Insel bellten immer aufgeregter. In das Gebell mischte sich eine Frauenstimme, laut und ärgerlich, und dann – fiel ein Schuss. Prosper duckte sich und zog Scipio mit nach unten, als das Mündungsfeuer aufblitzte. Riccio begann zu schluchzen.

»Giaco!« Idas Stimme klang scharf. »Dreh um! Sofort!«

Ohne ein Wort warf Giaco den Motor an.

»Und was ist mit dem Karussell?« Scipio wollte sich aufrichten, aber Prosper zerrte ihn wieder an seine Seite.

»Das Karussell kann keine Toten zum Leben erwecken!«, rief Ida. »Gib Gas, Giaco! Und du, Herr der Diebe, lass den Kopf unten!«

Der Motorenlärm dröhnte ihnen in den Ohren und das Wasser spritzte, als Giaco die Isola Segreta hinter sich ließ. Immer kleiner wurde sie, bis die Nacht sie verschluckte.

Zusammengedrängt hockten Ida und die Jungen da, Enttäuschung auf den Gesichtern, Angst, aber auch Erleichterung, dass sie alle mit heiler Haut davongekommen waren.

»Das war knapp!«, sagte Ida und zog sich den verrutschten Schal über die Ohren. »Tut mir Leid, dass ich euch zu diesem Blödsinn überredet habe. Giaco!«, rief sie ärgerlich. »Warum hast du mir die Sache nicht ausgeredet?«

»So was kann man Ihnen nicht ausreden, Signora!«, antwortete Giaco, ohne sich zu ihr umzudrehen.

»Ach, ist doch jetzt auch egal«, meinte Mosca. »Hauptsache, wir haben das Geld.«

»Genau!«, murmelte Riccio, obwohl er noch reichlich verschreckt dreinblickte.

Scipio aber starrte mit finsterer Miene in die schäumende Spur, die das Boot hinterließ.

»Komm, vergiss es«, sagte Prosper und stieß ihn an. »Ich hätte das Karussell auch gern gesehen.«

»Es ist da!«, sagte Scipio und sah ihn an. »Ganz sicher.«

»Na, meinetwegen«, sagte Riccio. »Aber jetzt sollten wir unser Geld zählen.« Als Scipio und Prosper keine Anstalten machten zu helfen, machten er und Mosca sich an die Arbeit, während Ida mit nachdenklichem Gesicht neben ihnen saß und eine Zigaretten-kippe nach der anderen in die Lagune warf. Als die ersten Lichter der Stadt sich schon im Wasser spiegelten, zählten Riccio und Mosca immer noch.

Erst als Giaco das Boot in die Sacca della Misericordia zurück-steuerte, klappten sie die Tasche zu. »Scheint zu stimmen«, sagte Mosca. »So ungefähr jedenfalls. Man verzählt sich ja dauernd bei all den Scheinen.«

Ida nickte und musterte die Tasche besorgt. »Habt ihr einen Platz, wo ihr es lassen könnt? Das ist wirklich eine Menge Geld.«

Verunsichert blickte Mosca zu Scipio hinüber. Der zuckte nur die Schultern. »Versteckt es da, wo wir das Geld von Barbarossa auf-bewahren. Da ist es erst mal sicher.«

»Gut.« Ida seufzte. »Dann setze ich euch jetzt bei eurem Boot ab. Einen warmen Platz zum Schlafen habt ihr ja wohl hoffentlich. Grüß den Kleinen von mir, Prosper, und das Mädchen. Ich …« Sie wollte noch etwas sagen, aber Riccio unterbrach sie, hastig, als müsste er die Worte loswerden, bevor sie ihm die Lippen ver-brannten: »Scipio muss woandershin. Vielleicht können Sie den nach Hause fahren.«

Prosper senkte den Kopf, Mosca spielte mit den Schnallen der Geldtasche und vermied es, in Scipios Richtung zu sehen.

»Ach ja, natürlich.« Ida drehte sich zu Scipio um. »Der Waffenstillstand ist beendet. Willst du wieder zur Accademia-Brücke, wo ich dich abgeholt habe, Herr der Diebe?«

Scipio schüttelte den Kopf. »Fondamenta Bollani«, sagte er leise. »Geht das?«

Wir gehören nicht mehr zusammen, dachte Prosper. Er versuchte sich an seine Wut zu erinnern, an die Enttäuschung, als er entdeckt hatte, dass Scipio sie belogen hatte. Aber er sah nur Scipios blasses, starres Gesicht, die zusammengepressten Lippen, mit denen er wohl die Tränen zurückhielt. Stocksteif saß Scipio da, die Schultern gestrafft, als fürchte er zusammenzufallen, wenn er auch nur einmal Luft holte. Oder einen seiner Freunde ansah.

Auch Ida schien zu spüren, wie mühsam er sich beherrschte. »Gut, Giaco, erst zum Boot und dann zur Fondamenta Bollani!«, sagte sie schnell.

Als sie in den Kanal fuhren, in dem Moscas Boot lag, begann es wieder zu schneien, ganz leicht nur, winzige Flocken wehten über das Wasser. Ida bekam eine Flocke ins Auge und musste blinzeln. »Nun ist mein Flügel weg«, sagte sie und blickte hinauf zu den Häusern am Kanalufer. »Wahrscheinlich werde ich die ganze Nacht die Wand über meinem Bett anstarren und mich fragen, ob er jetzt wirklich auf einem Löwenrücken steckt. Oder wer dieser geheimnisvolle Conte und die grauhaarige Frau waren.« Fröstelnd zog sie ihren Mantel enger um sich. »Im warmen Bett lässt sich darüber ja gefahrlos nachdenken.«

Moscas Boot schaukelte friedlich dort, wo sie es zurückgelassen hatten. Eine Katze hatte es sich unter der Ruderbank bequem gemacht und sprang erschrocken ans Kanalufer, als das Motorboot sich näherte.

»*Buona notte!*«, sagte Ida, bevor Prosper, Riccio und Mosca wieder in ihr eigenes Boot kletterten. »Kommt mich mal besuchen, aber wartet damit nicht, bis ihr erwachsen seid und ich euch nicht mehr erkenne. Und wenn ihr irgendwann mal Hilfe braucht – ich weiß, ihr seid jetzt reich, doch man weiß ja nie –, dann denkt an mich.«
Die Jungen sahen sich verlegen an.
»Danke!«, murmelte Mosca und klemmte sich die Tasche des Conte unter den Arm. »Das ist wirklich nett. Wirklich …«
»Wir werden auch bestimmt nie wieder in die *Casa Spavento* einbrechen. Ganz bestimmt nicht«, fügte Riccio hinzu. Was ihm einen Ellenbogenstoß von Mosca einbrachte.
Die beiden kletterten schon von Bord, als Prosper sich noch einmal zu Scipio umdrehte. Mit abgewandtem Gesicht saß der Herr der Diebe da und starrte zu den dunklen Häusern hoch. »Du kannst dir natürlich jederzeit deinen Anteil abholen, Scip«, sagte Prosper.
Einen Augenblick lang dachte er, Scipio würde nicht antworten. Aber dann wandte er sich doch um. »Mach ich«, sagte er und sah Prosper an. »Grüß Wespe und Bo von mir.« Dann drehte er ihm schnell wieder den Rücken zu.

NUR EIN ZETTEL

»Brr, ist das kalt!«, flüsterte Riccio, als sie endlich vor dem Notausgang des Kinos standen. Er tastete nach der Schnur neben der Tür und hielt verblüfft inne. »He, seht mal, die Tür ist nicht verriegelt.« Vorsichtig stieß er sie mit dem Fuß auf.

»Wahrscheinlich hatte Wespe Angst, dass sie nicht wach wird, wenn wir die Glocke läuten«, sagte Mosca.

Die anderen beiden nickten, aber unbehaglich fühlten sie sich trotzdem, als sie den dunklen Flur entlangschlichen.

Drinnen im Saal war es so still, dass sie Bos Katzen in der Dunkelheit umherhuschen hörten.

»Was ist das denn?«, flüsterte Mosca, als sie an den Sitzen vorbeischlichen. »Wespe hat vergessen, die Kerzen auszumachen. Wisst ihr noch, wie sie sich aufgeregt hat, als mir das mal passiert ist?«

»Bestimmt hat sie sich nicht getraut, noch mal aufzustehen, weil sie wusste, dass Bo ihr die Hölle heiß macht, wenn er wach wird«, wisperte Riccio.

Kichernd pirschte er sich an Wespes Matratze heran. Ganz links an der Wand lag sie, umgeben von den zerlesenen Bücherstapeln wie eine Burg von ihren Mauern. Riccio lugte vorsichtig über den

Bücherwall – und drehte sich mit erschrockenem Gesicht um. »Hier sind sie nicht.«

»Was soll das heißen?« Prosper spürte, wie sein Herz wild zu klopfen begann. Er stolperte über Wespes Bücher zu der Matratze, die er sich mit Bo teilte: nichts als zerdrückte Kissen und Decken. Kein Bo. Auf Moscas und Riccios Matratze lag er auch nicht.

»Die wollen Verstecken spielen mit uns!«, sagte Mosca. »He, Wespe, Bo!«, rief er. »Kommt raus, wir haben keine Lust, euch zu suchen. Ihr könnt euch nicht vorstellen, wie kalt das da draußen war! Wir wollen nur noch unter unsere Decken.«

»Genau!«, rief Riccio. »Aber vorher dürft ihr euch noch die Berge von Geld ansehen, die wir mitgebracht haben. Na, ist das nichts?«

Es kam keine Antwort. Kein Kichern, kein Rascheln. Nicht mal die Katzen rührten sich. Prosper musste an die unverriegelte Tür denken. Er hatte das Gefühl, dass ihm jemand die Kehle zupresste.

Plötzlich kniete Riccio sich auf Wespes Matratze. »Hier liegt ein Zettel. Das ist Wespes Schrift.«

Prosper riss ihm das Stück Papier aus den Fingern.

Besorgt beugte Mosca sich über seine Schulter. »Lies vor. Was steht drauf?«

»Es ist kaum zu entziffern! Sie muss es in großer Eile geschrieben haben.« Prosper schüttelte verzweifelt den Kopf. Die Schrift verschwamm ihm vor den Augen. »*Vor dem Haupteingang ist jemand*«, las er stockend vor. »*Vielleicht Polizei. Wir nehmen den Fluchtweg. Kommt zum Treffpunkt für Notfälle. Wespe.*«

»Das hört sich nicht gut an!«, flüsterte Mosca.

Prosper starrte den Zettel an.

»Verdammt! Ich wusste es! Warum habt ihr nicht auf mich gehört?« Riccio trat die Bücherstapel um, einen nach dem anderen.

»Wie konntet ihr diesem Schnüffler trauen? Sein Ehrenwort! Er hat uns verraten. Da seht ihr, was der unter Ehrenwort versteht!«

Prosper hob den Kopf. Er konnte es nicht glauben, aber es gab keine andere Erklärung. Riccio hatte Recht. Nur Victor konnte das Versteck verraten haben. Wortlos stopfte Prosper sich Wespes Zettel in die Hosentasche und begann wie wild zwischen ihren Kissen herumzuwühlen.

»Was suchst du da?«, fragte Mosca. Prosper antwortete nicht. Aber als er sich aufrichtete, hatte er eine Pistole in der Hand, die Pistole, die er selbst aus Victors Tasche gezogen hatte.

»Tu das Ding weg, Prop!« Mosca trat ihm in den Weg. »Was willst du damit? Den Schnüffler umlegen? Wir wissen doch gar nicht, ob er uns verpfiffen hat.« ·

»Wer sonst?« Prosper steckte die Pistole in seine Jacke und drängte sich an Mosca vorbei. »Ich geh zu ihm. Wenn ich ihm seine eigene Pistole unter die Nase halte, wird er mir schon sagen, ob er es war.«

»Red nicht so einen Unsinn!« Mosca versuchte ihn festzuhalten. »Jetzt gehen wir erst mal zum Treffpunkt.«

»Wo soll der denn sein?« Prosper zitterte. Er hatte das Gefühl, dass seine Beine im nächsten Moment nachgeben würden.

»Ach ja, davon wissen Bo und du ja gar nichts. Wespe hat ihn ausgesucht: Es ist der *Cagalibri*, der Bücherscheißer, auf dem Campo Morosini.«

Prosper nickte. »Gut, dann lasst uns gehen! Worauf wartet ihr?«

»Und was machen wir mit dem Geld?« Riccio starrte die anderen beiden an wie ein erschrockenes Kaninchen. »Und unsere Sachen, die sind doch jetzt nicht mehr sicher hier.«

»Wir nehmen nur das Geld mit«, antwortete Mosca ungeduldig.

»Das andere können wir später holen. Ist doch sowieso nichts Wertvolles dabei. Und vielleicht ist es ja bloß falscher Alarm.« Mosca stopfte sich das Geld unter die Jacke, das sie noch vom letzten Handel mit Barbarossa übrig hatten, und Riccio nahm die Tasche des Conte. Einmal sahen sie sich noch um, als wären sie nicht sicher, dass sie je wiederkommen würden. Dann löschten sie die Kerzen und machten sich auf den Weg.

Sie rannten fast den ganzen Weg zum Campo Morosini. In den Gassen öffneten schon die ersten Läden, obwohl der Himmel noch dunkel war. Lastkähne schoben sich unter den Brücken hindurch und brachten Lebensmittel in die Stadt, Müllschiffe schafften den Abfall des vergangenen Tages fort. Die Stadt erwachte, aber die drei Jungen merkten es kaum. Während sie durch die dunklen Gassen rannten, malten sie sich tausend Dinge aus, die Bo und Wespe zugestoßen sein konnten, und je näher sie dem Campo Morosini kamen, desto furchtbarer wurden die Bilder. Schwer atmend erreichten sie das Denkmal, den Mann mit dem Bücherstapel hinter sich, Niccolò Tommaseo hieß er, aber in der Stadt nannte man ihn nur den *Cagalibri*, den Bücherscheißer.

Wespe war nicht da und Bo auch nicht. Daran änderte sich nichts, so gründlich die drei sich auch umsahen.

Ohne ein Wort drehte Prosper sich wieder um und rannte weiter.

»Prop!«, rief Mosca ihm nach, während Riccio sich die schmerzenden Seiten hielt. »Es ist weit bis zu dem Schnüffler. Willst du etwa die ganze Zeit rennen?«

Aber Prosper blickte sich nicht einmal um.

»Komm!«, sagte Mosca und zog den schnaufenden Riccio weiter. »Wir müssen ihm nach, sonst macht er noch eine Dummheit.«

VATER UND SOHN

Scipio hatte Ida gebeten, ihn zwei Brücken entfernt vom Haus seines Vaters abzusetzen. Er wollte noch ein paar Schritte am verschneiten Kanalufer entlanggehen, in der kalten Luft, die ihm das Gefühl gab, frei und stark zu sein. Er durfte nur nicht an die anderen denken. Oder an das große Haus, das ihn gleich wieder zahm und so klein machen würde. Scipio zog mit den Absätzen Muster in den dünnen Schnee, dann hockte er sich hin und malte mit dem Finger einen Flügel an den Rand des Kanals. Als er den Kopf hob, sah er das Polizeiboot. Es lag nur ein paar Meter entfernt vom Haus seiner Eltern.

Erschrocken richtete Scipio sich auf. Seine Gedanken überschlugen sich. Konnte das irgendetwas mit dem Conte zu tun haben? Nur gut, dass er die Tasche mit dem Geld nicht dabeihatte.

»Ach was, unmöglich!«, flüsterte er und bekam vor Aufregung kaum den Schlüssel ins Schloss. »Die sind bestimmt drüben bei Signor Veronese. Bei dem geht doch die Alarmanlage schon los, wenn eine Taube aufs Dach kackt.« So lautlos wie möglich öffnete er das Tor, froh, dass sein Vater die Riegel nicht vorgeschoben hatte. Zwischen den Säulen brannte wie immer ein Licht. Auf dem Hof rührte sich nichts. Mit angehaltenem Atem schlich Scipio zur

248

Treppe. Er war ein Meister im Schleichen. Aber diesmal waren seine Bemühungen umsonst.

Er hatte schon den Fuß auf der ersten Stufe, als ihm von oben Stimmen entgegenschallten. Schuldbewusst hob er den Kopf – und blieb wie angewurzelt stehen: Zwei Carabinieri kamen die Treppe herunter, mit Wespe. Sie wirkte so klein und schmal zwischen den beiden blau uniformierten Männern, die über irgendeinen Witz lachten, den sein Vater offenbar erzählt hatte.

Sein Vater.

Er stand oben an der Brüstung. Als sein Blick auf Scipio fiel, runzelte er die Stirn. Das selbstzufriedene Lächeln verschwand von seinen Lippen und machte dem üblichen Gesichtsausdruck Platz, den er bei Scipios Anblick aufsetzte: Ungeduld, Unzufriedenheit, ärgerliche Verwunderung.

»Meine Herren!«, rief er mit der Stimme, die Scipio so gern nachahmte, weil ihr Klang viel eindrucksvoller war als der seiner eigenen. »Sie sehen, die Sache hat sich erledigt. Mein Sohn hat doch beschlossen nach Hause zu kommen, wenn auch zu sehr unpassender Zeit. Vielen Dank für Ihre Bemühungen. Aber das beweist ja wohl, dass er mit diesen Kindern, die im STELLA untergekrochen sind, nichts zu tun hat.«

Scipio biss sich auf die Lippen und sah zu Wespe hoch. Sie hatte den Schritt verlangsamt, als sie ihn bemerkte.

»Kennst du den Jungen?«, fragte einer der Polizisten. Sein Schnurrbart war dunkel und schmal. »Nun sag schon.« Aber Wespe schüttelte nur den Kopf.

»Wo wollen Sie mit ihr hin?«, rief Scipio. Er erschrak vorm Klang seiner eigenen Stimme, so schrill und hoch war sie.

Der Polizist mit dem Schnurrbart lachte, während der andere Wespes Arm packte. »Oh, glaubst du, du musst sie beschützen? Ein kleiner Kavalier, was? Keine Sorge, wir haben sie niemandem gestohlen. Sie ist ein freches Ding, will uns nicht ihren Namen verraten. Wir sind nur mit ihr hergekommen, weil wir dachten, dein Vater könnte von ihr etwas über dein Verschwinden erfahren.«

»Unser Mädchen, Scipio, hat mich völlig hysterisch von meiner Einladung zuückgeholt!«, rief Dottor Massimo von oben herab. »Weil sie dich um Mitternacht nicht in deinem Bett vorfand, und kurz nach meiner Rückkehr ruft die Polizei hier an, um mir mitzuteilen, dass im STELLA, dem Kino, das ich habe schließen lassen, eine Bande elternloser Kinder aufgegriffen worden ist. Ich habe den Herren gleich erklärt, dass dein Verschwinden damit in keinem Zusammenhang stehen dürfte. Welche kindische Laune hat dich mitten in der Nacht aus dem Haus gelockt? Bist du irgendeiner herrenlosen Katze nachgelaufen?«

Scipio antwortete nicht. Er versuchte verzweifelt, nicht ständig zu Wespe hinaufzustarren. Sie sah so traurig aus, so verloren. Gar nicht wie die Wespe, über die er sich so oft geärgert hatte.

»Ich wollte mir bloß den Schnee ansehen«, murmelte er.

»Ah ja, der Schnee, der macht nicht nur die Kinder verrückt!«, sagte der schnurrbärtige Carabiniere und zwinkerte Scipio zu, während der andere Polizist Wespe die Treppe hinunterschob.

»Lassen Sie mich los, ich kann allein gehen!«, fuhr Wespe ihn an. Sie sprang die letzte Stufe hinunter und drängte sich mit gesenktem Kopf an Scipio vorbei. »Bo ist bei seiner Tante!«, flüsterte sie ihm zu.

»He, he, nicht so eilig, ja?«, schnauzte der Polizist, von dem sie sich losgerissen hatte, und packte ihren schmalen Nacken.

»*Buona notte*, Dottor Massimo!«, riefen die Carabinieri, bevor sie zwischen den Säulen verschwanden. Wespe drehte sich nicht noch einmal um.

Zögernd stieg Scipio die Treppe hinauf. Er hörte, wie das Eingangstor zuschlug.

Sein Vater blickte ihm wortlos entgegen.

Wer hat das Versteck verraten?, dachte Scipio. Was ist mit den anderen? Was ist mit Prosper, Mosca und Riccio? Wieso ist Bo bei seiner Tante?

»Also, wo kommst du wirklich her?« Sein Vater musterte ihn von Kopf bis Fuß. Scipio glaubte seine Gedanken hören zu können. Bestimmt fragte er sich wieder einmal, was er mit diesem seltsamen Wesen zu tun hatte, das er seinen Sohn nannte: nicht so groß wie er, nicht so klug, interessant, arbeitsam wie er, nicht so beherrscht, berechenbar, vernünftig, kein bisschen so wie er.

»Ich hab es doch schon gesagt«, antwortete Scipio. »Ich hab mir den Schnee angeguckt. Außerdem bin ich einer Katze nachgelaufen. Meiner geht es zum Glück besser, sie frisst wieder.«

»Na bitte, gut, dass ich den Tierarzt nicht gerufen habe.« Dottor Massimo runzelte die Stirn. »Dass du mitten in der Nacht draußen herumstreunst, wird natürlich Folgen haben.« Seine Stimme klang ganz ruhig. Laut wurde er nie, auch wenn er sich noch so sehr ärgerte. »Das Mädchen wird in den nächsten Nächten deine Tür abschließen. Zumindest, solange dieser alberne Schnee dich noch kindischer macht als üblich. Verstanden?«

Scipio antwortete nicht.

»Herrgott, wie ich dieses verstockte Gesicht hasse. Wenn du wüsstest, wie dumm du aussehen kannst.« Mit einem Ruck drehte Scipios Vater sich um. »Ich muss mir etwas mit diesem Kino einfallen lassen«, sagte er im Weggehen. »Verwahrloste Kinder, unglaublich, womöglich kleine Diebe. Die Polizei nimmt das an. Warum hat mir dieser Journalist nichts davon erzählt, der, der vor kurzem hier war, wie hieß er noch gleich? Getz oder so ähnlich.«

»Wieso verwahrlost?« Scipio schluckte. »Das Mädchen sah doch nett aus. Und wenn die Kinder kein Zuhause haben, wieso sollen sie nicht in deinem Kino wohnen? Es steht doch leer.«

»Gott, was Kinder doch manchmal für absurde Dinge von sich geben. Es steht leer, na und? Meinst du, ich will deshalb, dass alle Streuner der Stadt sich dort verkriechen?«

»Aber was wird denn jetzt aus ihnen?« Scipio spürte, wie ihm heiß wurde. Und dann kalt. Furchtbar kalt. »Du hast das Mädchen doch gesehen. Was wird aus ihr? Denkst du darüber nicht nach?«

»Nein.« Überrascht sah sein Vater ihn an. Wie groß er war. »Was regst du dich so über das Geschick dieses Mädchens auf? So viel Anteilnahme zeigst du sonst höchstens für Katzen. Kennst du sie etwa doch?«

»Nein.« Scipio hörte, wie seine Stimme lauter wurde. Er konnte nichts dagegen tun. »Nein, zum Teufel!«, rief er. »Muss ich sie kennen, damit sie mir Leid tut? Kannst du ihr nicht irgendwie helfen? Ich denk, du bist so unheimlich wichtig hier in der Stadt?«

»Geh in dein Bett, Scipio«, antwortete sein Vater und verbarg ein Gähnen hinter seiner schmalen Hand. »Herrgott, was für ein rundum verdorbener Abend.«

»Bitte!«, stammelte Scipio. Die Tränen stiegen ihm in die Augen, und es kamen immer neue nach, so ärgerlich er sie auch wegwischte. »Bitte, Vater, vielleicht kennst du ja jemanden, der so ein Mädchen zu sich nimmt, sie hat doch nichts getan, sie ist doch bloß allein ...«

»Geh ins Bett, Scipio«, unterbrach ihn sein Vater. »Himmel, ich glaube, du hast draußen zu lange den Mond angestarrt. Wahrscheinlich fängst du demnächst an, nach deinem Horoskop zu leben, so wie deine Mutter.«

»Das hat gar nichts mit dem Mond zu tun!«, brüllte Scipio. »Du hörst mir ja sowieso nicht zu! Du weißt ja überhaupt nicht, wer ich bin! Du hast ja keine Ahnung!«

Aber da zog sein Vater auch schon seine Schlafzimmertür hinter sich zu.

Und Scipio stand da und weinte.

BESUCH FÜR VICTOR

Victor hatte eine scheußliche Nacht hinter sich. Der Mann, den er hatte beobachten müssen, war bis zwei Uhr von einer Bar in die nächste gezogen. Danach war er in einem Haus verschwunden, vor dem Victor sich bis zum Morgengrauen die Füße in den Bauch gestanden hatte. Und die ganze Zeit war der Schnee auf ihn herabgerieselt. Victor hatte das Gefühl, bis zu den Knien nur noch aus Eis zu bestehen, aus knirschendem, knackendem Eis.

»Ich werde mich erst mal in die Badewanne legen«, murmelte er, als er die Brücke überquerte, von der es nicht mehr weit zu seinem Haus war. »Mit Wasser so heiß, dass man Tee damit aufbrühen könnte.«

Gähnend suchte er in der Manteltasche nach seinem Schlüssel. Vielleicht sollte er den Beruf wechseln. Die Ober in den Cafés am Markusplatz liefen ebenso viel herum wie er, aber spätestens um Mitternacht konnten sie nach Hause gehen. Oder Museumswärter, warum wurde er nicht Museumswärter? Da war noch früher Schluss. Victor gähnte schon wieder. Er konnte gar nicht mehr aufhören zu gähnen. Er war so schläfrig, dass er die drei kleinen

Gestalten, die vor dem Hauseingang warteten, erst bemerkte, als sie auf ihn zusprangen. Verschreckt sahen sie aus, obwohl der eine Victor eine Pistole ins Nasenloch bohrte, seine eigene Pistole, wie er feststellen musste.

»He, he, was soll das denn werden?«, sagte er beschwichtigend, während die drei ihn vor die Tür zerrten.

»Schließ auf, Victor!«, zischte Prosper, ohne die Pistole wegzunehmen. Aber Victor schob den Lauf einfach zur Seite, bevor er den Hausschlüssel aus der Tasche zog.

»Könnt ihr mir freundlicherweise erklären, was dieses Affentheater soll?«, knurrte er, während er aufschloss. »Wenn das ein neues Kinderspiel ist, dann muss ich euch sagen, dass ich zu alt bin, um es lustig zu finden.«

»Bo und Wespe sind verschwunden«, sagte Mosca. »Und Prop denkt, dass du der Polizei unser Versteck verraten hast. Riccio denkt das auch.«

»Der Polizei oder meiner Tante«, sagte Prosper. Blass vor Wut war er, aber mit den Augen schien er Victor anzuflehen, dass das alles nicht wahr war, dass Victor Bo und Wespe nicht verraten, dass er sie nicht belogen und betrogen hatte.

»Ich habe euch mein Ehrenwort gegeben, habt ihr das schon vergessen?«, polterte Victor. Ungeduldig wand er Prosper die Pistole aus der kalten Hand. »Von mir hat niemand was erfahren, verstanden? Merkt ihr denn überhaupt nicht mehr, wem ihr trauen könnt? Kommt rauf, sonst sind wir hier bald eine Touristenattraktion.«

Zerknirscht schlichen die drei hinter ihm die Treppe hinauf.

»Ich hab gleich gedacht, dass du es nicht warst«, sagte Mosca, als Victor sie in seine Wohnung schob. »Aber Prosper ...«

»Prosper kann nicht mehr klar denken«, vollendete Victor seinen

Satz. »Das ist ja verständlich, wenn sein Bruder wirklich verschwunden ist. Aber jetzt erzählt mir erst mal, wie das passieren konnte. Waren die zwei allein?«

Sie setzten sich in die winzige Küche. Victor machte sich einen Kaffee und stellte den Jungen ein paar Oliven hin, während sie ihm erzählten, was alles passiert war, seit er sich selbst aus seiner Gefangenschaft entlassen hatte. Den Grappa, den er ihnen zum Aufwärmen anbot, lehnten sie dankend ab, nachdem sie einmal daran geschnuppert hatten.

»Ihr habt wirklich Glück, dass ich euch kenne!«, sagte Victor, als sie mit ihrem Bericht fertig waren. »Kein Wort würde ich sonst von dieser verrückten Geschichte glauben. Ihr brecht in ein fremdes Haus ein, schließt ein Abkommen mit der Bestohlenen, verkauft mit ihrer Zustimmung die Beute und schippert nachts auf der Lagune herum, um ein Karussell zu finden. Du meine Güte, gut, dass ihr das nicht den Carabinieri erklären müsst. Dieser verrückten Signora Spavento würde ich gern mal erzählen, was ich von ihr halte! Ein paar Jungen anzustiften, mit ihr nachts zur Isola Segreta rauszufahren.«

»Wir wussten ja nicht, dass der Conte ausgerechnet auf der verfluchten Insel wohnt«, murmelte Mosca kleinlaut.

»Egal.« Victor runzelte die Stirn und rieb sich die übernächtigten Augen. »Was ist in der Tasche? Euer Diebeslohn?«

Mosca nickte.

»Zeig ihm das Geld«, sagte Prosper. »Er wird es uns schon nicht stehlen.«

Zögernd stellte Mosca die Tasche auf Victors Küchentisch. Als er sie aufmachte, pfiff Victor leise durch die Zähne. »Damit seid ihr durch die halbe Stadt gerannt?«, brummte er und nahm eins der Geldbündel heraus. »Ihr habt wirklich Nerven.«

Er zog einen Schein aus dem Bündel, betrachtete ihn näher und hielt ihn dann gegen die Küchenlampe. »Moment mal!«, sagte er. »Da hat euch jemand gründlich hereingelegt. Das ist Falschgeld.«

Entgeistert sahen die Jungen sich an. »Falschgeld?« Riccio riss Victor den Geldschein aus der Hand und starrte ihn besorgt an. »Ich seh nichts. Der ... der sieht doch ganz echt aus.«

»Sieht er nicht«, antwortete Victor, griff noch einmal in die Tasche und untersuchte ein anderes Geldbündel. »Alle falsch«, stellte er fest. »Und nicht mal besonders gut gemacht. Sehen aus, als hätte sie jemand mit einem Farbkopierer hergestellt. Tut mir Leid für euch.« Mit einem Seufzer warf er das Geld zurück in die Tasche. Wie betäubt starrten die drei Jungen sich an.

»Alles umsonst«, murmelte Riccio. »Der Einbruch, die Fahrt über die Lagune. Fast erschossen worden wären wir. Und wofür? Für einen Haufen Falschgeld. Verdammt!« Wütend stieß er die Tasche vom Tisch. Die Geldbündel quollen heraus und fielen auf Victors Küchenboden.

»Und Wespe und Bo sind auch weg!« Mosca vergrub das Gesicht in den Händen.

»Genau.« Victor klaubte das Geld von seinem Fußboden und stopfte es zurück in die Tasche. »Darüber sollten wir jetzt zuerst nachdenken. Wo stecken Bo und das Mädchen?« Mit einem Seufzer stand er auf und ging hinüber in sein Büro. Die drei Jungen folgten ihm, bleich wie Gespenster.

»Dein Anrufbeantworter blinkt«, stellte Mosca fest, als sie vor dem Schreibtisch standen.

»Den werf ich irgendwann vom Balkon«, brummte Victor und drückte auf den Wiedergabeknopf.

Prosper erkannte die Stimme sofort, die aus dem kleinen Lautsprecher drang. Er hätte Esthers Stimme sogar erkannt, wenn sie auf dem Bahnhof von Venedig plötzlich die Zugabfahrtszeiten durchgesagt hätte.

»Signor Getz, hier spricht Esther Hartlieb. Ihr Auftrag hat sich heute Nacht erledigt. Durch den Hinweis einer alten Dame, die unser Plakat gesehen hat, konnten wir meinen Neffen endlich finden. Er hat sich offenbar seit Wochen in einem heruntergekommenen Kino versteckt, zusammen mit einem Mädchen, das seinen Namen nicht verraten will. Die Polizei hat sich ihrer angenommen. Was Bo betrifft, so ist er natürlich noch verstört und etwas mager. Über den Verbleib seines Bruders wollte er bisher nichts sagen. Wer weiß, vielleicht ist er genauso wütend auf ihn wie ich. Die Honorarfrage klären wir in den nächsten Tagen, wir sind noch bis Anfang nächster Woche im *Sandwirth*. Melden Sie Ihren Besuch bitte an. Auf Wiederhören.«

Prosper stand so reglos da, als wäre er zu Stein geworden.

Victor wusste nicht, was er sagen sollte. Er hätte zu gern etwas gesagt, irgendetwas, was den Jungen wieder etwas lebendiger aussehen lassen würde. Aber ihm fiel nichts ein. Kein Wort.

»Was für eine alte Dame?«, fragte Riccio mit kläglicher Stimme.

»Taubendreck, wer kann das gewesen sein?«

»Prospers Tante lässt seit gestern in der ganzen Stadt Plakate aufhängen«, sagte Victor. »Mit einem Foto von Prosper und Bo.« Wer das Foto gemacht hatte, erzählte er vorsichtshalber nicht. »Von einer saftigen Belohnung sollte darauf auch die Rede sein. Habt ihr noch keins gesehen?«

Bestürzt schüttelten die Jungen die Köpfe.

»Nun, die alte Dame offenbar schon«, sagte Victor. »Vielleicht wohnt sie in der Nähe des Kinos und hat irgendwann beobachtet, wie ihr hinein- oder hinausgeschlichen seid. Vielleicht dachte sie sogar, sie tut etwas Gutes, wenn sie die Tante der armen Jungen benachrichtigt.«

Prosper stand da und blickte auf Victors Balkon hinaus. Es war inzwischen hell geworden, aber der Himmel war grau und wolkenverhangen. »Esther wird Bo nie wieder rausrücken«, murmelte Prosper. »Nie wieder.« Voll Verzweiflung blickte er Victor an. »Wo ist das *Sandwirth*?«

Victor war nicht sicher, ob er es ihm sagen sollte, doch Mosca nahm ihm die Entscheidung ab. »An der Riva degli Schiavoni«, antwortete er. »Aber was willst du da? Komm lieber mit uns ins Versteck. Wir müssen unsere Sachen zusammenpacken, bevor die Polizei dort noch mal auftaucht. Victor kann ja in der Zeit vielleicht rauskriegen, wohin die Carabinieri Wespe gebracht haben, oder?« Fragend sah er Victor an.

Der nickte. »Sicher, da genügen ein paar Anrufe. Sagt mir nur ihren richtigen Namen.«

Riccio machte ein bestürztes Gesicht. »Den wissen wir nicht.«

»In ein paar von ihren Büchern steht ein Name«, sagte Prosper mit tonloser Stimme. »Caterina Grimani. Aber was nützt uns das? Bestimmt haben sie Wespe in ein Heim gebracht, und da kriegt ihr sie sowieso nicht wieder raus. Sie ist weg, genau wie Bo.«

»Prosper ...« Victor stand auf und stützte sich auf seinen Schreibtisch. »Komm, das ist nicht das Ende der Welt ...«

»Ist es doch«, sagte Prosper und öffnete die Tür. »Ich muss jetzt erst mal allein sein.«

»Warte doch!« Riccio machte hilflos einen Schritt auf ihn zu. »Wir könnten unseren Kram erst mal zu Ida Spavento bringen. Sie hat uns ihre Hilfe angeboten, hast du das schon vergessen? Gut, sie hat wahrscheinlich nicht damit gerechnet, dass wir schon heute auftauchen, aber versuchen können wir es doch.«

»Versucht es«, sagte Prosper. »Mir ist alles egal.« Dann zog er Victors Wohnungstür hinter sich zu.

Hilfe suchend drehten Mosca und Riccio sich zu Victor um.

»Was jetzt?«, fragte Riccio.

Aber Victor schüttelte nur den Kopf und starrte den Anrufbeantworter an.

ZUFLUCHT

Idas Haushälterin öffnete, als Riccio an der Vordertür klingelte. Sein struppiger Kopf war kaum zu sehen hinter dem großen Karton, den er trug.

»Kenne ich dich nicht?«, brummte die dicke Haushälterin und schob argwöhnisch ihre Brille hoch.

»Stimmt.« Riccio schenkte ihr sein strahlendstes Lächeln. »Aber jetzt will ich nicht zu Ihnen, sondern zu Ida Spavento.«

»So, so.« Die Haushälterin verschränkte die Arme vor dem gewaltigen Busen. »Das heißt ›Signora Spavento‹, du Strolch. Und was willst du von ihr, wenn ich fragen darf?«

»Na, jetzt bin ich gespannt«, murmelte Victor, der mit einem noch größeren Karton hinter Riccio stand. Alle Habseligkeiten der Kinder hatten in drei Pappkartons gepasst. Den dritten trug Mosca. Sie mussten wirklich ein seltsames Trio abgeben. Victor wunderte sich, dass die Frau mit dem geblümten Kittel ihnen die Tür nicht vor der Nase zuschlug. Und aus Victors Manteltaschen lugten Bos Kätzchen.

»Sagen Sie, Riccio und Mosca sind hier, dann weiß sie schon Bescheid«, sagte Riccio.

»Riccio und Mosca, das sind zwei.« Die dicke Frau musterte Victor. »Und das, ist das dein Vater?«

»Der? Ach was!« Riccio lachte. »Das ist ...«

»... sein Onkel«, vollendete Victor den Satz. »Könnten Sie Signora Spavento jetzt bitte Bescheid sagen, bevor mir dieser Karton auf die Füße fällt? Er ist nämlich nicht ganz leicht.«

Die Haushälterin warf ihm einen so strengen Blick zu, dass Victor sich auf der Stelle wie ein kleiner Junge fühlte. Aber sie verschwand. Als sie wiederkam, hielt sie wortlos die Tür auf und winkte die drei herein.

Victor war neugierig auf Ida Spavento. »Sie ist ein bisschen verrückt«, hatte Riccio ihm erzählt. »Und sie raucht wie ein Schlot, aber mir wollte sie keine Zigarette geben. Trotzdem, sonst ist sie nett.«

Victor war sich da nicht so sicher. Mit drei Kindern nachts auf die Lagune hinauszufahren, um einem geheimnisvollen Mann zu folgen, der ihr die kleinen Diebe auf den Hals geschickt hatte – das klang für Victor nicht nett. Verrückt ja. Aber nett? Nein.

Doch als er Ida sah, wie sie in ihrem Wohnzimmer auf dem Teppich kniete, in dem viel zu großen Pullover, da mochte er sie. Obwohl er es nicht wollte.

Ida beugte sich gerade über eine Reihe Fotos, die auf dem Boden lagen, schob sie hierhin und dorthin, tauschte sie aus, legte eins zur Seite. »Na, wenn das keine Überraschung ist!«, sagte sie, als die Jungen mit Victor hereintraten. »So schnell habe ich euren Besuch nicht erwartet. Was ist in den Kartons, und woher habt ihr plötzlich einen Onkel?« Sie schob die Fotos zusammen und stand auf.

Du meine Güte, dachte Victor, sie trägt Gondelohrringe.

»Wir haben ziemlichen Ärger, Ida«, sagte Mosca und stellte seinen Karton ab. Mit einem Seufzer tat Riccio es ihm nach.

»Sind die Hunde von der Dicken da?«, fragte er. »Victor hat nämlich Bos kleine Katzen im Mantel.«

»Du meinst Lucias Hunde? Nein, die haben wir in den Garten gesperrt. Weil sie meine Pralinen gefressen haben.« Ida runzelte die
Stirn und sah die Kinder besorgt an. »Was für ein Ärger? Was ist
passiert?«

»Jemand hat der Polizei unser Versteck verraten!«, sagte Mosca.
Riccios Unterlippe begann zu beben.

»Und die Carabinieri haben Wespe und Bo mitgenommen!«,
fuhr Mosca fort. »Prosper ist ganz fertig, weil ...«

»Moment.« Ida legte ihre Fotos auf einen kleinen Tisch. »Ich bin
heute Morgen noch nicht ganz da. Lasst mich mal sehen, ob ich
das richtig verstanden habe: Ihr hattet ein Versteck, und das hat
die Polizei gefunden. Haben sie euch wegen eurer Diebstähle gesucht?«

»Nein!«, rief Mosca. »Nur wegen Bo. Weil seine Tante nach ihm
sucht. Aber Bo will doch bei Prosper bleiben. Deshalb sind die
zwei weggelaufen. Also haben wir sie bei uns versteckt. Bis gestern Nacht war auch alles in Ordnung, aber jetzt hat jemand das
Versteck verraten, und Bo ist von seiner Tante geschnappt worden,
und Prosper ist ganz verzweifelt, und Wespe haben sie ins Waisenhaus der Barmherzigen Schwestern gebracht, und ...«

»... und der Conte hat uns Falschgeld angedreht«, sagte Riccio.
Er griff in seine Jackentasche und hielt Ida ein Bündel Geldscheine
unter die Nase. »Da, alles falsch.«

Ida ließ sich in den nächsten Sessel sinken. »Du meine Güte!«,
murmelte sie.

Da konnte Victor sich nicht mehr beherrschen. »Diese Kinder haben wirklich schon genug Schwierigkeiten am Hals, Signora Spavento!«, polterte er los. »Und Sie haben dafür gesorgt, dass es noch

mehr geworden sind! Aber Sie mussten sie ja unbedingt zu diesem haarsträubenden Abenteuer überreden! Ein nächtlicher Ausflug zur Isola Segreta ...«

»Victor, sei still!«, murmelte Mosca.

Ida war rot geworden unter ihrem blond gefärbten Haar. »Ihr habt eurem Onkel alles erzählt?«, fragte sie heiser. »Ich dachte, wir sind Freunde ...«

»Er ist doch gar nicht unser Onkel!«, platzte Riccio heraus. »Victor ist ein Detektiv, und er wollte unbedingt mit herkommen. Außerdem hat er uns geholfen, unsere Sachen in Sicherheit zu bringen, und er hat rausgekriegt, dass die Carabinieri Wespe zu den Schwestern gebracht haben.«

»Wespe. Das ist das Mädchen, das mit euch hier war, oder?« Ida spielte mit ihren Ohrringen. »Wisst ihr, die Sache mit Bo und der Tante versteh ich noch nicht so recht, das erklärt ihr mir vielleicht, wenn ich etwas wacher bin. Aber was Wespe betrifft – da müsste sich etwas machen lassen.«

Ida stand auf und nahm eins der Kätzchen aus Victors Manteltasche. Vorsichtig setzte sie es sich auf die Schulter. »Ich hatte so ein ungutes Gefühl, seit wir bei dieser Insel waren«, sagte sie. »Kein Auge habe ich die ganze Nacht zugemacht. Was ist mit Scipio?«

»Der weiß von dem Ärger noch gar nichts«, antwortete Mosca.

»Nun, das würde im Moment ja auch nicht viel nützen.« Ida wandte sich wieder Victor zu. »Gut. Was tun wir?« Sie blickte ihn an, als erwarte sie von ihm eine Antwort.

Verdattert erwiderte er ihren Blick. »Was, *wir*?«, stammelte er.

»Gar nichts können wir tun. Höchstens Prosper daran hindern, sich in die Lagune zu stürzen. Es geht eben nicht gut, wenn ein Haufen Kinder allein zurechtkommen will.«

»Im Waisenhaus kommen sie meist auch nicht allzu gut zurecht!« Ida runzelte ungeduldig die Stirn. »Die Kinder brauchen doch wohl Hilfe, oder glauben Sie, dieser Schlamassel klärt sich von ganz allein, Signor ...?«

»Das ist Victor«, sagte Riccio. »Aber Sie können ihn auch Signor Getz nennen.«

Victor warf ihm einen entnervten Blick zu.

»Ich hätte euch gleich alle hier behalten sollen, als ihr mitten in der Nacht bei mir aufgetaucht seid!«, sagte Ida zu den Jungen. Bos Kätzchen spielte mit ihrem Gondelohrring. »Aber ich dachte, ihr kommt wirklich zurecht – ach was, ich glaube einfach zu gern an Märchen! Ich werde versuchen es wieder gutzumachen. Lucia wird euch etwas zu essen geben und dann bringt ihr eure Sachen nach oben. Unter dem Dach ist noch ein leeres Zimmer. Nur was unternehmen wir wegen Prosper und dem Kleinen? Können wir da irgendwas tun?«

»An Bo kommen wir nicht heran«, antwortete Victor mit abweisender Miene. »Keine Chance. Seine Tante hat das Sorgerecht. Und seinen großen Bruder sollten wir im Auge behalten, er war ziemlich verzweifelt, als wir ihn zuletzt gesehen haben. Riccio, traust du dir zu, Prosper zu finden, auch wenn er nicht vorm *Gabrielli Sandwirth* steht?«

Riccio nickte. »Den find ich schon«, sagte er. »Und dann bring ich ihn her.«

»Gut.« Ida nickte. »Das hört sich doch schon besser an. Mosca«, sie drehte sich ihm zu, »ich weiß nicht, was für einen Streit ihr mit Scipio habt, aber ich finde, du solltest ihn anrufen und ihm erzählen, was letzte Nacht passiert ist. Und dass ihr jetzt hier untergeschlüpft seid. Machst du das?«

Mosca nickte, wenn auch wenig begeistert. »Soll ich ihm das mit dem Falschgeld auch erzählen?«, fragte er.

Ida zuckte die Achseln. »Irgendwann muss er es erfahren, oder? Jetzt zu uns«, sie stieß Victor den Finger vor die Brust, »wie wäre es, wenn wir zwei uns jetzt aufmachten, um das arme Mädchen aus dem Waisenhaus zu holen, Victor oder Signor Getz, was immer Ihnen lieber ist?«

»Victor reicht«, knurrte Victor. »Aber warum stellen Sie sich das so einfach vor?«

Ida setzte das Kätzchen auf die Erde und lächelte ihn an. »Oh, ich habe da so meine Beziehungen«, sagte sie. »Und Sie müssen mich nicht begleiten, wenn Sie nicht wollen. Obwohl zwei Erwachsene bei solchen Angelegenheiten immer beeindruckender wirken als einer.«

Victor sah unbehaglich auf seine Schuhe. Idas Teppiche waren nicht so abgetreten wie seine und hübscher, viel hübscher. »Ich hatte mal etwas Ärger mit den Barmherzigen Schwestern«, murmelte er. »Habe einen Einbrecher gesucht, der sich gern als Nonne tarnte, und mir dabei leider eine echte Schwester gegriffen. Sie sind seither nicht gut auf mich zu sprechen. Obwohl ich ihnen vor zwei Jahren ihre schönste Marienstatue wiederbeschafft habe.«

Mosca und Riccio stießen sich an und grinsten, aber Ida musterte Victor nur mit schief gelegtem Kopf.

»Wir könnten uns verkleiden«, schlug sie vor. »Im Moment sehen Sie ganz wie ein Detektiv aus, aber das lässt sich ja leicht ändern. Ich habe einen Schrank mit Kleidungsstücken, die ich als Requisiten für meine Fotos verwende. Anzüge sind natürlich auch dabei, sogar einige aus dem neunzehnten Jahrhundert.«

»Das zwanzigste wäre mir lieber«, murmelte Victor.

Ida lächelte. »Ich habe auch falsche Bärte!«, sagte sie. »Eine ganze Sammlung.«

»Wirklich?« Victor warf Riccio einen Blick zu. »Meine wurden mir vor kurzem gestohlen, aber zum Glück habe ich sie heute wieder gefunden.«

Riccio wurde rot und guckte aus dem Fenster.

Victor aber folgte Ida zu einem kleinen Raum im Erdgeschoss, in dem nichts als zwei riesige Schränke standen. Dass sie falsche Bärte hat, dachte er, während er sich einen Anzug aussuchte, das ist wirklich erstaunlich.

DAS WAISENHAUS

Wespe saß auf dem Bett, das man ihr zugewiesen hatte, betrachtete die Wände ringsum, kahl und weiß, und schloss zum hundertsten Mal die Augen, um einen anderen Raum zu sehen: einen Vorhang voller Sterne. Eine Matratze, umgeben von Bücherstapeln, die ihr nachts Geschichten zuraunten. Sie rief sich die Stimmen ins Gedächtnis, Moscas, Riccios, immer ein bisschen aufgeregt, Scipios, Prospers – und Bos Stimme, heller als ihre eigene. Wespe fasste nach der kalten, weiß bezogenen Bettdecke und stellte sich vor, sie hielte Bos kleine, runde Hand. So warm …

Nicht dass es hier im Waisenhaus kälter gewesen wäre als in dem verlassenen Kino, wahrscheinlich war es viel wärmer, aber Wespe fror. Bis in die Knochen, bis ins Herz. Ob es Bo bei seiner Tante besser ging? Und was war mit den anderen?

Wespe spürte, wie ihr Magen knurrte. Sie hatte nichts gegessen, seit die Carabinieri sie hierher gebracht hatten. Nicht das Frühstück, das die Schwestern ihr hingestellt hatten, nicht das Mittagessen. Mittagessen gab es hier sehr früh. Die anderen Kinder waren noch unten im Speisesaal. Der Essensgeruch zog bis herauf in die Schlafräume. Wie viel besser hatte es gerochen, wenn

Mosca Spaghetti kochte, auch wenn er immer zu viel Salz ins Wasser tat und die Soße meistens anbrennen ließ.

Wespe stand auf und trat an das Fenster, durch das man auf den Hof hinabsehen konnte. Ein paar Tauben pickten zwischen den Steinen herum. Die konnten wegfliegen, einfach so. Wespe sah zwei Erwachsene durch das große Eingangstor kommen, eine Frau mit einem schwarzen Hut und einen Mann mit Bart. Die Nonne mit der lauten Stimme führte die beiden auf das Haupthaus zu. Waren sie gekommen, um ein Kind zu adoptieren? Bestimmt wollten sie ein kleines Kind, möglichst ein Baby. Nur die Kleinen hatten eine Chance, neue Eltern zu bekommen. Die anderen konnten bloß darauf warten, erwachsen zu werden, Jahr um Jahr. Tage, Wochen, Monate. Wie langsam man wuchs. Bos Katzen wuchsen in einer Woche mehr als Wespe im ganzen letzten Jahr. Jahre, Monate, Wochen, Tage.

Wespe legte die Wange gegen die kalte Scheibe und sah hinüber zum anderen Flügel des Waisenhauses, wo sich hinter einem Fenster noch ein Kind die Nase an der Scheibe flach presste. Sie hatte ihren Namen nicht verraten, obwohl die Schwestern sie immer wieder danach gefragt hatten. Sie wollte nicht hier bleiben, aber sie wollte auch nicht nach Hause. Wenn man keine Eltern mehr hatte so wie Riccio, dann konnte man sich ausmalen, wie wunderbar sie gewesen waren. Aber was tat man, wenn man Eltern hatte und sie waren nicht wunderbar? Nein, sie würde ihren Namen nicht sagen. Niemals.

Die Tür ging auf. Erschrocken drehte Wespe sich um. Sie hatte sie zugemacht, als die anderen Kinder nach unten gegangen waren. Die Nonne mit der lauten Stimme steckte den Kopf herein. »Caterina?«

Wespe zuckte zusammen. Woher kannte sie ihren Namen?

»Aha, das scheint also wirklich dein Name zu sein. Gut, komm bitte mal mit, es möchte dich jemand sehen!«

»Wer denn?«, fragte Wespe. Sie wusste nicht, ob sie sich freuen oder fürchten sollte.

»Warum hast du nicht erzählt, wer deine Patentante ist?«, schimpfte die Nonne, während sie mit Wespe die kahlen Korridore entlangeilte. »So eine berühmte Dame. Du weißt doch bestimmt, wie viel sie schon für das Waisenhaus getan hat.«

Berühmt? Patentante? Wespe verstand gar nichts mehr. Hatte sie eine Patentante? Die Schwester schien aufgeregt zu sein, ständig rückte sie an ihrer Brille herum. Es war eine Brille mit dicken Gläsern, hinter denen ihre Augen seltsam groß aussahen.

»Nun komm schon, Caterina!« Die Nonne zog Wespe ungeduldig weiter. »Wie lange soll sie denn noch auf dich warten?«

Wer?, wollte Wespe rufen. Was ist hier los? Aber sie schluckte die Worte hinunter, als sie Ida sah. Mit dem Hut hätte sie sie fast nicht erkannt. Und wer war der Mann neben ihr?

»Ich glaube, Sie hatten Recht, Signora Spavento!«, trompetete die Schwester schon von weitem. »Sie heißt Caterina, unser namenloses Mädchen. Das ist doch Ihre Patentochter, oder?«

Leicht wie Luft fühlte Wespe sich plötzlich. Sie wollte auf Ida zurennen, ihr um den Hals fallen, sich unter ihrem weiten Mantel verstecken und nie wieder hervorkommen. Aber sie hatte Angst, alles zu verderben. Und so lächelte sie nur zaghaft und ging zögernd auf Ida und ihren fremden Begleiter zu.

»Ja, das ist sie. *Cara!*« Ida breitete die Arme aus und drückte Wespe so fest an sich, dass ihr gleich warm wurde.

»Hallo, Wespe«, raunte der fremde Mann an Idas Seite. Erstaunt sah Wespe ihm ins Gesicht – und erkannte ihn: Victor, den Schnüffler, mit einem neuen Bart. Victor, Bos Freund. Und ihrer.

»Das ist mein Anwalt, *cara*«, erklärte Ida, während sie Wespe wieder losließ.

»*Buon giorno*«, murmelte Wespe und lächelte Victor an.

»Warum nimmst du die Streitereien deiner Eltern nur immer so ernst, *cara*?«, fragte Ida und seufzte so tief, als hätte sie mit Wespe schon viel zu oft über ihre dummen Eltern gesprochen.

»Dreimal ist sie schon fortgelaufen wegen der ewigen Zänkereien«, erklärte sie der Nonne, die die drei gerührt beobachtete. »Ihre Mutter, eine Cousine von mir, hat leider einen unmöglichen Mann geheiratet, aber sie wird sich wohl bald scheiden lassen. Bis das überstanden ist, nehme ich das Mädchen zu mir, sonst läuft sie womöglich noch einmal weg, und wer weiß, wo die Polizei sie dann aufliest. Das letzte Mal hatte sie sich drüben in Burano verkrochen, stellen Sie sich das vor!«

Wespe lauschte Idas Lügen wie verzaubert. Dabei hielt sie ihre Hand fest, als wolle sie sie nie mehr loslassen. So wahr klang das alles, dass Wespe für einen Moment fast selbst an diese Eltern glaubte, die sich ewig stritten, während ihre Kinder sich die Hände auf die Ohren pressten.

Der Nonne mit der lauten Stimme standen vor Rührung die Tränen in den Augen. Die Gläser ihrer Brille beschlugen, und als sie sie abnahm, um sie sauber zu wischen, sah Wespe, dass ihre Augen klein waren, umgeben von Fältchen, ganz anders, als sie ihr durch die dicken Gläser erschienen waren.

»Kann ich Caterina gleich mitnehmen?«, fragte Ida, als wäre das die selbstverständlichste Sache der Welt.

»Aber natürlich, Signora Spavento«, antwortete die Schwester und setzte ihre Brille hastig wieder auf. »Wir sind so froh, dass wir Ihnen auch einmal behilflich sein können, nach all den großzügigen Spenden, die Sie unserem Waisenhaus haben zukommen lassen. Und die Fotos, die Sie von den Kindern gemacht haben – ich sage Ihnen, sie hüten sie alle wie einen Schatz.«

»Ach, schon gut.« Ida wich Wespes neugierigem Blick verlegen aus. »Grüßen Sie bitte Schwester Angela und Schwester Lucia von mir, danken Sie auch der Oberin und schicken Sie mir die Papiere, die zu unterschreiben sind, nach Hause.«

»Natürlich!« Die Schwester eilte zur Tür und hielt sie für Ida auf. »Einen schönen Tag noch, auch Ihnen, Herr Anwalt.«

»Danke!«, brummte Victor, als er mit gewichtigen Schritten an ihr vorbeiging.

Wespe klopfte das Herz bis zum Hals, als sie den Hof überquerten. Unzählige Fenster blickten auf das graue Pflaster herab, kahle, schmucklose Fenster. Nur im Erdgeschoss klebten schon Weihnachtssterne an den Scheiben. Ganz oben presste immer noch ein Mädchen das Gesicht gegen das Glas, genau wie Wespe es getan hatte.

»So viele Fenster«, murmelte Victor neben ihr. »So viele Fenster und so viele Kinder.«

»Ja, und niemand, der sie in den Arm nimmt und sich jeden Tag über sie freut«, sagte Ida. »Was für eine Verschwendung.«

»*ArrivederLa*, Signora Spavento!«, rief die Schwester, die aus dem Pförtnerhäuschen huschte, um ihnen das große Portal zu öffnen.

»Du meine Güte!«, brummte Victor, als sie hindurchgingen. »Die behandeln Sie ja, als hätten Sie einen Heiligenschein! Warum ist dieses Tor so hoch? Man könnte meinen, es wäre für eine Elefantenherde gebaut worden und nicht für Kinder.«

Wespe machte sich von seiner Hand los. Sie hatte es plötzlich sehr eilig. Sie lief zum Rand des Kanals, an dessen Ufer das Waisenhaus lag, spuckte in das dunkle Wasser, schaute den Schiffen nach, die hinunter zum Canal Grande fuhren, und atmete tief ein.

Einen Moment stand sie so da, die Lungen gefüllt mit der frischen, feuchten Luft.

Dann atmete sie sie wieder aus, ganz langsam, und mit ihr all die Angst und Verzweiflung, die sie erfüllt hatten, seit die Carabinieri sie hergebracht hatten. Aber dann fiel ihr plötzlich Bo ein.

Besorgt drehte sie sich zu Ida und Victor um. »Was ist mit Bo?«, fragte sie. »Und mit den anderen?«

Victor zog sich den falschen Bart vom Kinn. »Mosca und Riccio sind bei Ida«, sagte er. »Aber Bo ist noch bei seiner Tante.«

Wespe senkte den Kopf und stieß mit dem Fuß eine Zigarettenkippe in den Kanal. »Und Prosper?«, fragte sie.

»Den sucht Riccio gerade«, antwortete Victor. »Mach nicht so ein Gesicht. Er wird ihn schon finden.«

PROSPER

Riccio fand Prosper vor dem *Gabrielli Sandwirth*. Wie festgefro-
ren stand er auf der breiten Promenade, ohne die Leute zu beachten, die an ihm vorbeigingen. An der Riva degli Schiavoni
herrschte immer Gedränge, selbst an einem so schneidend kalten
Tag wie diesem, denn einige der schönsten Hotels der Stadt lagen
hier. Zahllose Schiffe liefen die Anlegestellen an, es war ein einziges Kommen und Gehen. Prosper hörte, wie der Wind die Schiffe
gegen die Anleger trieb, wie sie dumpf gegen das Holz prallten, er
hörte die vorbeigehenden Menschen lachen und reden, in unzäh-
ligen Sprachen, aber er stand nur da, den Kragen hochgeschlagen
gegen die eisige Kälte, und sah zu den Fenstern des *Sandwirth*
hinauf. Als Riccio ihm die Hand auf die Schulter legte, drehte er
sich erschrocken um.
»He, Prop, da bist du ja endlich!«, sagte Riccio erleichtert. »Ich
such schon den halben Tag nach dir. Hier war ich auch schon ein
paar Mal, aber du warst nicht da.«
»Tut mir Leid«, murmelte Prosper und drehte sich wieder um.
»Ich bin ihnen den ganzen Tag hinterhergelaufen«, sagte er, »ohne
dass sie es gemerkt haben. Manchmal hat Bo mich fast entdeckt,
dann hab ich mich schnell geduckt. Ich hatte Angst, er dreht durch,

wenn er mich sieht. So was kann mein Onkel gar nicht leiden.«
Prosper strich sich das Haar aus der Stirn. »Ich bin ihnen überallhin gefolgt. Sie haben Bo was zum Anziehen gekauft, sogar eine
Fliege wollte Esther ihm umbinden, aber die hat Bo heimlich in
einen Papierkorb geschmissen. Du würdest ihn nicht wieder erkennen. In den zu großen Pullovern, die Scipio ihm mitgebracht
hat, sah er wirklich ganz anders aus. Sogar zum Frisör haben sie
ihn geschleppt, keine Spur ist mehr von der schwarzen Farbe zu
sehen, die wir ihm auf den Kopf geschmiert haben. Dann sind sie
mit ihm von einem Café zum nächsten gewandert, doch er hat nie
was angerührt, egal, was sie ihm bestellt haben. Er hat einfach nur
über ihre Köpfe weggestarrt. Einmal hat er mich, glaub ich, hinter
der Scheibe entdeckt und wollte losrennen, aber mein Onkel hat
ihn sich geschnappt wie einen kleinen Hund und wieder auf den
Stuhl gesetzt. Vor das riesengroße Eis, das er nicht essen wollte.«
»Warum hat er es nicht gegessen?« Riccio konnte sich nichts und
niemanden vorstellen, der ihm den Appetit auf große Eisbecher
verderben könnte.
Prosper musste lächeln. Aber sein Gesicht wurde sofort wieder
ernst. »Sie sind jetzt dadrin«, sagte er und zeigte hinauf zu den
erleuchteten Fenstern. »Irgendwann hab ich mich getraut, reinzugehen und den Portier zu fragen, in welchem Zimmer Esther
wohnt. Aber der Kerl hat nur gesagt, die Hartliebs sind nicht zu
sprechen. Für niemanden.«
Ein paar Augenblicke lang standen die beiden Jungen nebeneinander da und blickten zu den Fenstern hinauf. Schöne Fenster
waren es, hell erleuchtet, mit schimmernden Vorhängen. Hinter
welchem Bo wohl steckte?
»Komm jetzt!«, sagte Riccio schließlich und blickte einem Mann
nach, der seinen Fotoapparat leichtsinnig hin- und herschwenkte.

»Du kannst doch nicht bis in die Nacht hier herumstehen. Willst du nicht wissen, wo wir untergekommen sind? Victor hat uns geholfen, unseren Kram zusammenzupacken, und dann haben wir alles zum Campo Santa Margherita geschleppt. Mosca hat den ganzen Weg lang genörgelt, dass das eine Schnapsidee von mir ist, aber was soll ich dir sagen? Ida hat uns ohne mit der Wimper zu zucken aufgenommen! Sogar ein eigenes Zimmer haben wir, unterm Dach. Die Matratzen konnten wir ja nicht mitnehmen, aber Ida hatte noch zwei alte Betten, die haben wir erst mal zusammengeschoben. Wird ein bisschen eng für uns alle, aber besser als draußen schlafen ist es allemal. Nun sag doch mal was! Ist das nicht wunderbar? Komm, es gibt auch bald was zu essen. Ich sag dir, die dicke Haushälterin kann kochen!« Er griff nach Prospers Arm, aber Prosper schüttelte den Kopf.

»Nein!«, sagte er und machte sich los. »Ich bleib hier.«

Riccio stieß einen tiefen Seufzer aus und warf einen Blick zum Himmel, als bitte er um Beistand von dort oben. »Prop!«, sagte er beschwörend. »Was meinst du, was der Portier macht, wenn er dich mitten in der Nacht vor dem Hotel herumlungern sieht? Der holt die Carabinieri. Und was willst du denen erzählen? Dass deine Tante deinen Bruder entführt hat?«

Prosper antwortete nicht. »Geh weg, Riccio«, sagte er, ohne die Augen von den Hotelfenstern zu wenden. »Alles ist kaputt. Wir haben kein Versteck mehr, Wespe ist weg und Bo ist bei Esther.«

»Wespe ist nicht weg!«, rief Riccio so laut, dass sich die Leute nach ihm umdrehten. Schnell senkte er die Stimme. »Sie ist nicht weg!«, flüsterte er. »Ida und der Schnüffler haben sie rausgeholt aus dem Waisenhaus, in das man sie gesteckt hatte!«

»Ida und Victor?« Ungläubig sah Prosper ihn an.

»Ja, und weißt du was, sie haben richtig Spaß daran gehabt. Du hättest die beiden sehen sollen, wie sie loszogen, eingehakt wie ein altes Ehepaar.« Riccio kicherte. »Der Schnüffler benimmt sich wie ein echter Gentleman, er hält Ida die Tür auf und hilft ihr in den Mantel. Nur die Zigaretten zündet er ihr nicht an, wegen dem Rauchen nörgelt er mit ihr rum.«

»Aber wie haben sie das geschafft?«

Riccio stellte zufrieden fest, dass Prosper das Hotel offenbar für ein paar Augenblicke vergessen hatte. »Wespe ist in das Waisenhaus der Barmherzigen Schwestern gebracht worden, in dem ist Ida doch auch mal gewesen«, erzählte er mit leiser Stimme. »Na, jedenfalls, sie spendet da wohl öfter Geld, sammelt Spielzeug, all so was ... Victor sagt, die Nonnen haben sie wie die Jungfrau Maria behandelt und ihr alles geglaubt, was sie gesagt hat. Er brauchte nur daneben stehen und wichtig gucken.«

»Das ist wirklich eine gute Nachricht.« Prospers Blick kehrte zu den Fenstern zurück. »Grüß Wespe von mir. Geht es ihr gut?«

»Nein, tut es nicht!« Riccio stellte sich so, dass Prosper ihn einfach ansehen musste. »Weil sie sich nämlich um dich Sorgen macht. Um Bo auch, aber der wird wahrscheinlich nicht in die Lagune springen.«

»Glaubt sie etwa, dass ich so was vorhabe?« Ärgerlich stieß Prosper Riccio zurück. »So ein Blödsinn. Ich hab Angst vor Wasser.«

»Na, wunderbar, erzähl ihr das selber, bitte!« Riccio hob flehend die Hände vor Prospers Gesicht. »Ich hab sie nur kurz gesehen, als ich mir heute Mittag was zum Essen abgeholt hab. Dieses ganze Gesuche nach dir macht hungrig, weißt du, aber Wespe hat mich kaum fertig essen lassen.« Er verstellte seine Stimme. »›Nun geh schon, Riccio!‹«, flötete er. »›Du musst doch gleich platzen, Riccio. Such Prosper. Bitte! Vielleicht hat er sich in irgendeinen Kanal geworfen!‹ Sogar mitkommen wollte sie, aber Ida hat gesagt, sie soll besser eine Weile im Haus bleiben, damit sie nicht gleich wieder im Heim landet. War mir nur recht, ihr Gerede hätte mich verrückt gemacht. Außerdem wusste ich ja, dass du irgendwann hier auftauchst.«

Riccio entdeckte ein Lächeln auf Prospers Gesicht, ein ganz kleines, aber es war da. »So«, sagte er. »Jetzt hab ich genug geredet. Morgen früh kannst du dich wieder hier hinstellen, aber jetzt kommst du mit.«

Prosper antwortete nicht, aber er ließ sich von Riccio mitziehen, vorbei an den Andenkenständen, die überall auf der Riva degli Schiavoni standen. Viele Händler bauten ihre Stände um diese Zeit schon ab, aber an einigen konnte man noch etwas kaufen: die Plastikfächer, die Bo so mochte, mit schwarzer Spitze und der Rialtobrücke darauf, Korallenketten, Gondeln aus goldfarbenem Kunststoff, Stadtführer, getrocknete Seepferdchen.

Prosper folgte Riccio durch das Gedränge, aber immer wieder blieb er stehen und blickte zum *Gabrielli Sandwirth* zurück. Als Riccio ihn dabei ertappte, legte er ihm tröstend den Arm um die Schulter. Er musste sich etwas recken dafür, schließlich war er ein ganzes Stück kleiner als Prosper.

»Komm schon. Wenn Ida und Victor es geschafft haben, Wespe zurückzuholen«, sagte er, »dann schaffen sie es auch bei Bo, du wirst sehen!«

»Sie fliegen Anfang nächster Woche nach Hause«, sagte Prosper. »Was dann?«

»Das ist noch lange hin«, antwortete Riccio und schlug fröstelnd den Kragen hoch. »Außerdem sitzt Bo nicht im Gefängnis oder im Heim. Mann, das ist das *Sandwirth*. Das ist ein verdammt vornehmes Hotel.«

Prosper nickte nur. Er fühlte sich so leer. Leer wie die großen Muscheln, die in Körben vor den Ständen lagen. Wunderschön sahen sie aus, nur ein winziges Loch in der schimmernden Schale verriet manchmal, dass ihnen irgendwer das Leben herausgesaugt hatte.

»Warte mal, Prop.« Riccio war stehen geblieben.

Über der Lagune verfärbte sich der Himmel. Es wurde dunkel, obwohl es gerade erst vier Uhr war. Ein paar Touristen standen wie gebannt am Kai und beobachteten, wie die untergehende Sonne das schmutzige Wasser mit Gold überzog.

»Was für eine Gelegenheit!«, flüsterte Riccio Prosper zu. »Bei dem Anblick merken die nicht mal, wenn ich ihnen die Schuhe klaue. Ich brauche bloß ein paar Sekunden. Guck dir die Muscheln an, bis ich zurück bin.«

Er drehte sich um, hatte schon sein unschuldigstes Ich-bin-nur-ein-magerer-Junge-und-kann-kein-Wässerchen-trüben-Gesicht aufgesetzt, als Prosper ihn am Kragen festhielt.

»Lass das, Riccio«, sagte er ärgerlich, »oder glaubst du, Ida Spavento lässt dich in ihrem Haus schlafen, wenn die Carabinieri dich beim Klauen erwischen?«

»Du verstehst das nicht!« Gekränkt versuchte Riccio sich aus seinem Griff zu befreien. »Ich will nicht aus der Übung kommen.«

Aber Prosper ließ ihn nicht los, und Riccio ging mit einem tiefen Seufzer weiter, während die Touristen den Sonnenuntergang bestaunten, ohne ihr Entzücken mit ihren Geldbörsen bezahlen zu müssen.

ALLES VERLOREN

An diesem Abend gab es in Idas Haus ein Fest. Den ganzen Nachmittag hatte Lucia, die Haushälterin, gekocht, gebraten und gebacken, hatte Sahne geschlagen und winzige Kuchen vom Blech geschaufelt, Ravioli geformt und Soßen gerührt. Immer wieder lockte ein anderer Duft Victor hinunter in die Küche, aber sobald er zu naschen versuchte, bekam er mit dem Holzlöffel eins auf die Finger. Prosper und Wespe deckten zusammen den Tisch im Esszimmer, während Mosca und Riccio sich von einem Stockwerk ins andere jagten, gefolgt von Lucias kläffenden Hunden.

Die beiden waren so ausgelassen und glücklich, sie schienen sich nicht einmal mehr darüber zu ärgern, dass der Conte sie betrogen hatte. »Wir können es doch trotzdem ausgeben«, hatte Riccio gesagt, als Victor ihn gefragt hatte, was sie mit all den Geldbündeln nun vorhatten. Daraufhin hatte Victor fürchterlich geschimpft und verlangt, dass Riccio ihm die Tasche sofort geben sollte. Aber Riccio hatte nur grinsend den Kopf geschüttelt und verkündet, dass er und Mosca die Tasche versteckt hätten. An einem sicheren Ort, wie er sagte. Nicht mal Wespe und Prosper wussten, wo, aber die beiden schien das auch nicht sonderlich zu interessieren.

Also beschloss Victor, sich ebenfalls keine Gedanken mehr über das Falschgeld zu machen, setzte sich auf das Sofa in Idas *salotto*, naschte Pralinen und versuchte sich zu überreden, nach Hause zu gehen. Um seine Schildkröten zu füttern und etwas Geld zu verdienen. Aber jedes Mal, wenn er sich mit einem Seufzer erheben und verabschieden wollte, brachte Ida ihm ein Glas Grappa oder einen *caffè* oder bat ihn, Zahnstocher auf den Esstisch zu stellen. Und Victor blieb.

Während es draußen dunkel wurde und der Mond seine Stadt wieder in Besitz nahm, brachte Ida ihr altes Haus zum Leuchten, als solle es dem blassen Mondlicht Konkurrenz machen. Es war unmöglich, all die Kerzen zu zählen, die sie anzündete. Am Kronleuchter über dem Esstisch brannte nur jede zweite Glühbirne, aber das Kristallglas glitzerte so wunderbar, dass Wespe kaum den Blick davon wenden konnte.

»Kneif mich!«, sagte sie zu Prosper, als sie die Teller gedeckt, das Besteck hingelegt und genug Gläser für alle auf den großen, dunklen Tisch gestellt hatten. »Das hier kann nicht echt sein.«

Prosper gehorchte. Ganz sacht kniff er sie in den Arm.

»Es ist echt!«, rief Wespe und tanzte lachend um ihn herum.

Aber selbst ihre Ausgelassenheit konnte den traurigen Ausdruck nicht von Prospers Gesicht scheuchen. Sie alle hatten es schon auf ihre Weise versucht, Riccio mit Scherzen und Mosca, indem er Prosper all die Seltsamkeiten zeigte, die Idas Haus hinter dunklen Türen verbarg. Nichts half, weder Idas Süßigkeiten noch Victors Versicherungen, dass ihm wegen Bo schon noch etwas einfallen würde. Bo war nicht da. Und er fehlte Prosper, wie ihm ein Arm oder ein Bein gefehlt hätte. Es tat ihm Leid, dass er den anderen ihre Freude verdarb mit seinem traurigen Gesicht, er merkte, wie Riccio begann ihm aus dem Weg zu gehen und Mosca die Flucht ergriff, wenn er ihn sah. Nur Wespe blieb weiter in seiner Nähe. Doch wenn sie voll Mitleid versuchte, ihn in den Arm zu nehmen, dann schob er sie schnell weg, rückte die Gabeln auf dem Tisch zurecht oder hockte sich vor ein Fenster und starrte nach draußen.

Beim Essen alberten Riccio und Mosca so herum, dass Victor irgendwann brummte, mit einer Horde Affen am Tisch könnte es auch nicht lauter zugehen. Aber Prosper sagte kein Wort.

Als die anderen mit Ida und Victor Karten spielten, ging er schon nach oben. Ida hatte noch zwei Luftmatratzen aufgetrieben, damit es ihnen nicht zu eng wurde in den beiden Betten, die Riccio zusammengeschoben hatte. Wespe hatte sich eine davon schon an die Wand geschoben und alle ihre Bücher drum herum gestapelt. Mosca und Riccio hatten nicht gewagt, auch nur eins im Kino zu lassen. Prosper zog die zweite Luftmatratze unter das Fenster, durch das man den Kanal hinter Idas Garten sehen konnte. Die Decken aus Lucias Wäscheschrank rochen nach Lavendel. Prosper vergrub sich ganz tief darunter, einschlafen konnte er trotzdem nicht.

Als die anderen um elf in die Betten krochen und Victor sich doch noch leicht schwankend auf den Heimweg machte, weil ihn das schlechte Gewissen zu seinen hungrigen Schildkröten trieb, schlief Prosper immer noch nicht. Aber er tat so. Mit dem Gesicht zur Wand lag er da und wartete darauf, dass die anderen einschliefen.

Sobald Riccio im Schlaf leise kicherte, Mosca unter seiner Decke schnarchte und Wespe mit einem Lächeln zwischen ihren Büchern schlief, stand Prosper auf. Die abgetretenen Holzdielen knarrten unter seinen Füßen, aber davon wachte keiner der anderen auf. So sicher wie in Idas Haus hatten sie sich noch nie in ihrem Leben gefühlt.

Auf der Treppe nach unten stolperte Prosper fast vor Müdigkeit, aber wie sollte er jemals wieder schlafen können? Alles war verloren. Die gute Zeit war vorbei. Wieder einmal. Dieser Gedanke kam zurück, sooft er ihn auch fortschickte. Leise tappte er die Treppe ins Erdgeschoss hinunter. Die Masken starrten ihn aus der Dunkelheit an, doch diesmal machten sie ihm keine Angst.

Lucia sperrte die Tür in der Küche ab, seit Ida ihr erzählt hatte, wie die Kinder nachts ins Haus gekommen waren. Sie hatte das rostige Schloss geölt und poliert. Die Tür quietschte leise in den Angeln, als Prosper sie öffnete und hinaus in den dunklen Garten trat.

Weiß vom Raureif war alles. In der Nacht gehörte jeder Stein der Stadt dem Winter. Die Kälte schien bis hinauf zu den Sternen zu reichen. Dort, wo Idas Grundstück an den Kanal grenzte, war eine Pforte in der Mauer, nur ein paar Handbreit über dem Wasser. Prosper hörte, wie das Kanalwasser gegen den Fuß der Mauer schwappte, als er die Tür öffnete. Idas Boot schaukelte fest vertäut zwischen zwei bemalten Holzpfeilern, wie sie in der Stadt des Mondes überall aus den Kanälen ragten. Ihr Muster und die Farbe der Spitze verrieten, wem die Anlegestelle gehörte. Vorsichtig kletterte Prosper hinunter in das Boot, hockte sich auf die kalte Sitzbank und starrte zum Mond hinauf.

Was soll ich tun?, dachte er. Sag schon. Was soll ich tun?

Aber der Mond gab ihm keine Antwort.

In fast jeder Geschichte, die Prospers Mutter erzählt hatte, war er vorgekommen – der Mond. Ein mächtiger Verbündeter, der Träume wahr machen konnte und Türen öffnete, wenn man aus dieser Welt in eine andere schlüpfen wollte. Hier, in seiner eigenen Stadt, war der Mond eine Frau, *la bella luna*. Bo hatte das sehr gefallen. Aber egal, ob sie oder er – kleine Brüder konnte der Mond nicht zurückbringen.

Prosper saß in Idas Boot und die Tränen liefen ihm an der Nase herunter. Er hatte geglaubt, dies wäre seine Stadt, nur seine und die von Bo. Er hatte geglaubt, wenn sie sich hierher flüchteten, an diesen Ort, der so anders war als alle anderen Orte, dann wären sie sicher vor Esther. Esther gehörte nicht hierher. Esther verabscheute Venedig, sie war ein Eindringling. Warum hackten die Tauben nicht nach ihr? Warum bissen die Marmordrachen ihr nicht in den Nacken, warum brüllten die geflügelten Löwen sie nicht fort? Sie konnten ihn nicht beschützen, wie er geglaubt hatte.

Wie wunderbar waren die Löwen ihm erschienen, als er sie das erste Mal wirklich gesehen hatte – nicht durch die Augen seiner Mutter, sondern mit seinen eigenen. Er hatte hochgeblickt zu ihnen, wie sie auf Säulen und zwischen den Sternen standen, hatte mit den Fingern über den kühlen Stein gestrichen und sich vorgestellt, wie sie die Wunder Venedigs bewachten. Und ihn. Als er mit Bo die Treppe der Riesen hinaufgestiegen war, drinnen im Hof des Dogenpalastes, und dort oben gestanden hatte, zwischen den gewaltigen Figuren, hatte er sich so sicher gefühlt wie ein König in seinem Reich, beschützt von Löwen und Drachen und vom Wasser, das ihn umgab. Esther hasste Wasser, sie hatte Angst, auch nur ein Boot zu besteigen. Und trotzdem war sie gekommen und hatte Bo geholt. Und nun war Prosper kein König mehr, nun war er nur noch ein Garnichts, zu klein, zu schwach, ein Bettler in seiner Stadt, vertrieben aus seinem Palast und seines Bruders beraubt.

Prosper wischte sich mit dem Ärmel die Tränen aus dem Gesicht. Als er ein Motorboot den Kanal herunterkommen hörte, duckte er sich und wartete darauf, dass es vorbeifuhr. Aber es fuhr nicht vorbei. Das Motorengeräusch verstummte, Prosper hörte jemanden leise fluchen und dann stieß etwas gegen Idas Boot. Erschrocken lugte er über den Bootsrand.

Scipio schob die dunkle Maske hoch und lächelte so erleichtert, dass Prosper für einen Moment vergaß, warum seine Augen voller Tränen waren.

»Sieh einer an«, sagte der Herr der Diebe. »Wenn das kein Glück ist! Weißt du, dass ich hier bin, um dich abzuholen?«

»Abholen? Wohin?« Prosper kam verdutzt auf die Füße. »Wo hast du das Boot her?« Es war ein schönes Boot, aus dunklem Holz, verziert mit goldenen Ornamenten.

»Gehört meinem Vater«, antwortete Scipio und klopfte auf das Holz, als tätschelte er einem edlen Pferd die Flanke. »Ist sein ganzer Stolz. Ich hab es mir ausgeliehen, und soeben hat es den ersten Kratzer abbekommen.«

»Woher weißt du, dass wir hier sind?«, fragte Prosper und beugte sich besorgt über die Bootswand, aber er konnte an Idas Boot keinen Kratzer entdecken.

»Mosca hat mich angerufen.« Scipio blickte zum Mond hinauf. »Er hat mir erzählt, dass der Conte uns betrogen hat. Und Bo soll bei deiner Tante sein. Stimmt das?«

Prosper nickte und fuhr sich mit dem Handrücken über die Augen. Er wollte nicht, dass Scipio merkte, dass er geweint hatte.

»Tut mir Leid.« Scipios Stimme klang belegt. »Es war dumm, ihn und Wespe allein zu lassen, was?«

Prosper antwortete nicht, obwohl er denselben Gedanken schon mindestens hundert Mal gehabt hatte.

»Prop?« Scipio räusperte sich. »Ich fahr noch mal raus zur Isola Segreta. Kommst du mit?« Entgeistert sah Prosper ihn an.

»Der Conte hat uns betrogen!« Scipio senkte die Stimme, als könnte sie jemand belauschen. »Er hat uns reingelegt. Entweder er gibt mir das Geld, aber diesmal echtes, oder er lässt mich auf dem Karussell fahren. Es ist auf der Insel, ganz bestimmt!«

Prosper schüttelte den Kopf. »Du glaubst doch nicht wirklich an die Geschichte, oder? Vergiss sie und vergiss auch das Geld, wir haben uns eben reinlegen lassen. Pech. Was hilft es, noch darüber nachzugrübeln? Die anderen haben es auch abgeschrieben. Riccio überlegt schon, wie er das Falschgeld unter die Leute bringt. Aber zu der verfluchten Insel würde keiner noch mal fahren, nicht mal für eine Tasche voll echtem Geld.«

Scipio sah ihn an und spielte mit dem Band seiner Maske. »Ich würde hinfahren«, sagte er. »Mit dir zusammen. Ich will auf diesem Karussell fahren, und wenn der Conte mich nicht lässt, dann hol ich mir den Flügel zurück. Komm mit, Prop, ja? Was hast du noch zu verlieren, jetzt, wo Bo weg ist?«

Prosper musterte seine Hände. Kinderhände. Er dachte an den herablassenden Blick, mit dem ihn der Portier im *Gabrielli Sandwirth* gemustert hatte, und an seinen schrankgroßen Onkel, wie er neben Bo hergegangen war, die Hand besitzergreifend auf Bos schmaler Schulter. Und plötzlich wünschte Prosper sich, dass Scipio Recht hatte. Dass dort draußen auf dieser unheimlichen Insel etwas auf sie wartete, das aus klein groß und aus schwach stark machte. Und dieser Wunsch machte sich breit in der Leere, die sein Herz erfüllte. Ohne ein weiteres Wort sprang er hinüber in Scipios Boot.

DIE ISOLA SEGRETA

Es war eine dunkle Nacht. Immer wieder verschwand der Mond hinter den Wolken. Obwohl Scipio seinem Vater eine Seekarte gestohlen hatte, nach der sie sich richten konnten, kamen sie zweimal vom Weg ab. Beim ersten Mal brachte sie der Anblick der Friedhofsinsel auf den richtigen Kurs zurück, und als Murano aus der Nacht auftauchte, wussten sie, dass sie zu weit nach Westen gefahren waren. Dann endlich, als sie schon so durchgefroren waren, dass sie kaum noch ihre Finger spürten, tauchte aus der Nacht die Mauer der Isola Segreta auf, bleichgrau vom Laternenlicht. Die steinernen Engel blickten zu ihnen herüber, als hätten sie sie erwartet.
Scipio drosselte den Motor. Das Boot des Conte schaukelte mit eingezogenem Segel am Steg, und Prosper hörte die Hunde anschlagen.
»Was nun?«, flüsterte er Scipio zu. »Wie willst du an den Doggen vorbeikommen?«
»Meinst du, ich bin so verrückt, über das Tor zu klettern?«, antwortete Scipio leise. »Wir versuchen es auf der Rückseite.«
Prosper hielt das für keinen sonderlich klugen Plan, aber er sagte nichts. Wenn sie auf die Insel wollten, blieb ihnen wohl nichts anderes übrig.

Das Hundegebell verstummte erst, als sie das Licht der Laternen längst hinter sich gelassen hatten. Scipio steuerte das Boot dicht am Ufer entlang, auf der Suche nach irgendeinem Schlupfloch in der Mauer. An einigen Stellen ragte sie direkt aus dem Wasser, an anderen erhob sie sich aus Schilf und Schlick, aber sie schien die ganze Insel zu umgeben. Schließlich ging Scipio die Geduld aus. »Schluss, wir klettern rüber!«, flüsterte er, stellte den Motor aus und warf einen Anker ins Wasser.

»Und wie kommen wir ans Ufer?« Prosper starrte beunruhigt in die Dunkelheit. Etliche Meter Wasser lagen noch zwischen dem Boot und der Insel. »Willst du etwa schwimmen?«

»Unsinn. Hilf mir mal.« Scipio zerrte aus einer Klappe unter dem Steuer zwei Paddel und ein Schlauchboot. Prosper staunte, wie schwer ein bisschen Gummi und Luft sein konnten, als er Scipio half, es über die Reling zu hieven.

Der Atem hing ihnen weiß vor den Mündern, als sie zur Insel paddelten. Sie versteckten das Schlauchboot in dem Schilf, das am Fuß der Mauer wuchs. Aus der Nähe betrachtet sah sie noch höher aus. Prosper legte den Kopf in den Nacken, blickte an ihr hinauf und fragte sich, ob die Doggen wirklich nur das Tor bewachten.

Als die Jungen nebeneinander oben auf dem schartigen Sims hockten, ging ihr Atem schwer und ihre Hände waren wund ge-schürft. Aber sie hatten es geschafft. Vor ihnen lag ein Garten, ein riesiger verwilderter Garten. Sträucher, Hecken, Wege, alles war weiß vom Raureif.

»Siehst du es irgendwo?«, fragte Scipio.

Prosper schüttelte den Kopf. Nein, er sah kein Karussell, nur ein großes Haus. Dunkel ragte es aus den Bäumen.

Die Mauer hinunterzuklettern war fast noch schwerer als hinauf-zukommen. Die Jungen landeten in dichtem Dornengestrüpp, und als sie sich endlich daraus befreit hatten, standen sie unschlüssig da und wussten nicht, in welche Richtung sie sich zuerst wenden sollten.

»Das Karussell muss hinter dem Haus stehen«, flüsterte Scipio, »sonst hätten wir es von oben gesehen.«

»Stimmt«, murmelte Prosper und sah sich um.

Zwischen den kahlen Büschen knackte es, und etwas Kleines, Dunkles huschte über den Weg. Prosper entdeckte Spuren in dem dünnen Schnee, Vogelspuren und die Abdrücke von Pfoten. Ziemlich großen Pfoten.

»Komm, wir versuchen es mit dem Weg da!«, flüsterte Scipio und ging voran.

Moosbewachsene Steinfiguren standen zwischen den Büschen, manche waren fast unter den wuchernden Zweigen verschwunden und streckten nur noch die Arme oder den Kopf heraus. Einmal glaubte Prosper, Schritte hinter sich zu hören, aber als er herumfuhr, flatterte nur ein Vogel aus einer verwilderten Hecke. Es dauerte nicht lange, bis sie sich verirrt hatten. Bald waren sie nicht einmal mehr sicher, in welcher Richtung das Boot lag oder das Haus, das sie von der Mauer aus gesehen hatten.

»Verdammt! Willst du mal vorgehen, Prop?«, fragte Scipio, als sie an einer Wegkreuzung ihre eigenen Spuren im Schnee entdeckten. Aber Prosper antwortete nicht.

Er hatte wieder etwas gehört. Doch diesmal war es kein Vogel, den sie aufgeschreckt hatten. Es klang wie ein Hecheln, kurz und scharf, und dann kam ein Knurren aus der Dunkelheit, leise, tief und so bedrohlich, dass Prosper das Atmen vergaß. Langsam drehte er sich um, und da standen sie, kaum drei Schritte entfernt, als wären sie aus dem Schnee gewachsen. Zwei riesige weiße Doggen. Er hörte Scipio neben sich schneller atmen.

»Rühr dich nicht, Scip!«, flüsterte er. »Wenn wir weglaufen, jagen sie uns.«

»Beißen sie auch, wenn man zittert?«, flüsterte Scipio zurück.

Die Hunde knurrten immer noch. Mit gesenkten Köpfen kamen sie näher, das kurze, bleiche Nackenhaar gesträubt, die Zähne gebleckt. Gleich werden meine Beine loslaufen, dachte Prosper. Sie werden einfach loslaufen, ohne dass ich irgendetwas dagegen tun kann. Verzweifelt kniff er die Augen zu.

»Bimba! Bella! *Basta!*«, rief eine Stimme hinter ihnen.

Die Hunde hörten abrupt auf zu knurren und sprangen an Prosper und Scipio vorbei. Verwirrt drehten die Jungen sich um und blinzelten in das Licht einer Taschenlampe. Ein Mädchen, vielleicht acht, neun Jahre alt, stand hinter ihnen auf dem Weg, fast unsichtbar in dem dunklen Kleid, das es trug. Die Doggen reichten ihr beinahe bis zur Schulter, sie hätte auf ihnen reiten können.

»Sieh einer an!«, sagte sie. »Wie gut, dass ich so gern im Mondlicht spazieren gehe. Was sucht ihr hier?« Die Hunde spitzten die Ohren, als sie die Stimme hob. »Wisst ihr nicht, was mit Leuten passiert, die sich auf die Isola Segreta schleichen?«

Scipio und Prosper sahen sich an.

»Wir wollen zum Conte«, antwortete Scipio, als wäre nichts dabei, mitten in der Nacht in einem fremden Garten herumzuspazieren. Vielleicht klang er auch so mutig, weil Prosper und er beide größer waren als das Mädchen. Aber Prosper fand, dass die Doggen das mehr als aufwogen. Sie standen neben ihr, als würden sie jeden zerreißen, der ihr zu nahe kam.

»Zum Conte. So, so. Macht ihr eure Besuche immer nach Mitternacht?« Das Mädchen leuchtete Scipio ins Gesicht. »Der Conte mag keine unangemeldeten Besucher. Schon gar nicht, wenn sie sich heimlich auf seine Insel schleichen.«

Dann richtete sie die Taschenlampe auf Prosper. Verlegen blinzelte er in das grelle Licht.

»Wir hatten eine Abmachung mit dem Conte!«, rief Scipio. »Aber er hat uns betrogen. Und das werden wir nur hinnehmen, wenn er uns auf dem Karussell fahren lässt. Auf dem Karussell der Barmherzigen Schwestern.«

»Ein Karussell?« Das Mädchen blickte nur noch feindseliger. »Ich weiß nicht, wovon du redest.«

»Wir wissen, dass es hier ist! Zeig es uns!« Scipio machte einen Schritt auf sie zu, doch die Doggen entblößten sofort die Zähne, und Scipio wich an Prospers Seite zurück. »Wenn der Conte uns darauf fahren lässt, gehen wir auch nicht zur Polizei.«

»Wie großzügig!« Das Mädchen musterte ihn spöttisch. »Wieso denkst du, dass er euch jemals wieder gehen lässt? Das hier ist die Isola Segreta. Ihr kennt doch die Geschichten. Wer diese Insel betritt, kehrt nicht zurück. Los!« Sie zeigte ungeduldig auf den Weg, der links von ihnen zwischen den Büschen verschwand. »Dort entlang. Und versucht nicht wegzulaufen. Glaubt mir, meine Hunde sind schneller als ihr.«

Die beiden Jungen zögerten.

»Tut, was ich sage!«, rief das Mädchen ärgerlich. »Oder ihr seid Hundefutter!«

»Bringst du uns zum Conte?«, fragte Scipio. »Sag schon!«

Aber das Mädchen antwortete nicht, sondern gab den Hunden einen leisen Befehl. Ohne einen Laut trabten sie auf Prosper und Scipio zu.

»Komm schon, Scip«, sagte Prosper und griff nach Scipios Arm. Widerstrebend ließ Scipio sich mitziehen.

Die Hunde blieben so dicht hinter den Jungen, dass sie ihren heißen Atem im Nacken spürten. Ab und zu blickte Scipio sich um, als überlegte er, ob es nicht doch einen Versuch wert war, sich in die Büsche zu schlagen, aber Prosper hielt ihn jedes Mal am Ärmel fest.

»Von einem Mädchen gefangen«, knurrte Scipio. »Mann, gut, dass Riccio und Mosca nicht hier sind.«

»Wenn sie uns wirklich zum Conte bringt«, flüsterte Prosper, »dann droh ihm besser nicht mit der Polizei. Wer weiß, was er sonst mit uns anstellt, klar?«

Scipio nickte nur und blickte sich mit düsterer Miene zu den Hunden um.

Nicht lange und sie wussten, wohin das Mädchen sie brachte. Zwischen den Bäumen tauchte das Haus auf, das Prosper von der Mauer aus gesehen hatte. Riesengroß war es, größer als das Haus von Scipios Vater. Doch selbst im Mondlicht, das den Dingen schmeichelt, wirkte es unbewohnt und verwahrlost. Der Putz bröckelte von den Mauern, die Läden vor den dunklen Fenstern hingen schief in den Angeln und das Dach war so löchrig, dass der Mond hindurchschien. Eine breite Treppe führte zum Eingang hinauf. Von der Brüstung beugten sich Engel, aber die Seeluft hatte ihre Steingesichter zernagt, bis sie ebenso unkenntlich waren wie das Wappen über dem Portal.

»O nein, nicht dort hinauf!«, sagte das Mädchen, als Scipio auf die Treppe zusteuerte. »Heute Nacht wird der Conte bestimmt nicht mehr mit euch reden. Ihr könnt den Rest der Nacht im alten Pferdestall verbringen. Dort entlang.« Ungeduldig wies sie auf ein flaches Gebäude neben dem Haus, aber Scipio blieb stehen.

»Nein!«, sagte er und verschränkte trotzig die Arme. »Nur weil du diese Riesenkälber bei dir hast, denkst du, du kannst uns herumkommandieren. Aber ich will jetzt den Conte sprechen. Sofort.«

Das Mädchen schnalzte, und die Doggen stießen Scipio und Prosper die Schnauzen in den Bauch. Erschrocken wichen die Jungen bis an die unterste Treppenstufe zurück.

»Ihr sprecht heute Nacht mit niemandem mehr«, sagte das Mädchen mit scharfer Stimme. »Höchstens mit den Ratten im Stall. Der Conte schläft, er wird morgen früh entscheiden, was wir mit euch machen. Und darüber solltet ihr froh sein, denn so landet ihr nicht gleich jetzt in der Lagune.«

Scipio biss sich auf die Lippen vor Wut, aber die Hunde begannen wieder zu knurren und Prosper zog ihn schnell mit sich.

»Mach, was sie sagt, Scip!«, flüsterte er, während sie auf den Stall zugingen, der genauso verwahrlost aussah wie das Haupthaus. »Wir haben noch die ganze Nacht Zeit, uns zu überlegen, wie wir hier rauskommen, aber das können wir nicht, wenn du Hundefutter bist. Und Karussell fahren kannst du dann auch nicht mehr.«

»Ja, ja, schon gut.« Scipio warf dem Mädchen einen finsteren Blick zu.

»Da rein, die Herren!«, sagte sie und öffnete die Stalltür. Stockfinster war es dahinter, und der Gestank, der ihnen entgegenschlug, war so beißend, dass Scipio angewidert das Gesicht verzog.

»Da rein?«, rief er. »Willst du uns umbringen?«

»Soll ich euch die Hunde als Gesellschaft dalassen?«, fragte das Mädchen und schob den Doggen die Hände zwischen die Zähne.

»Nun komm schon, Scip«, sagte Prosper und zog Scipio in den dunklen Stall. Ein paar Ratten huschten davon, als das Mädchen mit der Taschenlampe hinter ihnen herleuchtete.

»Irgendwo dahinten müssten noch alte Säcke liegen«, sagte sie. »Für eine Nacht dürften die als Betten genügen. Die Ratten sind nicht besonders hungrig, es gibt hier genug für sie zu fressen, also werden sie euch heute Nacht wohl nicht stören. Macht euch nicht die Mühe, nach einem Fluchtweg zu suchen. Es gibt keinen, außerdem werde ich die Hunde vor dem Stall lassen. *Buona notte!*«

Dann schloss sie die Tür. Prosper hörte, wie sie den Riegel vorschob. In dem Stall war es so dunkel, dass er seine eigenen Hände nicht sehen konnte. Nur durch einen Spalt in der Tür sickerte das Mondlicht.

»Prop!«, flüsterte Scipio neben ihm. »Hast du Angst vor Ratten? Ich hab eine Scheißangst vor ihnen.«

»Ich hab mich an sie gewöhnt, im Kino waren ständig welche«, flüsterte Prosper und lauschte in die Dunkelheit. Er hörte, wie das Mädchen draußen mit den Hunden sprach, leise, mit fast zärtlicher Stimme.

»Sehr tröstlich«, murmelte Scipio. Und zuckte so heftig zusammen, als etwas hinter ihm raschelte, dass er Prosper fast umstieß.

Sie hörten, wie sich die Schritte des Mädchens entfernten und die Hunde es sich schnaufend vor dem Stall bequem machten. Als ihre Augen sich an die Dunkelheit gewöhnt hatten, suchten sie nach den Säcken, von denen das Mädchen gesprochen hatte. Aber als Scipio eine Ratte über den Fuß huschte, beschlossen sie, doch lieber nicht auf dem Boden zu schlafen. Sie fanden zwei Holzfässer, auf die sie sich setzten, die Rücken gegen die kalte Mauer gelehnt.

»Er muss uns einfach darauf fahren lassen!«, sagte Scipio irgendwann in die Stille hinein. »Schon, weil er uns so reingelegt hat.«

»Hm«, brummte Prosper.

Er versuchte sich nicht auszumalen, was der Conte sonst noch alles mit ihnen machen könnte. Und dann musste er plötzlich wieder an Bo denken. Zum ersten Mal, seit er in Scipios Boot gesprungen war. Und er fragte sich, ob er seinen kleinen Bruder jemals wieder sehen würde. Es wurde eine endlos lange Nacht, und die Gedanken von Prosper und Scipio waren bald schwärzer als die Dunkelheit in dem stinkenden Stall.

EIN ANRUF IN DER NACHT

Es war schon nach Mitternacht, als Victor das Telefon schrillen hörte. Er zog sich das Kissen über den Kopf, aber es klingelte und klingelte, bis Victor fluchend aus seinem warmen Bett kroch und ins Büro tappte. Dort stolperte er im Dunkeln über die Schildkrötenkiste.

»Wer, zum Teufel, ist da?«, knurrte er in den Hörer, während er sich den schmerzenden Zeh rieb.

»Er ist schon wieder weggelaufen!« Esther Hartliebs Stimme klang so atemlos, dass Victor sie im ersten Moment kaum verstand. »Aber das eine sage ich Ihnen, diesmal nehmen wir ihn nicht zurück! Nein. Die Tischdecke hat der kleine Teufel heruntergerissen, im feinsten Restaurant der Stadt, und während wir dasaßen, mit den Nudeln auf dem Schoß, ist er davongerannt!« Victor hörte sie schluchzen. »Mein Mann hat immer gesagt, dass der Junge nicht zu uns passt, dass er wie meine Schwester ist, aber er sah doch aus wie ein Engel! Man hat uns aus dem Hotel geworfen, weil er so geschrien hat, dass man uns verdächtigt hat, ihn zu schlagen. Können Sie sich das vorstellen? Erst hat er kein Wort gesprochen und bloß stumm in der Ecke gesessen und dann plötzlich diese Tobsuchtsanfälle, nur weil ich versucht habe, ihm saubere

Socken anzuziehen. Meinen Mann hat er sogar gebissen! Er hat mit seinem Taschenmesser Löcher in die Vorhänge geschnitten, Kaffee vom Balkon gegossen ...«, Esther Hartlieb schnappte nach Luft, »... mein Mann und ich fliegen am Montag nach Hause zurück, wie geplant. Sollten meine Neffen in nächster Zeit von der Polizei aufgegriffen werden, dann veranlassen Sie bitte in unserem Namen, dass sie ins Waisenhaus gebracht werden. Es soll einige gute Einrichtungen hier in der Stadt geben. Haben Sie gehört, Signor Getz? Signor Getz ...«

Victor ritzte mit seinem Brieföffner Kerben in die Schreibtischplatte. »Wie lange irrt der Junge schon allein da draußen herum?«, fragte er. »Wann ist er weggelaufen?«

»Vor einigen Stunden. Wir mussten ja erst einmal den Schaden mit dem Restaurant regeln. Und dann ein neues Hotel finden. Mit all unserem Gepäck. Alle anständigen Unterkünfte sind ausgebucht. Und wir sind in einem furchtbar primitiven Hotel an der Rialto-Brücke untergekommen.«

Einige Stunden. Victor fuhr sich mit der Hand durch das müde Gesicht und blickte nach draußen. Schwarz und kalt hockte die Nacht zwischen den Häusern. Wie ein Tier, das kleine Jungen verschlang.

»Haben Sie die Polizei benachrichtigt?«, fragte Victor. »Sucht schon jemand nach Bo, Ihr Mann zum Beispiel?«

»Wie meinen Sie das?« Esthers Stimme wurde schrill. »Glauben Sie, einer von uns irrt in diesen finsteren Gassen herum? Nach dem, was sich der Junge an diesem Abend geleistet hat? Nein. Unsere Geduld ist am Ende, ich will nicht einmal mehr seinen Namen hören. Ich ...«

Victor legte den Hörer auf. Er legte einfach auf. Vor einigen Stunden! Schlaftrunken zog er sich an.

Als er aus der Haustür trat, empfing ihn eine so klirrende Kälte, dass es ihm die Tränen in die Augen trieb. Na, immer noch besser als kübelweise Regen, dachte Victor, zog sich den Hut tief in die Stirn und stapfte los. Im letzten Winter hatte die Stadt etliche Male unter Wasser gestanden, so hoch, dass ein kleiner Junge wie Bo wahrscheinlich davongespült worden wäre. Die Lagune überschwemmte Venedig immer öfter, früher war das höchstens alle fünf Jahre passiert. Aber darüber wollte Victor jetzt nicht nachdenken. Seine Stimmung war schon düster genug.

Seine Füße waren bleischwer vor Müdigkeit, als er die spärlich beleuchteten Gassen entlangstolperte, über Steine, die silbrig waren vom Frost. Es konnte nur einen Ort geben, an dem Bo sich verkrochen hatte. Er wusste schließlich nicht, dass Prosper und seine Freunde bei Ida Spavento untergekommen waren. Victor schniefte und fuhr sich mit dem Ärmel über die eiskalte Nasenspitze. Gar nichts wusste er, der arme kleine Kerl.

Es war ein langer Weg von Victors Wohnung zum Versteck der Kinder. Als er endlich vor dem alten Kino stand, war er durchgefroren bis auf die Knochen. Ich muss mir einen wärmeren Mantel kaufen, dachte er, während er nach dem passenden Dietrich suchte. Zum Glück hatte Dottor Massimo das Schloss noch nicht auswechseln lassen. Auch der Vorraum lag immer noch voll Gerümpel, als wäre nichts geschehen seit der Nacht, in der die Kinder Victor gefangen hatten. Aber als er in den dunklen Kinosaal trat, hörte er ein leises Weinen.

»Bo?«, rief er. »Bo, ich bin es, Victor. Komm raus. Oder wollen wir wieder Verstecken spielen?«

»Ich geh nicht zu ihr zurück!«, kam eine verweinte Stimme aus der Dunkelheit. »Glaub das bloß nicht. Ich will nur zu Prosper.«

»Du brauchst auch nicht zurück.« Victor leuchtete mit der Taschenlampe die Sitze entlang, bis das Licht auf blonde Haare fiel. Bo kroch zwischen den Sitzen herum, als suche er nach etwas.

»Sie sind weg, Victor!«, schluchzte er. »Sie sind weg.«

»Wer?« Victor beugte sich zu ihm hinunter, und Bo wandte ihm das verweinte Gesicht zu. »Meine Katzen«, schniefte er. »Und Wespe.«

»Niemand ist weg«, brummte Victor, zog Bo hoch und wischte ihm die Tränen von den Backen. »Sie sind alle bei Ida Spavento, Wespe, Prosper, Riccio, Mosca und deine Katzen.« Er hockte sich auf einen Klappsessel und zog Bo auf seinen Schoß. »Man hört ja Sachen von dir, mein Lieber«, sagte er. »Tischdecken runterreißen, schreien, weglaufen. Weißt du, dass deine Tante und dein Onkel wegen dir aus ihrem feinen Hotel geworfen worden sind?«

»Wirklich?« Bo zog die Nase hoch und presste sein Gesicht in Victors Mantel. »Ich war so wütend«, murmelte er. »Esther wollte nicht sagen, wo Prosper ist.«

»So, so.« Victor drückte Bo ein Taschentuch in die schmutzigen Finger. »Da. Putz dir die Nase. Prosper geht es gut. Er liegt in einem weichen Bett und träumt von seinem kleinen Bruder.«

»Sie wollte mir einen Scheitel ziehen«, murmelte Bo und strich über sein zerzaustes Haar, als müsse er sich versichern, dass Esthers Bemühungen umsonst gewesen waren. »Und ich durfte nicht auf dem Bett hüpfen. Und den Pullover, den Wespe mir geschenkt hat, wollte sie wegwerfen. Sie schimpft schon wegen sooo einem kleinen Kleckerfleck ...«, Bo zeigte den Umfang mit seinen Fingern, »... und dauernd wischt sie in meinem Gesicht herum. Und sagt gemeine Sachen über Prosper.«

»Na, so was!« Victor schüttelte mitfühlend den Kopf.

Bo rieb sich die Augen und gähnte. »Mir ist kalt«, murmelte er. »Bringst du mich zu Prosper, Victor?«

Victor nickte. »Ja, das mach ich«, sagte er. Aber als er Bo hochheben wollte, duckte der sich zwischen die Sitze.

»Da ist einer!«, flüsterte er.

Victor drehte sich um.

In der Tür zum Vorraum stand ein Mann und leuchtete mit einer großen Taschenlampe in den Vorführraum. »Was machen Sie denn da?«, rief er mit barscher Stimme, als das Licht auf Victor fiel.

Victor richtete sich auf und legte Bo den Arm um die Schulter. »Ach, dem Kleinen hier ist nur sein Kätzchen weggelaufen«, sagte er so gleichmütig, als wäre nichts Besonderes dabei, mitten in der Nacht in einem geschlossenen Kino zu stehen. »Er dachte, es wäre hier reingelaufen, durch den Notausgang. Das Kino steht doch leer, oder?«

»Ja, aber Dottor Massimo, der Besitzer, hat mich beauftragt, ein Auge darauf zu haben, seit hier zwei elternlose Kinder aufgegriffen worden sind. Das da hinter Ihnen …«, der Mann wedelte mit seiner Taschenlampe, »… das ist auch ein Kind.«

»Scharf beobachtet!« Victor strich Bo durch das feuchte Haar. »Aber er ist nicht elternlos. Das ist mein Sohn. Wie schon gesagt, er hat nur sein Kätzchen gesucht.« Victor blickte sich um. »Das ist ein schönes Kino. Wieso steht es leer?«

Der Mann zuckte die Achseln. »Dottor Massimo will nach all dem Ärger einen Supermarkt daraus machen. Und jetzt gehen Sie. Hier sind keine Katzen, und wenn, dann wären sie längst tot. Ich habe nämlich Rattengift gestreut.«

»Wir sind schon weg!« Victor schob Bo vor sich her zum Notausgang, aber Bo blieb immer wieder stehen. Schließlich hatte er auch gehört, was der Mann gesagt hatte: Ein Supermarkt sollte aus dem Sternenversteck werden.

300

»Der Vorhang«, sagte er plötzlich. »Sieh doch, Victor, sie haben ihn einfach runtergerissen.«

Schmutzig und zerdrückt lag der schwere Stoff auf dem Boden.

»Was haben Sie mit dem Vorhang vor?«, rief Victor dem Wächter zu, der gerade wieder durch die Tür zum Vorraum verschwand.

Unwillig drehte der sich um. »Hören Sie mal, es ist spät!«, rief er. »Verschwinden Sie jetzt mit Ihrem Kleinen. Und wenn Sie der Vorhang interessiert, dann nehmen Sie ihn doch mit.«

»Ach ja? Wie sollen wir das denn machen?«, murmelte Victor. »So ein Idiot.«

Dann zog er sein Taschenmesser aus der Manteltasche und trennte ein großes Stück von dem bestickten Stoff ab. »Hier«, sagte er und drückte es Bo in die Hand. »Als kleines Andenken.«

»Ist Scipio auch bei Ida?«, fragte Bo, als sie aus dem Notausgang traten.

»Nein«, antwortete Victor, wickelte ihn in die warme Decke, die er vorsorglich mitgebracht hatte, und nahm ihn auf den Arm ... »Der ist wohl wieder zu Hause. Ich glaube, deine Freunde sind nicht mehr allzu gut auf ihn zu sprechen.«

»Aber sein Vater ist ekelig«, murmelte Bo, obwohl er kaum noch die Augen aufhalten konnte. »Du bist viel netter.«

Er schlang seine Arme um Victors Nacken und presste gähnend das Gesicht gegen seine Schulter. Schon auf der Accademia-Brücke schlief er tief und fest. Und Victor trug ihn weiter durch die stillen, menschenleeren Gassen bis zu Ida Spaventos Haus.

IN SICHERHEIT

Ida selbst öffnete Victor die Tür, im knallroten Morgenmantel, die Augen dunkel vor Müdigkeit. Hinter ihr, mit erschrockenen Gesichtern, standen Wespe, Mosca und Riccio und starrten Victor an, als hätten sie jemand anderes erwartet.

»Was ist denn hier los?«, raunte er, als er sich mit dem schlafenden Bo an ihnen vorbeidrängte.

»Das ist ja Bo!«, rief Wespe so laut, dass Victor besorgt in Bos schlafendes Gesicht schaute, aber Bo murmelte nur irgendetwas Unverständliches im Schlaf und kroch noch tiefer in die wärmende Decke.

»Ja, das ist Bo«, knurrte Victor, »und er ist ziemlich schwer, also könntet ihr mir alle mal netterweise aus dem Weg gehen, damit ich ihn irgendwo ablegen kann?«

Hastig wichen sie alle zur Seite und Ida ging Victor voran, die steilen Treppen hinauf, bis zu dem Zimmer, in dem sie die Kinder untergebracht hatte. Mit einem Seufzer legte Victor Bo samt der Decke in eins der Betten, zog ihm noch eine Bettdecke bis ans Kinn und schlich dann mit Ida wieder aus dem Zimmer. Vor der Tür warteten mit großen Augen Mosca, Riccio und Wespe. Erst da merkte Victor, dass jemand fehlte.

»Wo ist Prosper?«, fragte er.

»Deshalb sind wir alle auf um diese Zeit«, antwortete Ida mit leiser Stimme. »Vor einer Stunde hat Caterina mich geweckt, weil er nicht in seinem Bett war.«

Wespe nickte. Ihr Gesicht war noch blasser als sonst.

»Wir haben alles nach ihm abgesucht«, flüsterte sie. »Das Haus, den Hof, sogar auf dem Campo haben wir nach ihm gesucht. Er ist nicht da.«

Hoffnungsvoll guckte sie Victor an, als könne er Prosper herbeizaubern, so wie er es offenbar mit Bo geschafft hatte.

»Kommt mit, wir sollten nicht länger hier vor der Tür herumflüstern«, sagte Ida leise. »Der Kleine muss ja nicht unbedingt gleich erfahren, dass sein Bruder verschwunden ist. Und Victor hat bestimmt einiges zu erzählen.«

Im *salotto* war es kalt. Ida heizte nachts nur die Schlafzimmer ein wenig, aber Victor zündete den Kamin an, und als sie sich alle dicht aneinander gedrängt vor das Feuer hockten, wurde ihnen schnell warm. Bos Kätzchen kletterten vom Schrank herunter und schnurrten ihnen um die Beine, als sie die Wärme spürten. Und Victor erzählte, wie Esther ihn aus dem Schlaf geholt und wo er Bo gefunden hatte. Es fiel ihm schwer, sich auf seine Geschichte zu konzentrieren, denn immer wieder kam ihm der Gedanke an Prosper in die Quere. Wo konnte der Junge nur stecken?

»Was heißt das: Sie will ihn nicht zurückhaben?« Idas Stimme schreckte ihn aus seinen Gedanken. »Ja, was denkt diese Esther denn? Ist der Junge ein Schuh, den sie anprobiert und wegwirft, weil er ihr nicht passt?« Mit ärgerlicher Miene suchte sie in ihrem Morgenmantel nach Zigaretten.

»Hier, Ida«, sagte Riccio und hielt ihr verlegen eine zerdrückte Packung hin. »Ich hab bloß eine genommen, ehrlich.«

Mit einem Seufzer nahm Ida ihm die Schachtel aus der Hand.

»Ich weiß nicht, was diese Esther Hartlieb denkt!«, knurrte Victor und rieb sich die müden Augen. »Ich weiß nur, dass ich mich schon auf das Gesicht gefreut habe, das Prosper macht, wenn ich ihm seinen kleinen Bruder zurückbringe. Aber stattdessen komm ich her, und Prosper ist weg! Verdammt noch mal!«

Ärgerlich sah er die drei Kinder an. »Hättet ihr nicht etwas auf ihn aufpassen können? Ihr habt doch alle gemerkt, wie durcheinander er war.«

»Was soll das denn heißen?«, rief Mosca empört. »Sollten wir Prosper vielleicht an seinem Bett festbinden?«

Wespe fing an zu schluchzen. Ihre Tränen tropften auf das viel zu große Nachthemd, das Ida ihr geschenkt hatte.

»Schluss jetzt«, sagte Ida und nahm sie in den Arm. »Was tun wir? Wo suchen wir Prosper? Hat irgendwer eine Idee?«

»Wahrscheinlich steht er wieder vorm *Sandwirth*!«, sagte Mosca.

»Ja, ohne zu ahnen, dass seine Tante dort gar nicht mehr wohnt«, brummte Victor. »Ich werde mal anrufen und den Nachtportier fragen, ob ein Junge draußen vor dem Hotel herumlungert.«

Mit einem Seufzer zog er sein Telefon aus der Manteltasche und wählte die Nummer des *Gabrielli Sandwirth*. Der Nachtportier war kurz vor der Ablösung, aber er tat Victor trotzdem den Gefallen und sah aus dem Fenster. Auf der menschenleeren Promenade der Riva degli Schiavoni stand kein Junge. Mit ratlosem Gesicht steckte Victor das Telefon wieder weg.

»Ich brauch jetzt eine Mütze Schlaf«, sagte er und richtete sich auf. »Nur ein, zwei Stunden, damit ich wieder denken kann. Der eine Bruder wieder da, der andere fort«, stöhnend strich er sich

Barbarossa hat das Versteck der Bande verraten.

oben Während die anderen noch auf der Lagune unterwegs sind, werden Wespe und Bo von der Polizei aufgegriffen.

unten Prosper glaubt, Victor habe sie verraten und Bo zurück zu den Hartliebs gebracht, aber der Detektiv kann ihn schließlich von seiner Unschuld überzeugen.

oben und unten   Wespe ist im Waisenhaus gelandet, während Bo versucht, sich bei den Hartliebs so schlecht wie möglich zu benehmen.

oben Scipio und Prosper haben sich noch einmal zur Isola Segreta aufgemacht, um das Geheimnis des Karussells zu lüften.

unten Dort treffen sie auf den verjüngten Conte. Schwester Antonia hat also offenbar die Wahrheit erzählt.

oben und unten   Scipio will unbedingt mit dem Karussell fahren, damit sein Herzenswunsch, endlich erwachsen zu sein, in Erfüllung geht.

oben Barbarossa ist den beiden Jungen heimlich auf die Insel gefolgt. Auch er fährt mit dem Karussell – und wird zum Kind.

unten Im Unterschied zu Scipio, der sich freut, erwachsen zu sein, fühlt sich Barbarossa jedoch in seiner neuen Gestalt nicht wirklich wohl.

oben und unten   Doch es gibt eine Lösung: Der verkleidete Victor und Ida im Gewand einer Nonne vermitteln Barbarossa an die Hartliebs, die von dem wohl erzogenen Adoptivsohn begeistert sind.

Ende gut, alles gut! Prosper muss nicht mehr befürchten, dass er von Bo getrennt wird.
Und weder er noch Wespe müssen zurück ins Waisenhaus.

Herr der Diebe/The Thief Lord. Deutschland/Großbritannien/Luxemburg 2005
Eine *Comet Film & Warner Bros. Film Productions Germany*-Koproduktion mit *Delux
Productions Fern Gully Films* in Zusammenarbeit mit *Cometstone TL Distribution,
Arclight Films International, Minotaur Film Partnership No. 1, Thema Production, Blue Rider
Pictures*. Eine *Richard Claus*-Produktion. Darsteller: *Jim Carter, Caroline Goodall, Rollo Weeks,
Aaron Johnson, George Mackay, Jasper Harris, Alice Connor, Lathaniel Dyer, Carole Boyd,
Bob Goody, Robert Bathurst*, mit *Alexei Sayle* und *Vanessa Redgrave*. Drehbuch (frei nach
dem gleichnamigen Roman von *Cornelia Funke*): *Daniel Musgrave* und *Richard Claus*.
Regie: *Richard Claus*.
© für alle Fotos: Comet Film GmbH 2005

über die Stirn, »was für eine Nacht. Ich habe das Gefühl, dass ich nur noch solche Nächte habe. Ist hier im Haus irgendwo ein leeres Bett zu finden?«

»Ich könnte dir Prospers Luftmatratze anbieten«, antwortete Ida. Victor nahm das Angebot an.

Sie waren alle todmüde, aber keiner von ihnen schlief schnell ein, und die bösen Träume warteten schon unter den Kissen. Nur Bo schlief friedlich wie ein Engel, als hätten all seine Sorgen in dieser Nacht ein Ende gefunden.

DER CONTE

Prosper und Scipio wurden davon wach, dass jemand die Stalltür öffnete. Tageslicht fiel auf ihre Gesichter. Im ersten Moment wussten sie nicht, wo sie waren, aber das Mädchen, das in der offenen Tür lehnte, brachte die Erinnerung schnell zurück.

»*Buon giorno*, meine Herren«, sagte sie und zerrte die Doggen zurück, als sie in den Stall laufen wollten. »Ich hätte euch noch eine Weile hier im Stall gelassen, aber mein Bruder besteht darauf, euch zu sehen.«

»Bruder?«, flüsterte Scipio Prosper zu, als sie aus dem Stall ins Freie traten. Das große Haus sah im Morgenlicht noch verfallener aus als bei Nacht.

Ungeduldig winkte das Mädchen sie die Treppe hinauf, vorbei an den Engeln mit den verlorenen Gesichtern, bis sie zwischen den Säulen vor der Eingangstür standen. Muffig kalte Luft schlug ihnen entgegen, als das Mädchen sie öffnete. Die Doggen drängten sich an ihr vorbei und verschwanden schwanzwedelnd im Inneren des Hauses.

Die Eingangshalle war so hoch, dass Prosper schwindelig wurde. Er legte den Kopf in den Nacken und sah hinauf zur Decke. Sie war bedeckt mit Bildern. Sie waren rußverschmutzt, ihre Farben verblasst, aber man sah trotzdem, wie schön sie einmal gewesen waren. Pferde bäumten sich dort oben auf, Engel spreizten die Flügel und flogen hinauf in einen sommerblauen Himmel.

»Nun geht schon!«, sagte das Mädchen. »Gestern hattet ihr es doch noch so eilig. Dort hinein!«

Sie wies auf eine offene Tür am anderen Ende der Halle. Die Doggen stürmten voraus, so ungestüm, dass ihre Pfoten auf dem glatten Steinboden wegrutschten. Zögernd gingen Scipio und Prosper ihnen nach, schritten über Einhörner und Seejungfrauen, Bilder aus winzigen, farbigen Steinchen, die bedeckt waren mit Schmutz. Ihre Schritte hallten so laut, dass es Prosper schien, als flatterten die Engel an der Decke verärgert davon.

Der Raum, in dem die Hunde verschwanden, war dunkel, trotz des Tageslichts, das durch schmale Fenster hereinfiel. In einem Kamin, geformt wie das aufgesperrte Maul eines Löwen, brannte ein Feuer. Davor hatten die Doggen sich niedergelassen, Spielzeug lag zwischen ihren großen Pfoten. Im ganzen Raum lag und stand es herum: Kegel, Bälle, Schwerter, Schaukelpferde, eine ganze Herde davon, Puppen in jeder Form und Größe, achtlos hingeworfen, die Arme und Beine verdreht, dazwischen Armeen von Zinnsoldaten, Dampfmaschinen, Segelschiffe mit geschnitzten Matrosen an der Reling – und mitten in all dem Durcheinander hockte ein Junge. Mit gelangweiltem Gesicht setzte er einen Soldaten auf ein winziges Pferd.

»Da sind sie, Renzo«, sagte das Mädchen und schob Prosper und Scipio durch die offene Tür. »Sie riechen etwas nach Taubendreck, aber du siehst, die Ratten haben sie nicht angefressen.«

Der Junge hob den Kopf. Sein schwarzes Haar war kurz geschoren und seine Kleider sahen noch altmodischer aus als Scipios Jacke.

307

»Der Herr der Diebe!«, stellte er fest. »Tatsächlich. Du hattest Recht, Schwesterchen.« Er warf den Soldaten, den er immer noch in der Hand hielt, achtlos auf den Boden, stand auf und trat auf Scipio und Prosper zu.

»Du warst doch auch mit in der Basilika, oder?«, sagte er zu Prosper. »Entschuldigt, dass Morosina euch in den Stall gesperrt hat, aber man sollte sich eben nicht mitten in der Nacht auf fremde Inseln schleichen. Das mit dem Falschgeld tut mir Leid, es war Barbarossas Idee, sonst hätte ich euch nicht bezahlen können. Ihr habt es bestimmt schon gemerkt«, er wies auf den abblätternden Putz an den Wänden, »ich bin nicht gerade reich, auch wenn ich in diesem Palast hause.«

»Renzo!«, sagte Morosina ungeduldig. »Sag, was wir mit ihnen machen sollen.«

Der Junge schob mit dem Fuß eine Puppe zur Seite.

»Sieh dir an, wie entgeistert die zwei mich anstarren!«, sagte er zu Morosina. »Fragt ihr euch etwa, woher ich das alles weiß? Habt ihr das Treffen im Beichtstuhl vergessen? Oder unsere nächtliche Verabredung auf der Sacca della Misericordia?«

Prosper wich zurück. Er hörte, wie Scipio neben ihm scharf Atem holte.

»Es funktioniert!«, flüsterte Scipio und starrte den fremden Jungen ungläubig an. »Du bist der Conte.«

Lächelnd machte Renzo eine Verbeugung. »Zu Diensten, Herr der Diebe«, sagte er. »Dank eurer Hilfe. Ohne den Löwenflügel war es nur ein Karussell, aber jetzt ...«

»Frag sie, wer ihnen von dem Karussell erzählt hat«, unterbrach seine Schwester ihn. Sie lehnte an der Wand, die Arme verschränkt. »Heraus damit! War es Barbarossa? Ich habe Renzo immer gesagt, dass wir dem fetten Rotbart nicht trauen können.«

»Nein!« Scipio wechselte einen verwirrten Blick mit Prosper.
»Nein, Barbarossa hat nichts damit zu tun, dass wir hier sind. Ida
Spavento hat uns von dem Karussell erzählt, die Frau, der der Flü-
gel gehört, aber das ist eine lange Geschichte ...«
»Weiß sie, dass ihr hier seid?«, fragte Morosina barsch. »Weiß
irgendwer, dass ihr hier seid?«
Scipio wollte antworten, aber Prosper kam ihm zuvor.
»Ja«, sagte er. »Unsere Freunde wissen es und ein Detektiv. Und
wenn wir nicht zurückkommen, werden sie herkommen und uns
suchen.«
Morosina warf ihrem Bruder einen düsteren Blick zu.
»Hörst du das?«, sagte sie. »Was machen wir jetzt? Wieso redest
du mit ihnen? Wie kannst du ihnen unser Geheimnis verraten?
Wir hätten ihnen etwas vorlügen können ...«
Renzo bückte sich und hob eine Maske auf, die zwischen den
Spielzeugsoldaten lag. »Sie haben mir den Flügel besorgt«, sagte
er. »Und ich habe sie nicht bezahlt. Deshalb werde ich ihnen erlau-
ben, auf dem Karussell zu fahren.« Er blickte Prosper und Scipio
an, einen nach dem anderen.
»Am Anfang dreht es sich langsam«, sagte er leise. »Und man
spürt kaum etwas. Aber dann wird es schneller und schneller. Ich
wäre fast zu spät abgestiegen, aber so ...«, er sah an sich herunter,
»ist es genau, wie ich es wollte. Ich habe mir zurückgeholt, was
man mir gestohlen hat. Die ganzen Jahre. Als die Kinder der Vallaresso mit alldem hier gespielt haben«, er zeigte auf die Schaukelpferde und Spielzeugsoldaten, »mussten ich und Morosina im
Taubenschlag den Mist von den Stangen kratzen. Wir haben Un-
kraut gerupft, den Engeln im Garten das Moos von den Gesichtern
geschrubbt, die Fußböden gescheuert, die Klinken poliert. Wir
sind vor der Herrschaft aufgestanden und ins Bett gegangen, wenn

sie längst alle schliefen. Aber die Vallaresso sind fort, und Morosina und ich sind noch hier. Und ich stelle fest, dass es mich langweilt, mit all diesen Sachen zu spielen. Verrückt, nicht wahr?«
Er lachte und stieß mit dem Fuß eine Dampflok um.

»Also hast du dich nur Conte genannt«, sagte Scipio. »Du bist kein Vallaresso.«

»Nein, ist er nicht«, antwortete Morosina für ihren Bruder. »Aber du«, sie musterte Scipio abschätzend von Kopf bis Fuß, »du stammst aus einer vornehmen Familie, nicht wahr? Ich erkenne es an der Art, wie du redest, an der Art, wie du gehst. Hebt für dich auch ein Mädchen, das kaum älter ist als du, die dreckigen Hosen auf, die du achtlos auf den Boden wirfst, putzt dir die Stiefel, zupft dein Bett glatt? Du hast keinen Grund, mit dem Karussell zu fahren. Also was willst du hier? Dein Geld kannst du nicht bekommen, weil wir es nicht haben!«

Scipio hatte den Kopf gesenkt. Er zog mit der Stiefelspitze die Muster auf den Fliesen nach.

»Stimmt, meine Sachen hebt immer jemand auf«, sagte er, ohne den Kopf zu heben. »Und morgens bekomme ich hingelegt, was ich anziehen soll. Ich hasse es. Meine Eltern behandeln mich, als wäre ich zu dumm, mir die Hose zuzuknöpfen. Scipio, wasch dir die Hände, wenn du die Katze angefasst hast, Scipio, tritt nicht in die Pfützen, Herrgott, sei doch nicht so ungeschickt, Scipio, halt den Mund, davon verstehst du nichts, dummer kleiner Kinderkäfer, unnützes Irgendwas.« Scipio sah Morosina an. »In der Schule haben sie uns die Geschichte von *Peter Pan* vorgelesen, kennst du sie? Er ist so ein Dummkopf, und du und dein Bruder, ihr seid genauso. Macht euch wieder zu Kindern, damit sie euch herumschubsen und auslachen können! Ja, ich will auch auf dem Karussell fahren, nur deshalb hab ich mich auf eure Insel geschlichen, aber ich will in die andere Richtung fahren. Ich will erwachsen sein, erwachsen, erwachsen, erwachsen!«

Scipio stampfte so heftig mit dem Fuß auf, dass er einen der kleinen Soldaten zertrat. »Entschuldigung!«, murmelte er und starrte das zerbrochene Ding an, als hätte er etwas Schreckliches angerichtet.

Renzo bückte sich und warf die Teile ins Feuer. Dann blickte er Scipio nachdenklich an. Im Kamin zerbarst ein Holzscheit, Funken sprühten auf die Fliesen und verglühten zwischen dem herumliegenden Spielzeug.

»Ich zeige euch das Karussell«, sagte Renzo. »Und wenn ihr wollt, könnt ihr darauf fahren.«

DAS KARUSSELL

Prosper spürte, dass Scipio vor Ungeduld zitterte, als sie Renzo durch das große Portal nach draußen folgten. Er selbst wusste nicht, ob er aufgeregt war. Alles kam ihm seltsam unwirklich vor, seit sie die Insel betreten hatten. Wie ein Traum. Und er hätte nicht sagen können, ob es ein guter oder ein böser Traum war.

Morosina kam nicht mit ihnen. Sie blieb oben zwischen den Säulen stehen und sah ihnen nach, die Hunde an ihrer Seite.

Renzo ging mit Prosper und Scipio zu einem Laubengang hinter dem Haus, von dessen hölzernen Streben erfrorene Herbstblätter hingen. Der Gang führte zu einem Labyrinth, auf dessen verschlungenen Wegen die Vallaresso sich früher wohl die Zeit vertrieben hatten. Jetzt waren die Hecken zwischen den Wegen verwildert und das Labyrinth zu einem fast undurchdringlichen Dickicht geworden. Trotzdem zögerte Renzo nur selten, als er Prosper und Scipio hindurchführte. Aber einmal blieb er plötzlich stehen und lauschte.

»Was ist?«, fragte Scipio.

Der Klang einer Glocke hallte durch die kalte Luft, es hörte sich an, als läute sie jemand heftig und ungeduldig.

»Das ist die Glocke am Tor«, sagte Renzo. »Wer kann das sein? Barbarossa wollte erst morgen kommen.« Er sah besorgt aus.

»Barbarossa?« Prosper sah ihn überrascht an.

Renzo nickte. »Ich habe euch doch gesagt, es war seine Idee, euch mit Falschgeld zu bezahlen. Er hat es mir auch besorgt. Aber der Rotbart lässt sich für solche Dienste natürlich bezahlen. Morgen will er sich seinen Lohn abholen. Das alte Spielzeug. Er hat schon lange ein Auge darauf geworfen.«

»So ein Mistkerl!«, murmelte Prosper. »Dann hat er also von Anfang an gewusst, dass wir nur Falschgeld für den Auftrag bekommen.«

»Macht euch nichts draus! Auf Barbarossa fällt jeder herein«, sagte Renzo und lauschte noch einmal. Aber die Glocke war verstummt. Nur die Hunde bellten. »Wahrscheinlich ein Touristenboot«, murmelte Renzo. »Morosina erzählt immer, wenn sie in der Stadt ist, scheußliche Geschichten über die Insel, trotzdem verirrt sich ab und zu ein Boot hierher. Aber die Doggen verscheuchen selbst die Neugierigsten.«

Prosper und Scipio sahen sich an. Das konnten sie sich vorstellen.

»Ich mache seit langem Geschäfte mit dem Rotbart«, erzählte Renzo, während er sich weiter durch die verwilderten Hecken kämpfte. »Er ist der einzige Antiquitätenhändler, der nicht zu viele Fragen stellt. Und er ist der Einzige, den Morosina und ich je auf die Insel gelassen haben. Er glaubt natürlich, dass er es mit dem Conte Vallaresso zu tun hat, der so verarmt ist, dass er ihm ab und zu etwas von seinen Familienschätzen verkauft. Morosina und ich leben schon lange von dem, was die Vallaresso zurückgelassen haben. Aber wenn er morgen vor dem Tor steht, um das Spielzeug abzuholen, wird ihm niemand öffnen. Der Conte ist für alle Zeiten verschwunden.«

»Barbarossa hat immer so getan, als wüsste er nicht, was wir für den Conte stehlen sollen«, sagte Prosper.

»Das habe ich ihm auch nicht erzählt«, antwortete Renzo.

»Weiß er von dem Karussell?«, fragte Scipio.

Renzo lachte. »Nein, Gott bewahre, der Rotbart wäre der Letzte, dem ich es zeigen würde. Er würde auf der Stelle Eintrittskarten dafür verkaufen, für eine Million Lire das Stück. Nein, er hat es nie gesehen. Denn zum Glück«, Renzo schob ein paar dornige Zweige auseinander, »ist es sehr, sehr gut versteckt.«

Er zwängte sich zwischen zwei Büsche – und war verschwunden. Die Dornen zerkratzten Prosper und Scipio das Gesicht, als sie ihm folgten. Doch dann standen sie plötzlich auf einer Lichtung, umgeben von Büschen und Bäumen, die die Zweige ineinander schlangen, als wollten sie verbergen, was auf verschneitem Moos zwischen ihnen stand.

Das Karussell sah genau so aus, wie Ida Spavento es beschrieben hatte. Vielleicht hatte Prosper es sich etwas prächtiger und bunter vorgestellt. Die Farben auf dem Holz waren verblasst, abgetragen von Wind, Regen und Salzluft, doch der Anmut der Figuren hatte die Zeit nichts anhaben können.

Alle fünf waren da: das Einhorn, die Meerjungfrau, der Wassermann, das Seepferd und der Löwe, der beide Flügel spreizte, als hätte ihm nie einer gefehlt. Sie hingen an Stangen unter einem hölzernen Baldachin, sodass es schien, als schwebten sie. Der Wassermann hielt einen Dreizack in der hölzernen Faust, die Meerjungfrau blickte mit blassgrünen Augen in die Ferne, als träumte sie von Wasser und vom weiten Meer. Und das Seepferd mit seinem Fischschwanz war so schön, dass man bei seinem Anblick fast vergaß, dass es auch Pferde mit vier Beinen gab.

»War es immer hier?«, fragte Scipio. Fast andächtig ging er auf das Karussell zu und streichelte dem Löwen die geschnitzte Mähne.

»Seit ich mich erinnern kann«, antwortete Renzo. »Morosina und ich waren noch sehr klein, als unsere Mutter mit uns auf die Insel kam, weil die Vallaresso eine Küchenmagd suchten. Niemand erzählte uns von dem Karussell, es wurde ein großes Geheimnis darum gemacht, aber wir erfuhren trotzdem davon. Es stand schon damals hier hinter dem Labyrinth, und manchmal schlich ich her, um zuzusehen, wie die reichen Kinder darauf fuhren. Zusammen mit Morosina lag ich im Gebüsch, und wir träumten davon, nur ein einziges Mal auch darauf zu fahren. Bis man uns erwischte und zurück an die Arbeit scheuchte. Die Jahre vergingen, unsere Kindheit verging, unsere Mutter starb, wir wurden älter und älter, die Vallaresso verloren ihr Vermögen und verließen die Insel, und Morosina und ich suchten uns Arbeit in der Stadt. Da hörte ich eines Tages in einer Bar die Geschichte von dem Karussell der Barmherzigen Schwestern. Ich wusste sofort, dass es das Karussell auf der Insel sein musste. Plötzlich verstand ich, warum die Vallaresso so ein Geheimnis daraus gemacht hatten. Die Geschichte ging mir nicht mehr aus dem Sinn, ich träumte davon, den echten Flügel des Löwen zu finden, den Zauber des Karussells wieder zu erwecken und mit meiner Schwester darauf zu reiten. Morosina hat mich ausgelacht, doch sie kam mit, als ich beschloss, auf die Insel zurückzukehren. Das Karussell stand noch da und ich beschloss, mich auf die Suche nach dem Flügel zu machen. Fragt mich nicht, wie viele Jahre es gedauert hat, bis ich herausfand, wo er war.« Renzo kletterte auf das Karussell und lehnte sich gegen das Einhorn. »Es hat sich gelohnt«, sagte er und strich ihm über den Rücken. »Ihr habt mir den Flügel gebracht, und Morosina und ich sind mit dem Karussell gefahren.«

315

»Ist es egal, auf welche Figur man steigt?« Scipio sprang auf das Podest und schwang sich auf den Rücken des Löwen.

»Nein.« Für einen Moment stand Renzo so gebeugt da wie der alte Mann, der er einmal gewesen war. »Für mich war der Löwe das richtige Reittier. Du und dein Freund, ihr müsst auf eins der Wasserwesen steigen.«

»Komm, Prop!«, rief Scipio und winkte Prosper zu sich herauf. »Such dir eine Figur aus. Welche willst du, das Seepferd, den Wassermann?« Prosper trat zögernd auf das Karussell zu. Er hörte in der Ferne die Hunde jaulen.

Auch Renzo hatte es offenbar gehört. Mit gerunzelter Stirn trat er an den Rand des Podests. »Steigt auf«, sagte er zu Scipio. »Ich glaube, ich muss zurück zum Haus, nach Morosina sehen …«

Scipio war schon vom Rücken des Löwen gerutscht und hangelte sich auf das Seepferd. »Prosper, worauf wartest du noch?«, rief er ungeduldig, als er sah, dass Prosper immer noch unten vor dem Podest stand.

Aber Prosper rührte sich nicht. Er konnte nicht. Er konnte einfach nicht. Er stellte sich vor, wie er groß und erwachsen ins *Gabrielli Sandwirth* trat, Esther und seinen Onkel einfach zur Seite schob und mit Bo an der Hand davonging. Aber trotzdem konnte er nicht auf das Karussell steigen.

»Hast du es dir anders überlegt?«, fragte Renzo und schaute ihn neugierig an.

Prosper antwortete nicht. Er sah zu dem Einhorn hoch, zum Wassermann mit seinem blassgrünen Gesicht und zum Löwen, dem geflügelten Löwen. »Fahr du zuerst, Scip«, sagte er.

Die Enttäuschung fiel wie ein Schatten auf Scipios Gesicht. »Wie du willst«, sagte er und drehte sich zu Renzo um. »Du hast es gehört. Lass es fahren.«

»Halt, halt, du hast es weiß Gott eilig!« Renzo zog ein Bündel unter seinem altmodischen Umhang hervor und warf es Scipio zu. »Wenn du nicht gleich aus deinen Hosen platzen willst, dann zieh dir etwas davon an. Es sind alte Sachen von mir, oder sagen wir, vom Conte.«

Scipio kletterte nur widerstrebend von dem Seepferd herunter. Als er in Renzos Kleider geschlüpft war, musste Prosper sich das Lachen verkneifen.

»Lach nicht!«, knurrte Scipio und warf ihm seine Sachen zu. Dann krempelte er die viel zu langen Ärmel um, zog die um seine Beine schlackernde Hose hoch und stieg umständlich wieder auf das Seepferd. »Die Schuhe werden mir von den Füßen fliegen!«, schimpfte er.

»Solange du nicht selbst herunterfällst …« Renzo ging zu Scipio hinüber und legte die Hand auf den Rücken des Seepferds. »Halte dich gut fest. Nur ein Stoß und es wird sich drehen, schneller und schneller, bis du abspringst. Noch kannst du es dir anders überlegen.«

Scipio knöpfte sich die weite Jacke zu. »Abspringen, auch das noch«, sagte er. »Nicht, dass ich es vorhabe, aber – kann man es auch wieder rückgängig machen?«

Renzo zuckte die Achseln. »Wie du siehst, habe ich es noch nicht versucht.«

Scipio nickte und blickte zu Prosper hinunter, der ein paar Schritte zurückgetreten war. Die Schatten der Bäume verschluckten ihn fast. »Komm doch auch, Prop!«

Scipio sah Prosper so bittend an, dass der nicht wusste, wo er hinsehen sollte. Trotzdem schüttelte er den Kopf.

»Na gut, selber schuld!« Scipio setzte sich kerzengerade auf. Die Jackenärmel rutschten ihm über die Hände. »Los geht es!«, rief er.

»Und ich schwöre, dass ich erst abspringen werde, wenn ich mich rasieren muss!«

Da gab Renzo dem Seepferd einen Stoß.

Mit sanftem Ruck setzte das Karussell sich in Bewegung, das alte Holz ächzte und knarrte. Renzo trat zurück an Prospers Seite.

»Juuuh!«, hörte Prosper Scipio rufen. Er sah, wie Scipio sich tief über den Hals des fischschwänzigen Pferdes beugte. Schneller und schneller drehten sich die Figuren, als stieße die Zeit selbst sie mit unsichtbarer Hand an. Prosper wurde schwindelig, als er versuchte Scipio mit den Augen zu folgen. Er hörte ihn lachen, und plötzlich spürte er, wie sich ein seltsames Glücksgefühl in ihm breit machte. Das Herz wurde ihm leicht, als die Figuren an ihm vorbeiwirbelten, so leicht wie seit langem nicht mehr. Er schloss die Augen und ihm war, als verwandelte er sich in den geflügelten Löwen. Er breitete die Schwingen aus, flog davon. Hoch. Höher.

Renzos Stimme holte ihn zurück auf die Erde. »Spring ab!«, hörte Prosper ihn rufen.

Erschrocken öffnete er die Augen. Das Karussell drehte sich langsamer. Da kam der Wassermann, den Dreispitz in der Hand, da die Seejungfrau und der Löwe, da schwebte das Einhorn heran, viel langsamer jetzt – und da kam das Seepferd. Das Karussell hielt an – und der Rücken des Seepferds war leer.

»Scipio?«, rief Prosper und lief um das Karussell herum.

Renzo folgte ihm.

Auf der anderen Seite war es dunkel. Hohe, immergrüne Bäume wuchsen dort, ihre Zweige ragten weit in die Lichtung hinein. Unruhig wiegten sie sich im Wind. In ihrem Schatten bewegte sich etwas. Eine Gestalt richtete sich auf, hoch gewachsen und schmal. Prosper blieb stehen.

»Das war knapp«, sagte eine fremde Stimme. Prosper wich ohne es zu wollen zurück.

»Sieh mich nicht so an.« Der Fremde lachte verlegen. Das heißt, so fremd war er Prosper nicht. Er sah aus wie eine jüngere Ausgabe von Scipios Vater. Nur das Lächeln war anders, ganz anders. Scipio streckte die Arme aus – wie lang sie waren! – und drückte Prosper ungestüm an sich.

»Es hat funktioniert, Prop!«, rief er. »Sieh doch. Sieh doch nur.« Er ließ Prosper los und fuhr sich übers Kinn. »Bartstoppeln! Unglaublich. Willst du mal fühlen?«

Lachend drehte er sich um sich selbst, die langen Arme ausgestreckt. Er packte den protestierenden Renzo und hob ihn hoch. »Stark wie Herkules!«, rief er und stellte Renzo wieder auf die Füße. Dann betastete er sein Gesicht, fuhr sich mit dem Finger über den Nasenrücken, die Augenbrauen. »Wenn ich doch bloß einen Spiegel hätte!«, sagte er. »Wie seh ich aus, Prop? Ganz anders?«

Wie dein Vater, wollte Prosper sagen, aber er schluckte die Worte herunter.

»Erwachsen«, antwortete Renzo an seiner Stelle.

»Erwachsen!«, flüsterte Scipio und betrachtete seine Hände. »Ja, erwachsen. Was meinst du, Prop, bin ich größer als mein Vater? Ein kleines Stück bestimmt, oder?« Suchend sah er sich um. »Hier muss doch irgendwo ein Brunnen oder ein Teich sein, in dem ich mein Spiegelbild sehen kann.«

»Im Haus ist ein Spiegel«, antwortete Renzo. Er musste lächeln. »Kommt. Ich muss sowieso zurück.« Aber mitten auf der Lichtung blieb er stehen. Irgendwo zwischen den Büschen knackte es, als würde sich ein großes Tier durch die Zweige zwängen.

»Wo führst du mich hin, du kleines Biest?«, hörten sie eine

Stimme schimpfen. »Ich bin schon mit Dornen gespickt wie ein Kaktus.«

»Das ist der Weg. Wir sind gleich da!«, hörten sie Morosina antworten. Erschrocken sah Renzo sich zu Prosper und Scipio um. Er wollte loslaufen, in die Richtung, aus der die Stimmen gekommen waren, aber Scipio zerrte ihn zurück hinter das Karussell.

»Duckt euch!«, flüsterte er Prosper und Renzo zu und kauerte sich mit ihnen hinter das Podest.

»Das werden Sie bereuen!«, hörten sie Morosinas helle Stimme rufen. »Sie haben kein Recht, hier herumzuschnüffeln. Wenn der Conte erfährt ...«

»Ach was, der Conte!«, höhnte eine tiefe Stimme, die Prosper bekannt vorkam. »Der ist heute nicht da. Er hat es mir selbst gesagt. Nein, du bist allein hier, wer immer du bist! Was denkst du, warum Ernesto Barbarossa dieser verfluchten Insel gerade heute einen Besuch abstattet?«

Renzo fuhr zusammen. »Barbarossa!«, flüsterte er.

Er wollte aufspringen, aber Scipio hielt ihn fest. Vorsichtig schoben die drei sich vor und lugten über den Rand des Podests.

»Denkst du, ich bin umsonst über diese verfluchte Mauer geklettert?«, hörten sie Barbarossa schnaufen. »Ich will jetzt endlich wissen, worum sich diese ganze Geheimniskrämerei dreht. Und wenn ich es nicht gleich erfahre, dann werde ich sehr, sehr ungemütlich!«

Noch einmal knackten die Zweige, dann stapfte Barbarossa schwer atmend auf die Lichtung. Morosina zerrte er an ihrem langen Zopf hinter sich her wie an einer Hundeleine.

»Zum Teufel, was ist das?«, brüllte der Rotbart, als er das Karussell sah. »Willst du mich veralbern? Ich suche etwas mit Diamanten, mit riesigen Diamanten und Perlen. Ich wusste doch gleich, dass du mich an der Nase herumführst. Aber jetzt gehen wir zwei zum Haus zurück und wehe, dort zeigst du mir nicht, was ich suche!«

»Prosper!«, flüsterte Scipio, so leise, dass Prosper ihn kaum verstand. »Sehe ich meinem Vater ähnlich? Sag schon.«

Prosper zögerte. Und nickte.

»Gut. Sehr gut.« Scipio strich sich die Jacke glatt und leckte sich die Lippen wie ein Kater, der sich auf die Jagd freut. »Ihr wartet hier erst mal«, flüsterte er. »Ich glaube, jetzt wird es sehr, sehr lustig.«

Geduckt schob er sich an Renzo und Prosper vorbei, sah sich noch einmal nach ihnen um – und richtete sich zu seiner vollen Größe auf.

Er war wirklich noch ein paar Zentimeter größer als sein Vater. Das Kinn vorgestreckt, so wie Dottor Massimo es auch gerne tat, schritt Scipio auf Barbarossa zu.

Der Rotbart starrte ihm mit offenem Mund entgegen. Er hielt Morosinas Zopf immer noch in der Hand.

»*Dottore* ... Dottor Massimo!«, stammelte er entgeistert. »Was ... machen Sie denn hier?«

»Das wollte ich gerade Sie fragen, Signor Barbarossa«, antwortete Scipio. Prosper staunte, wie täuschend echt er den herablassenden Ton seines Vaters nachahmte. »Und was in Gottes Namen machen Sie denn da mit der Contessa?«

Barbarossa ließ Morosinas Zopf so erschrocken los, als hätte er sich daran verbrannt. »Contessa? Vallaresso?«

»Natürlich, die Contessa ist oft bei ihrem Großvater zu Besuch. Nicht wahr, Morosina?« Scipio lächelte ihr zu. »Aber was treibt *Sie* auf diese Insel, Signor Barbarossa? Geschäfte?«

»Wie? Ja, ja.« Barbarossa nickte verdattert. »Geschäfte.« Er war immer noch viel zu verblüfft, um zu bemerken, dass Morosina Scipio ebenso erstaunt ansah wie er.

321

»Ah ja. Nun, mich hat der Conte hergebeten, damit ich dieses Karussell begutachte.« Scipio drehte Barbarossa den Rücken zu und zupfte sich am Ohrläppchen, wie es die Angewohnheit seines Vaters war. »Die Stadt will es eventuell ankaufen. Aber ich fürchte, es ist in einem bedauerlich schlechten Zustand. Sie erkennen es natürlich, nicht wahr?«

»Erkennen?« Barbarossa trat verdutzt an seine Seite – und riss die Augen auf.

»Natürlich! Einhorn, Seejungfrau, Löwe, Wassermann«, er schlug sich gegen die Stirn, als wolle er seinem trägen Verstand Beine machen, »und da ist das Seepferd. Das Karussell der Barmherzigen Schwestern! Unfassbar!« Er senkte die Stimme und blickte Scipio verschwörerisch an. »Was ist mit den Geschichten? Den Geschichten, die man sich darüber erzählt?«

Scipio zuckte die Achseln. »Wollen Sie es ausprobieren?«, fragte er mit einem Lächeln, das so gar nicht nach Dottor Massimo aussah. Aber Barbarossa bemerkte auch das nicht.

»Wissen Sie denn, wie man es in Bewegung setzt?«, fragte er und kletterte umständlich auf das Podest.

»Oh, ich habe zwei junge Helfer dabei«, sagte Scipio. »Sie stecken irgendwo dahinten, wollen sich wohl wieder vor der Arbeit drücken.« Er winkte Prosper und Renzo hinter dem Karussell hervor. »Nun kommt schon, ihr zwei. Signor Barbarossa möchte mit dem Karussell fahren.«

Barbarossa kniff die Augen zusammen, als er Prosper sah. »Was macht der denn hier?«, knurrte er und starrte argwöhnisch auf ihn herunter. »Den Jungen kenne ich. Er arbeitet für …«

»Ich arbeite jetzt für Dottor Massimo«, unterbrach Prosper ihn und stellte sich an Scipios Seite. Morosina lief zu ihrem Bruder und flüsterte ihm etwas zu. Renzo wurde blass.

»Er hat den Hunden vergiftetes Fleisch hingeworfen!«, rief er und sprang auf das Podest, aber Barbarossa schubste ihn ärgerlich wieder hinunter.

»Na und? Sie werden es überleben!«, rief er. »Sollte ich mich von diesen Höllenhunden fressen lassen? Diese Biester haben mir oft genug einen Todesschreck eingejagt!«

»Lauf und gib ihnen Brechwurz!«, sagte Renzo zu Morosina, ohne den Rotbart aus den Augen zu lassen. »Im Stall ist noch etwas.«

Morosina rannte davon. Barbarossa blickte ihr selbstzufrieden nach.

»Diese Ungeheuer haben es nicht besser verdient, glauben Sie mir, *dottore*«, sagte er zu Scipio. »Wissen Sie, ob es gleichgültig ist, auf welche Figur man sich setzt?«

»Nimm den Löwen, Rotbart!«, sagte Renzo und starrte Barbarossa feindselig an. »Der dürfte als Einziger dein Gewicht aushalten.«

Barbarossa warf ihm einen verächtlichen Blick zu, aber er stapfte auf den Löwen zu. Als er seinen dicken Leib hinaufhievte, ächzte das Holz, als wäre der Löwe lebendig geworden.

»Fabelhaft!«, stellte Barbarossa zufrieden fest und blickte auf die Umstehenden hinab wie ein König von seinem Streitross. »Von mir aus kann die Probefahrt beginnen.«

Scipio nickte und legte Renzo und Prosper die Hände auf die Schultern. »Ihr wisst, was ihr zu tun habt. Verschafft Signor Barbarossa den Ritt, den er verdient hat.«

»Aber erst einmal nur eine Runde!« Barbarossa rutschte aufgeregt noch etwas nach vorn und klammerte sich mit seinen beringten Fingern an die Stange. »Man kann ja nie wissen. Vielleicht ist doch etwas an den Geschichten dran, und ich will mich ja nicht«, verächtlich wies er auf Renzo, »in einen Knirps wie den da verwandeln. Aber ein paar Jährchen«, er lachte und strich sich über den kahlen Kopf, »wer wäre die nicht gern los, nicht wahr, Dottore?« Scipio beantwortete das mit einem Lächeln.

»Renzo, Prosper, einen besonders kräftigen Stoß für Signor Barbarossa!«, befahl er.

Prosper und Renzo traten auf das Karussell zu. Renzo legte die Hand dem Wassermann auf den Rücken, Prosper stemmte die Arme gegen das Einhorn.

»Festhalten, Rotbart!«, rief Renzo. »Das wird der Ritt deines Lebens!«

Das Karussell setzte sich mit einem so heftigen Ruck in Bewegung, dass das Einhorn dem Löwen in den Nacken zu springen schien. Erschrocken klammerte Barbarossa sich an die Stange.

»Hoppla, nicht so heftig!«, rief er, aber das Karussell drehte sich schneller und schneller.

»Halt!«, brüllte Barbarossa. »Halt! Mir wird übel!«

Aber die Figuren wirbelten weiter im Kreis herum, noch eine Runde und noch eine.

»Verfluchtes Teufelsding!«, schrie Barbarossa, und Prosper schien es, als klänge seine Stimme schon heller.

»Spring ab, Rotbart!«, rief Renzo. »Spring ab, wenn du dich traust!«

Aber Barbarossa sprang nicht. Er schrie, er schimpfte, er rüttelte an der Stange, trat gegen den Löwen, als könnte er so die rasende Fahrt bremsen. Und plötzlich passierte es.

Auf der verzweifelten Suche nach Halt stemmte Barbarossa die Füße gegen die Flügel des Löwen. Scipio, Renzo, Prosper, alle drei hörten, wie das alte Holz brach. Fürchterlich klang das Spleißen, fast, als ginge etwas Lebendiges entzwei.

»Nein!«, hörte Prosper Renzo schreien, aber da war schon nichts mehr zu retten.

Der Flügel schleuderte durch die Luft, prallte dem Wassermann gegen die grüne Brust und landete polternd auf dem hölzernen Podest. Von dort schlitterte er hinunter, traf Prosper so heftig am Arm, dass er aufschrie, und verschwand in den Büschen.

Schlingernd drehte das Karussell eine letzte Runde, dann kamen die Figuren ächzend zum Stehen. Und regten sich nicht mehr.

»*Madonna!*«, hörte Prosper eine Stimme jammern. »Was war das? Was für ein dreimal verfluchter Höllenritt!«

Vom Rücken des geflügelten Löwen rutschte mit schlotternden Beinen ein Junge. Stöhnend taumelte er zum Rand des Holzpodests, stolperte über seine Hosenbeine – und starrte erstaunt auf seine Finger: kurze dicke Finger, mit rosigen Fingernägeln.

EIN PAAR RUNDEN ZU VIEL

»Er hat es zerbrochen!«, rief Renzo. Er sprang auf das Podest, stieß den geschrumpften Barbarossa so unsanft zur Seite, dass er fast hinfiel, und beugte sich über den Löwen. Idas Flügel saß immer noch fest an seinem Platz, aber von dem rechten war nur noch ein Stumpf übrig. Verzweifelt blickte er zu Prosper und Scipio hinunter. Dann, als wäre ihm wieder eingefallen, wer verantwortlich war für dieses Unglück, stürzte er auf Barbarossa zu, der immer noch ungläubig seine Finger anstarrte.

»Du dreimal verfluchter Schuft!«, schrie Renzo und gab Barbarossa einen Stoß vor die Brust, dass er rückwärts gegen das Seepferd stolperte. »Du schleichst dich auf meine Insel, du vergiftest meine Hunde, du bedrohst meine Schwester, und nun hast du auch noch zerstört, worauf ich mein halbes Leben verwandt habe!«

»Es hat nicht angehalten!«, zeterte Barbarossa und hielt sich schützend die Arme über den Kopf, aber Renzo schlug blind vor Wut auf ihn ein, bis Prosper auf das Podest sprang und ihn zurückzerrte, mit einer Hand. Sein anderer Arm schmerzte immer noch von dem Zusammenprall mit dem Flügel. Renzo ließ widerstandslos die Fäuste sinken und starrte den verstümmelten Löwen an. Auch Scipio stand da wie versteinert. Zögernd, als fürchte er sich

326

vor dem, was er dort finden würde, ging er zu dem Busch, in den der Flügel geschleudert worden war, und zerrte ihn zwischen den Zweigen hervor.

»Wir werden einen neuen Flügel schnitzen lassen, Renzo!«, sagte er und strich über das zersplitterte Holz.

Renzo trat auf den Löwen zu und presste das Gesicht gegen die hölzerne Mähne. »Nein«, sagte er. »Was glaubt ihr, warum ich so lange nach dem zweiten Flügel gesucht habe? Es heißt, der Conte Vallaresso hat mehr als dreißig Flügel schnitzen lassen, nachdem die Diebe den Löwenflügel verloren hatten. Aber ohne die echten Flügel ist es nur ein Karussell.«

»Unsinn, die anderen Figuren sind doch noch da!«, rief Barbarossa. »Was sollen die langen Gesichter?« Barfuß stand er da, Schuhe und Socken waren ihm bei seinem wilden Ritt von den Füßen geflogen, und die Ärmel seines Mantels schleiften auf dem Boden. Barbarossa war kleiner als Bo.

Als keiner ihm antwortete, zerrte er sich den Mantel von den Schultern, stieg aus den viel zu groß gewordenen Hosen und stolperte auf den Wassermann zu. Und als er auf den nicht hinaufkam, versuchte er es mit dem Seepferd. Aber die Figuren waren plötzlich riesig, zu hoch für einen kleinen, dicken Jungen, der immer schon etwas ungeschickt gewesen war.

»Spar dir die Mühe, Barbarossa«, sagte Prosper und hockte sich auf den Rand des Podests. »Du hast doch gehört, was Renzo gesagt hat. Es wird nicht mehr funktionieren.«

»Unsinn!«, schrie Barbarossa ihn an. »Stoßt es sofort noch mal an! Dottor Massimo!« Er lief zum Rand der Plattform zurück und trat fröstelnd von einem nackten Fuß auf den anderen. »Bitte, *dottore*! Machen Sie diesem unerhörten Kinderstreich ein Ende! Sehen Sie mich an. Ich bin ein bedeutender Mann, jeder in der

Stadt kennt mich. Menschen aus aller Welt verkehren in meinem Laden! Soll ich denen etwa in dieser lächerlichen Gestalt entgegentreten?«

Scipio betrachtete immer noch den zersplitterten Flügel. »Ach, lass mich in Frieden, Barbarossa«, sagte er, ohne den Kopf zu heben. »Du verstehst gar nichts. Was hattest du hier überhaupt zu suchen? Du hast alles kaputtgemacht.«

»Aber *dottore*!«, zeterte Barbarossa.

»Ich bin nicht Dottor Massimo!«, fuhr Scipio ihn an. »Ich bin der Herr der Diebe.« Müde legte er den zerstörten Flügel auf das Podest des Karussells. »Und erwachsen bin ich jetzt auch. Aber irgendwie hast du mir die Freude daran verdorben. Verdammt noch mal, ich muss nachdenken.«

Barbarossa starrte Scipio an, als hätte er sich als der Teufel höchstpersönlich vorgestellt.

»Der Herr der Diebe?«, flüsterte er. »Der Herr der Diebe ist der ehrenwerte Dottor Massimo? Wenn das keine Überraschung ist.« Drohend senkte er die Stimme, was bei einem Fünfjährigen nicht sonderlich wirkungsvoll klingt. »Lasst es fahren!«, sagte er und ballte die kleinen Fäuste. »Sofort! Oder ich erzähle der Polizei, wer ihr seid.«

Da lachte Scipio.

»O ja, tu das!«, sagte er. »Erzähl ihnen, dass Dottor Massimo der Herr der Diebe ist. Nur schade, dass du jetzt so ein kleiner Knirps bist und sie dir nicht glauben werden.«

Das verschlug Barbarossa die Sprache. Hilflos vor Wut stand er da, die Fäuste immer noch geballt, und starrte auf seine nackten, kalten Zehen.

»Du dreister Kerl wagst es, hier auch noch jemanden zu erpressen?«, fragte Renzo hinter ihm. »Ich werde jetzt nach meinen

Hunden sehen. Und wenn du ihnen ebensolchen Schaden zugefügt hast wie meinem Karussell, dann wirst du dir wünschen, die Isola Segreta nie betreten zu haben. Verstanden?«

»Du ...« Barbarossa drehte sich entgeistert zu ihm um. »Du wagst, mir zu drohen, du schmutziger, kleiner ...«

»Ich bin der Conte, Barbarossa!«, unterbrach Renzo ihn barsch. »Und du bist ungebeten auf meiner Insel und von jetzt an ein Gefangener.«

Er sprang vom Karussell und sah Prosper und Scipio an. »Passt ihr auf ihn auf? Ich muss nach den Hunden und nach Morosina sehen.«

Prosper nickte. Er hielt sich immer noch den Arm.

»Was ist mit dir?«, fragte Scipio besorgt, als er sein schmerzverzogenes Gesicht sah.

Aber Prosper schüttelte nur den Kopf. »Der Flügel ist dagegen geprallt, das wird schon wieder.«

»Morosina wird sich den Arm ansehen«, sagte Renzo. »Bringt den Rotschopf mit zum Haus.« Dann verschwand er zwischen den Büschen.

Verdattert blickte Barbarossa ihm nach. »Dieses unverschämte Großmaul!«, schimpfte er und stemmte die kurzen Arme in die Seiten. »Er ist der Conte. Na und? Ich habe den Kerl schon nicht gemocht, als er alt und grau war. Seine Insel. Pah. Ich werde nach Hause fahren und mir den besten Tischler der Stadt nehmen. Der wird dieses Höllenkarussell schon wieder zum Fahren bringen.«

»Gar nichts wirst du«, sagte Scipio und stellte sich vor ihn hin. Obwohl Barbarossa immer noch auf dem Podest stand, überragte Scipio ihn um einiges. »Leben deine Eltern noch?«, fragte er.

Barbarossa zog fröstelnd die Schultern hoch. Sein Mantel fehlte ihm. »Nein. Was zum Teufel soll die Frage?«

Prosper und Scipio wechselten einen Blick.

»Tja, dann sollten wir Renzo wohl vorschlagen, ihn zu den Barmherzigen Schwestern zu bringen«, sagte Prosper.

»Was?« Entsetzt wich Barbarossa zurück. »Das wagt ihr nicht! *Das wagt ihr nicht!*«

Scipio sprang auf das Karussell und zerrte den strampelnden kleinen Kerl zwischen den Figuren hervor.

»Das Karussell wird sich nie wieder drehen, Rotbärtchen«, sagte er. »Dank dir. Deshalb fährst du fürs Erste auch nicht allein in die Stadt zurück. Wer weiß, was du sonst noch für Unglück anrichtest. Du hast gehört, was Renzo gesagt hat: Du bist jetzt sein Gefangener. Und ich möchte, ehrlich gesagt, nicht in deiner Haut stecken, denn du hast ihm und seiner Schwester wirklich reichlich Grund gegeben, auf dich ärgerlich zu sein.«

Barbarossa strampelte, er schlug um sich, aber Scipio warf ihn sich wie einen Sack über die Schulter und trug ihn den ganzen Weg zurück zum Haus.

Sie hätten nie allein durch das Labyrinth gefunden, aber Renzos Spuren wiesen ihnen den Weg. Während Barbarossa schimpfte und spuckte und mit den Fäusten auf Scipios Rücken trommelte, sprach der kein einziges Wort. Ab und zu blickte er zum Himmel hoch oder hinauf in die Bäume und betrachtete sie, als wären sie ebenso neu und ungewohnt wie sein plötzlich erwachsener Körper. Barbarossas Zetern schien er nicht zu hören. Wie taub ging er voran, mit so langen Schritten, dass Prosper Mühe hatte zu folgen.

Erst als sie vor dem Haus standen, drehte Scipio sich zu Prosper um, stellte den immer noch schimpfenden Barbarossa wieder auf die eigenen Füße und sagte: »Es ist alles geschrumpft, Prop. Die Welt ist plötzlich so klein. Fast, als würde ich nicht mehr hineinpassen.«

Er beugte sich zu Barbarossa hinunter. »Dir geht es da sicherlich etwas anders, Rotbärtchen, oder?«, fragte er spöttisch. »Wie ist es denn so da unten?«

Barbarossa beachtete ihn nicht. Finster sah er sich um, wie ein gefangenes Tier, das nach einem Fluchtweg Ausschau hält. Er sträubte sich heftig, als Prosper ihn zur Treppe zog.

»Lass mich los!«, brüllte er mit zornrotem Kopf. »Dieser Junge ... der Conte, er wird mich umbringen! Ihr müsst mich laufen lassen, schließlich sind wir alte Geschäftspartner! Ich gebe euch Geld, mein Boot liegt am Tor, ihr könnt sagen, ich bin euch entwischt!«

»Geld? Wir haben noch eine ganze Tasche voll Falschgeld«, antwortete Prosper. »Die kommt auch von dir.«

Das verschlug Barbarossa für einen Augenblick die Sprache. »Was für Falschgeld, ich weiß nichts von Falschgeld«, sagte er, aber er vermied es, Prosper und Scipio dabei anzusehen.

»O doch, das weißt du«, sagte Scipio und stieg die Treppe hinauf. Mit mürrischem Gesicht folgte Barbarossa ihm. Und blieb stocksteif stehen, als Renzo oben zwischen den Säulen erschien.

»Ah! Seht nur, wie grimmig der dreinblickt!«, flüsterte er und klammerte sich an Prospers Arm. »Ihr müsst mich vor ihm beschützen.«

In dem Moment tauchten hinter Renzo die Doggen auf. Ihre Augen blickten trübe, aber sie standen auf ihren Pfoten. Morosina trat zwischen sie und blickte mit zusammengekniffenen Lippen auf Barbarossa herab.

»Du hast Glück gehabt, du elender Giftmischer!«, rief Renzo und kam langsam die Stufen herunter.

»Ja, sie leben noch«, stellte er fest, als er Barbarossas erleichterten Blick sah. »Ich glaube, sie könnten schon wieder einen Happen

Futter vertragen. Morosina schlug vor, dass wir dich zur Strafe mit ihnen um die Wette laufen lassen, mit deinem Boot als Ziel zum Beispiel ...«

Barbarossa wurde blass.

Renzo blieb zwei Stufen über ihm stehen und blickte auf ihn hinunter.

»Ich hätte da einen anderen Vorschlag«, sagte er. »Natürlich musst du bezahlen für das, was du angerichtet hast, aber nicht mit deinem Leben und nicht so, wie wir den Herrn der Diebe bezahlt haben.«

»Wie dann?« Barbarossa sah ihn argwöhnisch an.

»Dank dir können Morosina und ich nicht zurückdrehen, was wir begonnen haben«, sagte Renzo. »Ebenso wenig wie der Herr der Diebe oder du selbst. Ich habe dir schon fast alles verkauft, was es auf dieser Insel an Wertvollem gab, nur das alte Spielzeug ist noch übrig. Und Morosina und ich sind allein. Deshalb werde ich dich gehen lassen, wenn du mir dafür das Geld gibst, das du in deinem Laden hast, und zwar nicht in deiner Kasse, sondern in deinem Safe.«

Barbarossa fuhr so entgeistert zurück, dass er fast die Treppe hinunterstürzte. Prosper erwischte ihn noch gerade am Hosenbund, aber Barbarossa stieß seine Hand weg, sobald er wieder sicher stand.

»Bist du wahnsinnig?«, fuhr er Renzo an. »Und wovon soll ich in nächster Zeit leben? Ich kann kaum noch über meinen Ladentisch gucken. Was kann ich dafür, dass dieser morsche Flügel abgebrochen ist?«

»Ja, was kannst du dafür?« Scipio ließ sich mit einem Seufzer auf den kalten Stufen nieder und musterte Barbarossa spöttisch. »Was kannst du dafür, dass du mit einem Beutel voll vergiftetem Fleisch auf diese Insel geschlichen bist und Morosina an den Haaren hinter dir hergeschleift hast?«

Barbarossa machte den Mund auf, aber Renzo ließ ihn nicht zu Wort kommen.

»Wir werden zusammen in die Stadt fahren«, sagte er, »und du wirst mir das Geld geben. Dafür werde ich mich nicht an dir rächen, nicht für das Karussell und nicht für die Hunde, und auch meine Schwester wird es nicht tun. Glaub mir, wir könnten es. Wir könnten die Carabinieri auf einen elternlosen Jungen aufmerksam machen, der sich einbildet, Ernesto Barbarossa zu sein, oder Scipio und Prosper bitten, dich im Waisenhaus der Barmherzigen Schwestern abzugeben. Es liegt bei dir. Du kannst dich von alldem freikaufen.«

Barbarossa strich sich über das Kinn und ließ die Hand ärgerlich sinken, als er spürte, wie nackt und bartlos es war.

»Erpressung«, knurrte er.

»Nenn es, wie du willst«, antwortete Renzo. »Für das, was du auf meiner Insel getrieben hast, gibt es ein paar noch unfeinere Worte.«

Barbarossa sah ihn so finster an, dass Prosper lachen musste.

»Ich würde das Angebot annehmen, Rotbärtchen«, sagte er. Sonst verfüttert dich Morosina doch noch an die Doggen.«

Barbarossa ballte ohnmächtig die kleinen Fäuste. »Gut, ich nehme an«, sagte er und blickte hinauf zu den Hunden, die sich auf die oberste Treppenstufe gelegt hatten. »Aber es ist und bleibt Erpressung.«

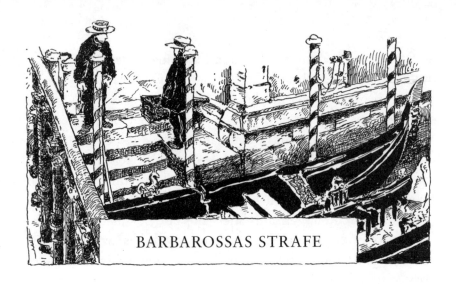

BARBAROSSAS STRAFE

Sie kehrten früh am Nachmittag nach Venedig zurück. Aber den Himmel bedeckten so dunkle Wolken, dass Prosper für einen Moment glaubte, es dämmere schon.

Er hatte jedes Zeitgefühl verloren. Die Nacht, in der er und Scipio zur Isola Segreta aufgebrochen waren, schien Monate zurückzuliegen, und er fühlte sich wie ein Reisender, der aus fernen, fremden Ländern zurückkehrte. Als Scipio das Boot seines Vaters auf den Canal Grande steuerte, begann es zu regnen. Der Wind trieb ihnen die kalten Tropfen ins Gesicht und die Paläste am Ufer sahen aus, als weinten sie.

»Wie lange soll ich noch in diesem Loch stecken?«, hörte Prosper Barbarossa schimpfen.

Scipio hatte ihn in die Kajüte gesperrt, um sicherzugehen, dass er keine unerwarteten Bosheiten aussheckte. Renzo folgte ihnen mit Barbarossas Boot, einem Lastkahn, mit dem der Rotbart wohl einiges hatte von der Insel schaffen wollen. Auch wenn er das heftig abstritt. Morosina war auf der Isola Segreta geblieben, um sich um die Hunde zu kümmern. Sie hatten so müde mit den Schwänzen gewedelt, als Renzo sich von ihnen verabschiedete, dass er mit sorgenvollem Gesicht in Barbarossas Boot geklettert war.

»Wie willst du nachher zur Insel zurückkommen?«, fragte Scipio ihn, als sie die Boote am Kai eines abgelegenen Kanals vertäuten.

»Oh, ich werde mir Signor Barbarossas Boot noch eine Weile ausleihen«, antwortete Renzo. »Es ist viel praktischer als mein Segelboot, und außerdem kann er mir so in nächster Zeit keinen Überraschungsbesuch abstatten.«

Barbarossa murmelte etwas sehr Unfreundliches und ging mit mürrischer Miene voraus. Scipio hatte ihm seine Kinderkleidung überlassen, aber selbst die war Barbarossa zu groß. Die Schuhe rutschten ihm bei jedem zweiten Schritt von den Füßen, die Leute drehten sich nach ihm um und lachten, wenn er versuchte würdevoll dreinzuschauen.

Auch Scipios hoch gewachsene Gestalt zog neugierige Blicke auf sich. Renzo hatte ihm den dunklen Umhang geschenkt, den er früher getragen hatte; Scipio sah damit aus, als wäre er aus einem alten Gemälde gestiegen. Prosper ging verlegen neben ihm her, er vermisste Scipios vertrautes Gesicht. Selbst mit der Maske war es ihm weniger fremd erschienen. Ab und zu lächelte Scipio ihn an, vielleicht spürte er Prospers Befangenheit und wollte sie verscheuchen, aber ganz gelang ihm das nicht.

Der Regen prasselte immer heftiger auf das Pflaster, und als sie endlich die Gasse erreichten, in der Barbarossas Laden lag, war kaum noch ein Mensch zwischen den Häusern zu sehen.

Mit finsterer Miene schloss Barbarossa auf und machte Licht. Das *Chiuso*-Schild, das hinter der Scheibe baumelte, ließ er hängen, und die Tür schloss er vorsorglich hinter ihnen ab.

»Ein Drittel müsst ihr mir lassen«, schimpfte er, während er ihnen in sein Büro voranging. »Mindestens! Wovon soll ich sonst leben? Wollt ihr, dass ich elendiglich verhungere?«

Klein, wie er nun war, fiel es ihm leichter, einen Weg durch den voll gestopften Laden zu finden, aber trotz seiner neuen Körpergröße versuchte Barbarossa, ähnlich bedeutsam und schwergewichtig an den Regalen vorbeizuschreiten, wie er es früher getan hatte. Das sah so seltsam aus, dass Scipio ihn hinter seinem Rücken nachäffte.

»Was soll das alberne Gekicher?«, fragte Barbarossa, als er Prosper und Renzo lachen hörte. Mit beleidigter Miene verschwand er durch den Perlenvorhang vor seinem Büro. Die drei anderen folgten ihm.

»Hinaus mit euch!«, fuhr Barbarossa sie an. »Ihr bekommt das Geld, aber die Safekombination geht euch nichts an!«

»Wir machen die Augen zu«, sagte Prosper und stellte einen Stuhl unter das Poster des Accademia-Museums, das hinter Barbarossas Schreibtisch hing.

»Ihr habt spioniert!«, fauchte Barbarossa, während er mühsam auf den Stuhl kletterte. »Du und dein igelhaariger Freund. Seit wann wisst ihr, dass der Safe hinter dem Poster ist?«

Prosper zuckte die Achseln. »Wir wussten es nicht«, antwortete er. »Aber Riccio hat es schon immer vermutet.«

»Feige Bande!«, knurrte Barbarossa und löste das Poster umständlich von der Wand. »Beraubt einen armen kleinen Jungen. Pest und Pocken. Aber wenn ich erst mal wieder eine anständige Größe habe ...«

»Das wird noch viele Jahre dauern«, unterbrach Renzo ihn ungeduldig. »Mach endlich auf! Ich muss mich um einen Tierarzt kümmern, du erinnerst dich vermutlich, warum ... Wenn ich es bedenke, kommst du wirklich mehr als glimpflich davon.«

Barbarossa starrte den Geldschrank an.

»Ich habe die Kombination vergessen!«, sagte er, aber Renzo warf ihm einen so unheilverkündenden Blick zu, dass sie ihm wieder einfiel.

»Das ist alles?«, rief Renzo, als Barbarossa ihm zwei Geldbündel hinhielt. »Deswegen jammerst du auch noch? Davon können wir kaum den Tierarzt bezahlen.« Ohne ein weiteres Wort drehte er sich um und ging zurück in den Laden.

»Was hat er vor?« Barbarossa sprang vom Stuhl und hastete Renzo hinterher. »Du hast dein Geld. Rühr nichts an, verstanden?«

Renzo stand in der Mitte des Ladens, unter dem Leuchter mit den bunten Glasblüten, und sah sich um. »Was würdet ihr nehmen?«, fragte er. »Was entschädigt mich dafür, dass er meinem Löwen den Flügel zertreten hat?«

Scipio öffnete eine Glasvitrine und nahm etwas heraus. »Wie wäre es hiermit?«, fragte er und legte Renzo die Zuckerzange in die Hand, die er selbst aus dem Haus seines Vaters gestohlen hatte.

Empört schnappte Barbarossa nach Luft. »Die habe ich bezahlt, Herr der Diebe!«, rief er mit schriller Kinderstimme. »Frag deinen Unterhändler. Mehr als genug habe ich dafür bezahlt.«

Ärgerlich machte Scipio einen Schritt auf Barbarossa zu. Der reichte ihm gerade bis zum Hosenbund.

»Die Summe, die auf dem Preisschild steht, ist fast zehnmal so hoch wie das, was du Prosper bezahlt hast«, sagte er. »Wir haben lange nach deinen Regeln gespielt, Rotbart, aber nun spielst du eine Weile nach den unseren.«

»Gar nichts werde ich!« Barbarossa stemmte aufgebracht die Arme in die Seiten, aber Scipio kehrte ihm einfach den Rücken zu und musterte die Gegenstände, die noch in der Vitrine lagen.

Renzo stopfte sich die beiden Geldbündel aus dem Safe unter die Jacke, ließ die Zuckerzange in seine Hosentasche rutschen und drehte sich um.

»Ich wünsche dir Glück, Herr der Diebe«, sagte er und öffnete die Ladentür. Der Wind trieb ihm den Regen ins Gesicht. »Solltest du uns wieder einmal besuchen wollen, dann läute die Glocke am Tor. Wenn ich da bin, werde ich öffnen.«

»Und ich werde jedes Mal, wenn ich an der Basilica San Marco vorbeikomme, an den Conte denken«, sagte Scipio.

Renzo nickte.

»Barbarossa!«, sagte er, bevor er nach draußen trat. »Du machst künftig besser einen weiten Bogen um die Isola Segreta. Unsere Hunde werden deinen Geruch nie vergessen.«

Barbarossa sah ihn finster an.

»Na und? Die Biester werden nicht ewig leben«, hörte Prosper ihn murmeln, aber Renzo hatte sich schon umgedreht und war hinaus auf die Gasse getreten. Der Regen prasselte von den Dächern, als hätte der Himmel dem Meer versprochen, die Stadt zu ertränken.

Scipio trat ans Fenster und blickte Renzo nach, bis er zwischen den Häusern verschwunden war.

»Prop, du gehst doch bestimmt zurück zu Ida Spaventos Haus«, sagte er, ohne sich umzudrehen. »Ich werde dich hinbringen, in Ordnung?«

»Sicher. Du kannst bestimmt auch bei uns im Zimmer schlafen, zumindest die kommende Nacht«, sagte Prosper, aber Scipio schüttelte den Kopf.

»Nein«, sagte er und schaute hinaus in den Regen. »Ich muss heute Nacht allein sein. Ich habe noch etwas Geld, davon werde ich mir ein Hotelzimmer mieten, mit einem großen Spiegel, damit ich mich an mein neues Gesicht gewöhnen kann. Vielleicht lass ich mir von Mosca auch etwas von dem Falschgeld geben. Für Notfälle. In welchem Hotel wohnt deine Tante?«

»*Gabrielli Sandwirth*«, antwortete Prosper. Und überlegte, ob er nicht doch besser zuerst dorthin gehen sollte.

»Lass uns erst zu Ida gehen, die anderen machen sich vielleicht schon Sorgen, wo du steckst«, sagte Scipio, als hätte er Prospers Gedanken erraten.

»Und was ist mit mir?« Barbarossa drängte sich zwischen die beiden.

Prosper und Scipio hatten den Rotbart ganz vergessen. Wie klein er aussah zwischen all den kostbaren und wertlosen Dingen, die er angesammelt hatte. Sein Ladentisch reichte ihm bis an die Schultern.

»Ihr könnt bei mir übernachten«, sagte er. »Meine Wohnung ist sehr, sehr groß und gleich über dem Laden.«

»Nein, danke«, antwortete Scipio und zog sich den Umhang enger um die Schultern. »Komm, Prop, lass uns gehen.«

»Moment, nicht so eilig! So wartet doch!« Barbarossa stolperte an ihnen vorbei und versperrte ihnen die Tür. »Ich werde euch begleiten!«, verkündete er. »Ich bleibe nicht hier, kommt nicht in Frage. Morgen sieht das bestimmt alles anders aus, aber jetzt ...« Er blickte beunruhigt durch die nasse Scheibe nach draußen. »Bald wird es dunkel, das heißt, es ist schon abscheulich dunkel, der Regen scheint die Stadt fortspülen zu wollen und ich komme nicht mal an meinen Kühlschrank oder meine Kaffeekanne. *Basta!*« Er stieß Scipios Hände weg, als der nach der Klinke griff. »Ich komme mit. Nur bis morgen, wie gesagt.«

Prosper und Scipio sahen sich ratlos an. Schließlich zuckte Prosper die Schultern. »Er kann in dem Bett für Bo schlafen«, sagte er. »Wenn's nur eine Nacht ist, wird Ida wohl nichts dagegen haben.«

Erleichterung machte sich auf Barbarossas immer noch rundem, aber gänzlich bartlosem Gesicht breit.

»Bin gleich zurück!«, verkündete er und holte einen gewaltigen Regenschirm. In seinem Schutz machten sie sich zu dritt auf den langen Weg zum Campo Santa Margherita.

Das Boot seines Vaters ließ Scipio dort, wo er es vertäut hatte. Zwei Tage später fiel es der Wasserpolizei auf, und Dottor Massimo wurde mitgeteilt, dass das Boot, das er gestohlen gemeldet hatte, wieder aufgetaucht sei. Von seinem Sohn aber, dessen Verschwinden der *dottore* ebenfalls gemeldet hatte, fehle jede Spur.

FREMDE GÄSTE

Scipio hatte Recht, die anderen machten sich Sorgen um Prosper, furchtbare Sorgen.

Sie erinnerten sich alle an sein verzweifeltes Gesicht bei ihrem letzten gemeinsamen Essen. Und dass nicht mal Wespe ihn hatte trösten können. Vor Bo verbargen sie, so gut es ging, wie besorgt sie waren, und Wespe versuchte ihn zu überreden, doch lieber bei Lucia und den Katzen zu bleiben, statt mit nach Prosper zu suchen. Aber Bo schüttelte nur den Kopf, klammerte sich an Victors Hand und kam mit.

Zuerst versuchten sie es noch einmal beim *Sandwirth*, dann fragten sie bei den Carabinieri nach, in den Kranken- und Waisenhäusern. Giaco fuhr mit Idas Boot die Kanäle ab und zeigte den Gondolieri Prospers Foto, Mosca und Riccio fragten auf den Vaporetti nach ihm. Aber als der Regen kam und der Himmel so dunkel wurde, als hätte selbst die Sonne sich einen trockeneren Ort gesucht, fehlte von Prosper immer noch jede Spur.

Ida und Wespe kehrten als Erste zum Haus zurück, sie wussten einfach nicht, wo sie noch suchen sollten. Auf dem Campo Santa Margherita trafen sie Victor, mit dem schlafenden, klitschnassen

Bo auf dem Rücken. Ida brauchte Victor nur ins Gesicht zu schauen, um zu sehen, dass er ebenso wenig Erfolg gehabt hatte wie sie.

»Wo kann der Junge bloß stecken?«, seufzte sie, als sie die Haustür aufschloss. »Lucia ist noch mal zu dem Kino gegangen, sie müsste auch bald zurückkommen.«

Wespe war so müde, dass sie den Kopf gegen Idas Rücken lehnte. »Vielleicht hat er sich auf irgendein Schiff geschlichen«, murmelte sie, »und ist längst weit, weit weg ...«

Aber Victor schüttelte den Kopf.

»Glaub ich nicht«, sagte er. »Ich werde Bo jetzt in sein Bett legen, etwas essen, ein Glas von Idas Portwein trinken und dann noch mal bei Dottor Massimo vorbeigehen. Vielleicht hat Scipio ja von Prosper gehört. Ich habe schon etliche Male versucht dort anzurufen, aber es nimmt niemand ab.«

Ida stieß die Haustür auf. »Ja, das wäre noch eine Möglichkeit«, sagte sie – und blieb in der offenen Tür stehen.

»Was ist?«, fragte Victor. Und hörte es auch. Aus der Küche schallten Stimmen den Flur hinunter.

»Giaco?«, fragte Victor, aber Ida schüttelte den Kopf.

»Der ist nach Murano gefahren.«

»Ich könnte spionieren gehen«, flüsterte Wespe.

»Nein, das übernehme ich!«, raunte Victor und legte Bo vorsichtig in einem Sessel neben der Haustür ab. »Ihr zwei bleibt hier bei Bo, während ich mir unsere Besucher ansehe. Wenn es Ärger gibt«, er gab Ida sein Handy, »ruft ihr die Polizei.«

Aber Ida gab das Telefon an Wespe weiter. »Ich komme mit«, flüsterte sie. »Die sitzen schließlich in meiner Küche.«

Victor seufzte, aber er versuchte nicht Ida davon abzubringen. Besorgt blickte Wespe den beiden nach, als sie den dunklen Flur hinunterschlichen.

Die Küchentür stand offen, und an dem großen Tisch, auf dem Lucia sonst ihren Nudelteig ausrollte, saßen zwei Jungen und ein hoch gewachsener Mann, der zu Victors Verwunderung aussah wie eine jüngere Ausgabe des ehrenwerten Dottor Massimo. Der kleinere der beiden Jungen war kaum so alt wie Bo, hatte rostrote Locken und wollte gerade nach der halb leeren Portweinflasche greifen, die zwischen den dreien stand, aber der andere Junge zog sie ihm weg. Er saß mit dem Rücken zur Tür. Als er den Kopf zur Seite wandte, stieß Ida einen so erleichterten Seufzer aus, dass er sich erschrocken zu ihr umdrehte.

»Verflucht noch eins, Prosper!«, polterte Victor los. »Weißt du, seit wann wir dich suchen?«

»Hallo, Victor.« Prosper schob zerknirscht seinen Stuhl zurück. Er trug den linken Arm in einer Schlinge.

Die anderen beiden ließen hastig wie Kinder, die man bei etwas Verbotenem ertappt hat, die Gläser sinken. Der junge Mann versuchte sogar das seine unter dem Tisch zu verbergen und goss sich den Portwein dabei über die dunkle Hose.

»Wie seid ihr hereingekommen?«, fragte Ida Prosper, ohne seine beiden Begleiter aus den Augen zu lassen.

»Lucia hat mir gesagt, wo sie ihren Ersatzschlüssel versteckt«, antwortete Prosper verlegen.

»So, so, und da schleppst du gleich noch mehr Leute in Idas Haus.« Victor warf dem jungen Mann einen argwöhnischen Blick zu. »Ich wette, Sie heißen mit Nachnamen Massimo«, knurrte er. »Und was ist mit dem Zwerg da? Gibt es in diesem Haus noch nicht genug Kinder?«

Der kleine Rothaarige richtete sich mit einem Ruck auf, musterte Victor vom Kopf bis zu den ausgetretenen Schuhen und lallte: »Zwerg? Ich bin Ernesto Barbarossa, ich bin ein wichtiger Mann in dieser Stadt, aber wer, Pest und Fäulnis, sind Sie, wenn ich fragen darf?«

Victor öffnete verblüfft den Mund, aber bevor er etwas sagen konnte, drückte der junge Mann den Kleinen auch schon unsanft auf seinen Stuhl zurück.

»Sei still, Barbarino«, sagte er. »Wenn du dich nicht benehmen kannst, setzen wir dich vor die Tür. Das ist Victor, ein Freund von uns. Und das neben ihm ist Ida Spavento. Ihr gehört dieses Haus, und du hast eindeutig zu viel von ihrem Portwein getrunken.«

Victor und Ida wechselten einen erstaunten Blick.

»Tut mir Leid, dass wir den Rotbart auch noch hergebracht haben«, stammelte Prosper. »Und dass er auch noch deinen Portwein getrunken hat, Ida, aber er wollte nicht allein in seinem Laden bleiben. Es ist nur für diese Nacht ...«

»In seinem Laden?«, fragte Victor. »Verdammt noch mal, Prosper, kannst du jetzt endlich mal erklären, was hier los ist?«

»Wir haben unser Ehrenwort gegeben, nicht darüber zu reden«, murmelte Prosper und zupfte an dem schmutzigen Tuch, das seinen Arm hielt.

»Ja, allerdings. Tut uns wirklich Leid, Victor«, sagte der junge Mann. Victor konnte sich nicht erinnern, jemals ein so unverschämtes Grinsen bei einem Erwachsenen gesehen zu haben. »Aber vielleicht hast du Lust zu raten, wen du vor dir hast. Das mit meinem Nachnamen war schon nicht schlecht.«

Victor wurde die Antwort erspart. Jemand zupfte ihn am Ärmel und als er über die Schulter blickte, stand Wespe hinter ihm.

»Was ist denn nun los?«, fragte sie mit gesenkter Stimme und versuchte einen Blick in die Küche zu erhaschen. Als sie Prosper entdeckte, schob sie sich hastig an Ida und Victor vorbei. Keinen Blick hatte sie übrig für den rot gelockten Jungen oder den fremden Mann, der an Idas Tisch lehnte. Ihre Augen hingen bloß an Prospers verletztem Arm.

»Wo warst du?«, rief sie, und in ihrer Stimme schwangen zugleich Wut und Erleichterung mit. »Wo warst du, verdammt noch mal? Weißt du, was für Sorgen wir uns alle gemacht haben? Verschwindest einfach mitten in der Nacht ...« Tränen traten ihr in die Augen.

Prosper öffnete den Mund, um etwas zu sagen, doch Wespe ließ ihn nicht zu Wort kommen.

»Die ganze Stadt haben wir nach dir abgesucht, Mosca und Riccio sind immer noch unterwegs!«, rief sie. »Lucia und Giaco auch. Und Bo hat sich die Augen aus dem Kopf geweint! Nicht mal Victor konnte ihn trösten ...«

»Bo?« Prosper war Wespes Blick verlegen ausgewichen, aber jetzt sah er sie an, ungläubig, als hätte er sich verhört. »Bo?«, stammelte er. »Bo ist bei Esther.«

»Nein, ist er nicht!«, rief Wespe. »Aber wie willst du das auch wissen, wenn du einfach verschwindest? Was ist mit deinem Arm passiert?«

Prosper antwortete nicht. Er sah nur Victor an.

»Ja, guck nicht so. Dein kleiner Bruder ist Esther schon wieder weggelaufen«, sagte Victor. »Und vorher hat er sich so gründlich danebenbenommen, dass deine Tante ihn nicht mehr für einen Engel hält. Sie will ihn nie wieder sehen, nie wieder, das sind ihre eigenen Worte, ihn nicht und dich sowieso nicht. Ich soll ein schönes italienisches Waisenhaus für euch finden, für den Fall, dass ihr jemals wieder auftaucht. Aber *sie* will nichts mehr mit euch zu schaffen haben.«

Prosper schüttelte den Kopf. »Unmöglich!«, flüsterte er.

»Ich habe deinen Bruder im Kino gefunden«, sagte Victor. »Ich

dachte, ich komme hierher und du fällst mir um den Hals vor
Freude. Aber du warst nicht da.«

Prosper schüttelte noch einmal den Kopf, als könne er einfach
nicht glauben, was Victor da erzählte.

»Hast du das gehört, Scip?«, murmelte er.

»Wenn das kein Grund zum Feiern ist«, sagte der junge Signor
Massimo und legte Prosper den Arm um die Schulter. »Vielleicht
sollten wir ein Bündel von unserem Falschgeld ausgeben.«

»Wer zum Teufel ist das, Prosper?«, knurrte Victor.

»Scipio natürlich«, antwortete Prosper. »Und jetzt sag mir, wo Bo
ist, bitte, Victor!«

Aber Victor hatte es die Sprache verschlagen. Er machte den
Mund auf, er machte ihn wieder zu. Aber es kam ihm kein Laut
über die Lippen. Da griff Ida nach Prospers Hand.

»Komm mit«, sagte sie und zog ihn auf den Flur hinaus.

Bo schlief immer noch in dem Sessel, in dem Victor ihn abgelegt
hatte. Wie eins seiner Kätzchen hatte er sich zusammengerollt
unter dem Pullover, den Wespe über ihn gebreitet hatte. Sein
Haar war nass vom Regen und seine Augen sahen verweint aus.
Prosper beugte sich über ihn und zog ihm den Pullover bis unter
die Nase.

»Ja, Bo hat die Sache selbst in die Hand genommen«, sagte Ida
leise. »Während sein Bruder auf die Isola Segreta gefahren ist.«

Ertappt sah Prosper sie an.

»Ich darf nichts darüber erzählen«, sagte er. »Es ist das Geheimnis von einem anderen. Und ...«

»... die Isola Segreta soll ihr Geheimnis behalten«, beendete Ida
seinen Satz. Sie setzte sich auf die Sessellehne. »Auf jeden Fall ist
mein Flügel wohl wieder an seinem angestammten Platz«, sagte

sie. »Bo wird froh sein, dass du nicht auf dem gefahren bist, worüber wir nicht sprechen dürfen.«

»Ja. Das glaub ich auch.« Prosper richtete sich auf. »Was hat er denn bei Esther angestellt?«

»Deine Tante ist aus dem Hotel geworfen worden«, antwortete Ida. »Und ich erinnere mich auch an irgendetwas mit Nudeln und Tomatensoße.«

Prosper musste lächeln.

»Es war genauso schön, wie du erzählt hast«, sagte er plötzlich. »Aber es ist zerbrochen, durch Barbarossas Schuld, und ich glaub, jetzt wird es nie, nie wieder fahren.«

Ida schwieg. Nachdenklich beugte sie sich über den schlafenden Bo und strich ihm eine feuchte Haarsträhne aus der Stirn. »Du solltest jetzt deinen kleinen Bruder wecken«, sagte sie. »Und dann sehe ich mir deinen Arm an.«

»Ach, der Arm ist nicht so schlimm«, antwortete Prosper. »Aber kennst du vielleicht einen Tierarzt, der sich trauen würde, zur Isola Segreta zu fahren und da mal nach zwei Hunden zu sehen?«

»Bestimmt«, antwortete Ida. Dann ging sie zurück in die Küche. Und Prosper weckte Bo.

EINE VERRÜCKTE IDEE

Zehn Teller stellte Wespe an diesem Abend auf Idas Esszimmertisch. Als Ida Lucia erklärt hatte, dass der kleine Rotschopf und der fremde junge Mann auch noch zum Essen bleiben würden, hatte sie nur düster den Kopf geschüttelt und gemurmelt, dass so viele Mäuler der Signora die Haare vom Kopf fressen würden. Aber dann war sie in der Küche verschwunden und hatte Unmengen von Nudeln gekocht. Als sie die dampfenden Schüsseln hereinbrachte, saßen fast alle am Tisch. Nur Ida und Barbarossa fehlten noch.

Prosper sah, dass Mosca, Riccio und Wespe immer wieder verstohlen zu Scipio hinüberblickten, der sich mit seinen langen Beinen ans Ende des Tisches gesetzt hatte. Sie suchten wohl nach etwas Vertrautem, doch viel gab es da nicht zu entdecken. Ab und zu strich Scipio sich mit der flachen Hand übers Haar, so wie er es früher oft getan hatte, und auch die Augenbrauen hob er noch auf dieselbe Weise, aber sonst war er selbst Prosper fremd. Er schien das auch zu spüren. Obwohl er lächelte, wenn er die unsicheren Blicke seiner Freunde bemerkte.

»Nun, Signor Massimo, wann willst du dich bei deinen Eltern melden?«, fragte Victor, nachdem Lucia sich mit einem tiefen Seufzer auch an den Tisch gesetzt hatte. »Heute noch?«

»Wieso sollte ich?«, antwortete Scipio und strich über die Zinken seiner Gabel. »Sie werden mich kaum vermissen. Ich werde mich höchstens noch mal ins Haus schleichen, um zu sehen, wie es meiner Katze geht.«

»Aber du kannst deine Eltern doch nicht völlig im Unklaren lassen«, sagte Victor und nahm sich schon mal eine Portion Nudeln, obwohl Lucia missbilligend die Stirn runzelte. »Egal, was du von deinem Vater hältst, du kannst ihn nicht mit der ewigen Sorge leben lassen, dass sein Sohn in einen Kanal gefallen oder von Kinderschändern geraubt worden ist.«

Scipio fuhr mit der Gabel über die Tischdecke und antwortete nicht.

»Wenn er aber doch nicht will, Victor!«, sagte Bo. »Und außerdem ist er jetzt erwachsen.«

Scipio lächelte ihm zu.

»Erwachsen. Na und?« Victor wollte gerade verkünden, was er von Scipios Erwachsensein hielt, als die Tür aufging und Ida hereinkam. An der Hand hielt sie Barbarossa, der mürrisch zur Decke hinaufsah, als alle sich zu ihm umdrehten.

»Euer Freund hier darf sich ab sofort nicht mehr ohne Begleitung in meinem Haus bewegen«, sagte Ida ärgerlich. »Er schnüffelt in meinem Labor herum, durchwühlt meine Schubladen und isst meine Pralinen!«

Barbarossa wurde rot wie eine Kirschtomate.

»Ich war hungrig!«, fuhr er Ida an. »Ich werde Ihnen bessere kaufen, sobald ich wieder über Geld verfüge. Wie oft muss ich noch erklären, dass mein Portemonnaie auf dieser gottverfluchten Insel liegt? Sobald morgen die Banken öffnen, werde ich Geld abheben, Ihnen die Pralinen erstatten und mich anständig einkleiden. Es ist eine Schande für einen Mann wie mich, in diesen ...«, er zupfte mit gerümpfter Nase an dem Pullover, den Bo ihm geliehen hatte, »... albernen Kleidungsstücken herumzulaufen.«

»Na, wunderbar.« Ida schubste ihn unsanft auf den einzigen noch leeren Stuhl zwischen Riccio und Bo und schob sich selbst einen Hocker neben Victor.

»Ich denke, du hast Prosper und Scipio angebettelt, dich mit hierher zu bringen?«, fragte Wespe über den Tisch. »Also benimm dich gefälligst, ja?«

»Dieses Bürschchen stiehlt nicht nur Pralinen«, erklärte Lucia grimmig. »Mit unseren letzten Silberlöffeln habe ich ihn erwischt. Und einen Fotoapparat hat er schon unter seiner Jacke verschwinden lassen.«

Riccio kicherte und Prosper ertappte ihn dabei, dass er Barbarossa einen bewundernden Blick zuwarf. Bo aber stand mit seinem Teller auf und hockte sich damit ein Stück entfernt auf Idas Teppich.

»Neben dem will ich nicht sitzen«, verkündete er. »Nachher klaut er mir noch meine Nudeln.« Barbarossa warf mit einer Olive nach ihm. Was dem Rotbärtchen eine Ohrfeige von Wespe eintrug.

»Schluss jetzt!«, rief Victor. »Was ist denn hier los? Lasst euch doch nicht von dem Giftbürschchen verrückt machen.«

Lucia stand mit einem tiefen Seufzer auf.

»Signora, ich gehe nach Hause«, sagte sie und faltete ihre Serviette zusammen. »Vielleicht sollten Sie den Kleinen in der Besenkammer einschließen, wenn er schon hier übernachten muss.«

»Noch eine Frechheit, Barbarino«, sagte Scipio, als Lucia die Tür hinter sich zuzog, »und du kannst heute Nacht hinter deinem Ladentisch schlafen. Das wird sehr gemütlich. Draußen die stockfinstere Gasse, der Regen prasselt gegen die Scheiben, und unser lieber Barbarino liegt mutterseelenallein da und klappert die ganze Nacht vor Angst mit den Zähnchen.«

Barbarossa presste die Lippen aufeinander und starrte in seinen Teller. Wespe, Mosca, Riccio, Prosper, keiner hatte einen freundlichen Blick für ihn. Ida tuschelte mit Victor und beachtete ihn nicht.

»Vielleicht sollten wir eine Anzeige für dich aufgeben, Barbarino.« Scipio lehnte sich auf seinem Stuhl zurück und reckte die langen Arme. »Unausstehliches Kerlchen, vier, fünf Jahre alt, sucht Mutter. Oder hast du vor, dich allein durchzuschlagen? Ich glaube, Ida steht als Ersatzmutter für dich nicht zur Verfügung.«

»Nein, ganz bestimmt nicht«, sagte Ida und warf sich eine Olive in den Mund. »Aber ich könnte einem wichtigen Mann bestimmt ein Bett bei den Barmherzigen Schwestern besorgen.«

»Nein, danke!« Barbarossa rümpfte die Nase. »Kein Bedarf. Und sollte ich tatsächlich gezwungen sein, mir eine Ersatzmutter zu suchen, dann wird meine Wahl bestimmt nicht auf eine Frau fallen, die ihr Silberbesteck an Waisenkinder verschenkt und mit ungekämmten Haaren herumläuft.«

Ida schnappte nach Luft.

»Du scheinst ja sehr genau zu wissen, was du willst, Rotbärtchen!«, knurrte Victor. »Dabei kannst du zurzeit kaum über deinen eigenen Ladentisch gucken. Aber keine Sorge, die Nonnen im Waisenhaus sind tadellos gekämmt!«

Riccio kicherte, bis Barbarossa ihm so fest gegen das Schienbein trat, dass ihm die Tränen in die Augen schossen.

»Ich werde schon zurechtkommen«, versetzte der Rotbart. »Ich habe mehr als genug Geld auf der Bank.«

»Ach ja?« Victor wechselte einen amüsierten Blick mit Ida. »Und du meinst, diese Bank zahlt Ernesto Barbarossas Geld einem etwa fünfjährigen Jungen aus?«

Mit finsterem Gesicht goss Barbarossa sich ein Glas Rotwein ein.

»Wenn ich erst mal wieder groß bin«, murmelte er und warf Prosper und Scipio einen drohenden Blick zu, »dann werde ich mich an jedem rächen, der mich nicht daran gehindert hat, auf dieses dreimal verfluchte Karussell zu steigen. Ich werde ...«

»Halt den Mund, Barbarino!«, unterbrach Prosper ihn. »Du hast ebenso wie wir dein Ehrenwort gegeben, nicht über die Sache zu reden! Außerdem kenne ich zwei Hunde, die nur darauf warten, dass du ihrer Insel noch mal einen Besuch abstattest.«

»Ach, hör gar nicht hin, Prop«, sagte Scipio und schlug die langen Beine übereinander. »Was dieser Knirps von sich gibt, interessiert doch sowieso niemanden. Keiner wird ihm zuhören, egal, was für Geschichten er erzählt.«

Die anderen hoben die Köpfe. Für ein paar Momente wurde es still in Idas Esszimmer, als hofften alle, vielleicht doch etwas über die geheimnisvollen Dinge zu erfahren, die Prosper und Scipio erlebt hatten. Aber die zwei sahen sich nur an und schwiegen.

»Tja, Barbarino«, sagte Riccio und klopfte Barbarossa auf die Schulter. »Willkommen im Reich der Zwerge.«

»Finger weg!«, knurrte Barbarossa. »Was bildest du dir ein, nimm dir keine Vertraulichkeiten heraus, du Zecke. Und du?« Barbarossa starrte auf Bo hinab, der immer noch auf dem Teppich lag. »Was glotzt du so? Die ganze Zeit schon starrst du mich an mit deinen Hundeaugen!«

Bo antwortete nicht. Er lag auf dem Bauch, das Kinn in die Hände gestützt, und musterte Barbarossa wie ein seltenes Tier, das aus irgendeinem Kanal gestiegen und in Idas Haus gekrochen war.

»Wie der redet, das würde Esther gefallen, was, Prop?«, sagte Bo. »Der redet noch vornehmer als Scipio. Dabei ist er kleiner als ich. Nur das Fluchen, das fänd sie wahrscheinlich nicht so gut.«

»Kleiner? Ich bin nicht kleiner, du Teppichfurz!«, schnauzte Barbarossa. »Uns trennen Welten, verstanden? Ich bin gebildet, ich habe studiert, und du gehst nicht mal in den Kindergarten.«

Bo rollte sich gelangweilt auf den Rücken. »Der kleckert auch gar nicht beim Essen«, stellte er fest. »Das würde Esther, glaub ich, am allerbesten gefallen, oder, Prop?«

Prosper ließ die Gabel sinken und musterte Barbarossa. »Stimmt«, sagte er. »Kein klitzekleines Fleckchen. Das würde sie umwerfen. Und guck dir bloß an, wie sorgfältig er sich die Haare gebürstet hat. Oder warst du das, Ida?«

Ida schüttelte den Kopf. »Du hast doch gehört, ich habe mich noch nicht mal selbst gekämmt. Wie ist es mit dir, Victor? Hast du dem Rotschopf die Haare gebürstet?«

»Unschuldig«, brummte Victor.

»Wer ist diese Esther, von der die Dummköpfe da faseln?« Barbarossa drehte sich zu Riccio um.

»Die Tante von Prosper und Bo«, antwortete Riccio mit vollem Mund. »Sie war ganz wild auf Bo, aber jetzt will sie ihn nicht mehr haben.«

»Wie überaus klug von ihr.« Barbarossa fuhr sich durch die dichten Locken. Seine neue Haarpracht schien ihn über das Fehlen seines Bartes hinwegzutrösten.

Scipio warf ihm einen nachdenklichen Blick zu.

»Wisst ihr was, mir kommt da eine verrückte Idee«, sagte er langsam. »Sie ist noch etwas verschwommen, aber geradezu genial ...«

»Genial?« Barbarossa griff wieder nach dem Wein, aber Victor zog ihm die Flasche weg und stellte sie neben seinen Teller.

Barbarossa warf ihm einen finsteren Blick zu. »Weißt du, Herr der Diebe«, knurrte er in Scipios Richtung. »Du kannst gar keine genialen Ideen ausbrüten. Weil du nämlich nichts weiter bist als eine schlechte Kopie deines Vaters!«

Scipio fuhr hoch, als hätte ihn etwas gebissen. »Sag das noch mal, du kleine Kröte ...«

Nur mit vereinten Kräften konnten Wespe und Prosper ihn davon abhalten, auf Barbarossa loszugehen.

»Lass dich doch von der kleinen Ratte nicht reizen, Scip!«, flüsterte Wespe ihm zu, während Barbarossa mit selbstzufriedenem Lächeln seine rosigen Fingernägel betrachtete.

Scipio ließ sich wieder auf seinen Stuhl sinken. »Schon gut«, murmelte er, ohne Barbarossa aus den Augen zu lassen. »Ich werde mich beherrschen. Und Signor Barbarossa irgendwann eine Ansichtskarte ins Waisenhaus schicken, denn da wird er unweigerlich landen, wenn er nicht vorher elendiglich in seinem Laden verhungert. Ja, so wird es mit dem Ärmsten kommen, aber mir soll es egal sein. Ich werde keinen Gedanken mehr darauf verschwenden, schon gar keinen genialen.« Mit gelangweiltem Gesicht stand er auf, schlenderte zum Fenster und blickte in die Nacht hinaus.

Riccio und Mosca stießen sich an. Und Prosper konnte sich ein Grinsen nicht verkneifen. Ja, Scipio war immer noch Scipio, er spielte immer noch gern Theater.

Und Barbarossa schluckte den Köder.

»Schon gut, schon gut«, murrte er. »Was ist das für eine geniale Idee? Rück schon heraus damit, Herr der Diebe. Weiß Gott, der Mensch ist ja empfindlicher als ein Glasblümchen.«

Aber Scipio kehrte ihm weiter den Rücken zu. Als wäre er allein, stand er am Fenster und betrachtete den nächtlichen Campo Santa Margherita.

»Nun, heraus damit, zum Teufel!«, rief Barbarossa, während die anderen zu kichern begannen. Aber Scipio rührte sich nicht.

Barbarossa schlürfte den letzten Rest Wein aus seinem Glas und knallte es so heftig auf den Tisch, dass es fast zerbrach. »Soll ich auf den Knien herumrutschen?«, rief er.

»Diese Tante von Prosper und Bo«, sagte Scipio, ohne sich umzudrehen, »wünscht sich einen süßen kleinen Jungen mit guten Tischmanieren und dem Benehmen eines Erwachsenen. Und du brauchst einen Unterschlupf, ein Zuhause für die nächsten Jahre, jemanden, der dir das Essen hinstellt und nebenan schläft, wenn es dunkel wird ...«

Barbarossa hob die Augenbrauen. »Hat sie Geld?«, fragte er und strich sich eine Locke aus der Stirn.

»O ja«, antwortete Scipio. »Nicht wahr, Prop?«

Prosper nickte nur.

»Das ist wirklich eine ziemlich verrückte Idee, Scip«, sagte er. »Das wird niemals klappen.«

WAS NUN?

Barbarossa weigerte sich, mit den anderen Kindern in einem Zimmer zu schlafen. Stattdessen machte er es sich auf dem Sofa im *salotto* bequem. Ida ließ ihn gewähren, aber sie schloss ihn vorsorglich ein, was Barbarossa nicht bemerkte. Dann brachte sie Victor noch zur Tür und ging schlafen.

Scipio war schon lange fort. Er hatte sich von Mosca etwas von dem Geld geben lassen, das sie noch von dem Handel mit Barbarossa besaßen, und war in die Nacht verschwunden. Wohin er wollte, sagte er nicht.

»Wie früher«, murmelte Wespe, als sie ihm von Idas Balkon aus nachblickten.

Die Nacht verschluckte Scipio, und sie blieben zurück mit seinem Versprechen, bald wiederzukommen. Und mit einer seltsamen Traurigkeit, die sie enger zusammenrücken ließ. Jeder von ihnen wusste, woran die anderen dachten – an einen Vorhang voller Sterne, an eine Tür in einer schmalen Gasse, an Matratzen auf dem Boden und mäusezerfressene Sessel. Und an Gold und Silber aus dem Beutel des Herrn der Diebe. Alles verloren.

»Kommt, lasst uns reingehen«, sagte Wespe irgendwann. »Es fängt wieder an zu regnen.«

Sie gingen hinauf in ihr Zimmer, wo an der Wand das Stück Vorhang hing, das Victor abgeschnitten hatte. Ida hatte ihnen einen Teppich auf den kahlen Boden gelegt, und die Wände schmückte das, was sich im Kino noch hatte retten lassen. Aber so manches Foto, so manches Bild hing immer noch dort an der Wand über ihren leeren Matratzen und auch das, was sie gemalt und gekritzelt hatten, hatten sie nicht mitnehmen können.

Müde krochen sie unter ihre Decken. Doch keiner von ihnen fand Schlaf, nicht einmal Bo, dem sonst die Augen zufielen, sobald er den Kopf aufs Kissen legte.

»Das wäre was, wenn Barbarossa sich bei eurer Tante einnisten könnte«, sagte Mosca irgendwann in die Dunkelheit hinein. »Aber was machen wir? Jetzt, wo Prop wieder da ist und Bo auch. Hat da irgendeiner schon eine Idee?«

»Nee«, brummte Riccio in sein Kissen. »So was Gutes wie das Sternenversteck kriegen wir nie wieder. Schon gar nicht mit einer Tasche Falschgeld. Und von dem anderen Geld ist auch nicht mehr viel übrig. Vielleicht finden wir in Castello was. Da stehen viele Häuser leer.«

»Wieso?« Bo richtete sich so abrupt im Bett auf, dass er Prosper die Decke wegzog. »Ich will gar kein neues Versteck. Ich will hier bleiben. Bei Ida!«

»Ach, Bo!« Wespe knipste die Lampe an, die Ida ihr ans Bett gestellt hatte, damit sie abends noch lesen konnte.

»Hört euch den Zwerg an«, spottete Riccio. Er lehnte den Rücken gegen die Wand und wickelte sich die Bettdecke um den mageren Körper. »Weiß Ida schon von der Ehre? Also, ich werde mich morgen mal in Castello umsehen. Wie sieht's mit euch aus?«

Mosca nickte. »Klar, ich bin dabei«, murmelte er und blickte aus dem Fenster, als wollte er ein Loch in die Nacht starren.

Wespe griff nach einem der Bücher, die sie sich aus Idas Regal geholt hatte, und begann gedankenverloren darin herumzublättern.

»Ich bleib aber hier!«, wiederholte Bo und verschränkte störrisch die Arme. »Jawohl.«

»Du schläfst jetzt«, sagte Prosper, drückte ihn zurück aufs Kissen und deckte ihn zu. »Darüber reden wir morgen.«

»Da können wir hundert und tausend Jahre drüber reden!«, rief Bo und strampelte die Decke weg. »Ich bleib hier. Meinen Katzen gefällt es auch hier, weil sie Lucias Hunde ärgern können, und Victor holt mich und Ida ab und wir gehen Eis essen und Lucia macht mir Lieblingsnudeln und …«

»Na und?«, unterbrach Riccio ihn. »Als Nächstes werden sie dir erzählen, dass du zur Schule gehen musst und wann du schlafen und was du essen sollst und dass du dich öfter waschen musst. Nein danke! Mann, wir kommen schon so lange allein zurecht, da lass ich mir doch nicht erzählen, dass ich zu jung zum Rauchen bin oder dass meine Fingernägel dreckig sind. Nein, meine Herren, nicht mit Riccio.«

Ein paar Augenblicke lang schwiegen die anderen. Dann sagte Mosca mit gemächlicher Stimme: »Mann, das war ja eine richtige Rede, Riccio.«

Wespe legte ihr Buch weg, tappte auf nackten Füßen zum Fenster und blickte hinaus.

»Ich würde auch gern hier bleiben«, sagte sie, so leise, dass die anderen sie kaum verstanden. »Es ist besser als alles, was ich mir vorgestellt habe.«

»Du spinnst«, sagte Riccio und kroch gähnend wieder unter seine

Decke. »Ich werd Scipio fragen, was er vorhat. Falls er wirklich noch mal zurückkommt. Vielleicht hat er ja *noch* eine geniale Idee.«

»Was er jetzt wohl treibt«, murmelte Mosca. »Hast du eine Ahnung, Prop?«

Wespe kehrte zu ihrem Bett zurück und knipste die Lampe aus.

»Kann sein«, antwortete Prosper und starrte hinauf zur dunklen Decke. Er versuchte sich Scipio vorzustellen: wie er durch die Gassen ging und sein Spiegelbild in den dunklen Ladenfenstern musterte, wie er ins Licht der Laternen trat und betrachtete, wie lang sein Schatten geworden war. Vielleicht ging er in eine der Bars, in denen die Erwachsenen bis tief in die Nacht saßen. Und dann, wenn seine Schritte immer müder wurden, mietete er sich schließlich das Hotelzimmer, von dem er gesprochen hatte, mit einem großen Spiegel, und rasierte sich davor zum ersten Mal das fremde Gesicht.

»Meinst du, es geht ihm gut?«, fragte Bo und legte den Kopf auf Prospers Brust.

»Ich glaub schon«, antwortete Prosper. »Ja, ich glaub, es geht ihm gut.«

DER KÖDER

Als Victor am nächsten Morgen in die *Casa Spavento* kam, brachte er eine Zeitung mit, von deren Titelseite Scipios Foto blickte. Fast sämtliche Zeitungen der Stadt brachten es an diesem Morgen, zusammen mit einem Aufruf der Polizei an alle Venezianer, dem verehrten Dottor Massimo bei der Suche nach seinem verschwundenen Sohn zu helfen.

Ida war gerade in ihrem Labor und entwickelte Fotos, die sie von den steinernen Löwen der Stadt gemacht hatte. Überall an den Wänden hingen sie, sitzende, schreitende, brüllende, rund- und spitzmäulige Löwen, mit und ohne Flügel. Ida las den Aufruf von Dottor Massimo und seufzte. »Weißt du, wo Scipio ist?«, fragte sie Wespe, die ihr beim Entwickeln zusah.

Aber Wespe schüttelte nur den Kopf. »Wir wissen es alle nicht«, sagte sie. »Nicht mal Prosper.«

»Man sollte dem *dottore* eine Nachricht zukommen lassen«, brummte Victor. »Auch wenn der Herr der Diebe das anders sieht.«

Ida nickte. »Ja, das denke ich auch. Bin gleich zurück«, sagte sie zu Wespe und ging mit Victor in den *salotto*, wo Barbarossa sich gelangweilt auf dem Sofa rekelte und in einem Buch über Venedigs Kunstschätze blätterte.

»Ich habe nichts angerührt«, sagte er mürrisch, als Ida mit Victor hereinkam. Schon bei Morgengrauen hatte er das Haus wachgeschrien, als er feststellte, dass Ida ihn im *salotto* eingeschlossen hatte.

»Das will ich dir auch nicht geraten haben, Rotlöckchen«, knurrte Victor.

Ida setzte sich an ihren Sekretär und schrieb etwas auf eine Karte. Die reichte sie dann Victor.

»*Lieber Dottor Massimo!*«, las er. »*Ich möchte Ihnen mitteilen, dass es Ihrem Sohn Scipio gut geht. Allerdings möchte er im Moment nicht nach Hause zurückkehren, und ich fürchte, dass er es auch in nächster Zeit nicht vorhat. Er erfreut sich bester Gesundheit, weiß, wo er schlafen kann, und leidet auch sonst keinen Mangel. Ich bedaure, Ihnen nicht mehr sagen zu können. Mit freundlichen Grüßen. Eine Freundin Ihres Sohnes.*«

»Könntest du die Karte bei den Massimos in den Briefkasten werfen?«, fragte Ida. »Ich würde das ja auch Giaco erledigen lassen, aber seit Prosper mir erzählt hat, dass er dem Conte den Grundriss meines Hauses verkauft hat, traue ich ihm nicht mehr.«

»Kein Problem«, sagte Victor und steckte die Karte ein. »Kann ich sonst noch irgendwie zu Diensten sein?«

»Was ist mit der Tante?«

Barbarossa rutschte vom Sofa. Mit verschränkten Armen baute er sich vor Ida auf und blickte zu ihr hoch. »Es ist bereits nach zehn. Ich schlage vor, Sie rufen sie endlich an, damit sie herkommt und ich sie mir ansehen kann.«

Victor hatte schon eine unfreundliche Antwort auf den Lippen, als Wespe den Kopf durch die Tür schob.

»Ich habe die Fotos zum Trocknen aufgehängt, Ida«, sagte sie. »Soll ich sonst noch was machen?«

»Ja. Du könntest Prosper und Bo Bescheid sagen«, antwortete Ida und warf Barbarossa einen ärgerlichen Blick zu. »Ich werde gleich ihre Tante anrufen. Vielleicht wollen sie dabei sein.«

Prosper und Bo spielten mit Riccio und Mosca Fußball auf dem Campo. Als Wespe herunterkam und ihnen erzählte, dass Ida tatsächlich ausprobieren wollte, ob Scipios verrückte Idee funktionierte, liefen sie alle mit ins Haus.

Ida saß schon neben dem Telefon, als die vier hereindrängten. Eilig hockten sie sich auf den Teppich, Wespe und Prosper vorsorglich an Bos Seite, damit sie ihm den Mund zuhalten konnten, falls er kichern musste. Barbarossa thronte in Idas bestem Sessel wie ein König, dem eine Truppe unwerter Schauspieler etwas vorführen wollte.

»Dass du dir wegen dieses Bürschchens solche Mühe machst«, raunte Victor Ida zu. »Guck dir das Kerlchen bloß an, wie er da sitzt ...«

»Genau deshalb mache ich mir die Mühe: damit er den Barmherzigen Schwestern erspart bleibt«, flüsterte Ida zurück. »Außerdem könnte es Bo und Prosper helfen. Ich glaube, Prosper macht sich immer noch Sorgen, dass seine Tante es sich wegen Bo wieder anders überlegen könnte. Geben wir ihr ...«, sie lächelte Barbarossa zu, der sie und Victor argwöhnisch beobachtete, »... das Rotbärtchen.«

»Na, wenn du es so siehst«, brummte Victor. »Du kannst italienisch mit ihr sprechen.«

»Umso besser«, sagte Ida, griff zum Telefon und wählte die Nummer des Hotels, in dem die Hartliebs untergekommen waren. Es hatte Victor nicht viel Mühe gekostet, den Namen herauszufinden.

»*Buon giorno!*«, sagte Ida mit fester Stimme, als sich am anderen

Ende der Portier meldete. »Hier spricht Schwester Ida vom Orden der Barmherzigen Schwestern. Könnte ich wohl bitte mit Signora Esther Hartlieb sprechen?«

Es dauerte eine Weile, bis Esthers Stimme aus dem Hörer drang.

»Ah, guten Morgen, Signora Hartlieb«, sagte Ida. »Die Rezeption hat Ihnen gesagt, wer ich bin? Gut. Es geht um Folgendes, Signora. Gestern Nacht hat die Polizei zwei Jungen in unser Waisenhaus gebracht. Eine unserer Schwestern hat sofort erkannt, dass es sich um Ihre Neffen handelt, nach denen Sie mit Plakaten in der ganzen Stadt suchen lassen.« Ida machte eine Pause und lauschte. »Ach. Wirklich? Nein, wie unangenehm. Nun ja. Wie bitte? Was heißt das, Sie wollen die Jungen nicht mehr?« Sie lauschte wieder.

Bo kaute beunruhigt auf seinen Fingern, bis Wespe den Arm um ihn schlang.

»Ja, sind Sie denn nicht der Vormund der beiden?«, fuhr Ida fort. »Ich verstehe. Ja, die Kinder haben so etwas Ähnliches erzählt. Das ist traurig, Signora, sehr traurig. Wir werden uns natürlich um Ihre Neffen kümmern, das ist unser Auftrag, aber wir müssen Sie unter diesen Umständen bitten, wegen der nötigen Formalitäten hier vorbeizukommen ... Ja, das ist unumgänglich, Signora.«

Ida setzte eine strenge Miene auf, als könnte Esther das an ihrem Ende der Leitung sehen. »Doch, auf jeden Fall. Wann, sagten Sie, reisen Sie ab? ... So bald schon. Nun, dann werde ich morgen Nachmittag einen Termin für Sie freimachen. Moment, ich sehe in meinen Terminkalender.« Ida blätterte in der Zeitung, die neben ihr auf dem Sofa lag. »Hören Sie, Signora?«, sagte sie in den Hörer. »Gegen drei könnte ich mich freimachen. ... Nein, es lässt sich wirklich nicht vermeiden. Sie finden mich in unserer Zweigstelle, *Casa Spavento*, Campo Santa Margherita 423. Fragen Sie nach Schwester Ida. Ja. Vielen Dank, Signora Hartlieb. *ArrivederLa.*«

Mit einem tiefen Seufzer legte Ida den Hörer auf.

»Fabelhaft«, sagte Victor. »Hätte ich nicht besser machen können.«

»Und ich hab nicht gekichert«, sagte Bo und schob Wespes Arm weg.

»Sie kommt tatsächlich?« Prosper guckte Ida ungläubig an.

Ida nickte.

»Unglaublich!« Barbarossa schubste eine von Bos Katzen weg, die versucht hatte sich auf seinen Schoß zu setzen. »Manche Leute sind wirklich unfassbar leichtgläubig.«

Ida zuckte die Achseln und nahm sich eine Zigarette. »Ich habe den Köder ausgeworfen«, sagte sie. »Jetzt liegt es an dir, ob Signora Hartlieb ihn schluckt.«

Barbarossa strich sich selbstzufrieden über die dichten Locken. »Das dürfte kein Problem sein.«

»Ich will nicht hier sein, wenn Esther kommt«, murmelte Bo und rieb sich beunruhigt die Nase.

Prosper stand auf und ging ans Fenster. »Ich auch nicht«, sagte er.

»Warum solltet ihr?«, fragte Victor und trat neben ihn. Er zeigte nach draußen. »Seht ihr das Café dort? Ich schlage vor, ihr alle geht morgen dorthin und genehmigt euch ein paar Becher Eis, während Signora Hartlieb sich mit Schwester Ida unterhält. Ich gebe euch auch Geld, damit ihr nicht mit euren Falschgeldvorräten bezahlt.«

»Ich hoffe, du machst deine Sache gut, Barbarino!«, knurrte Mosca. »Damit wir dich endlich los sind.«

»Rotbärtchen, Barbarino, ich verbitte mir diese albernen Namen!«, schimpfte Barbarossa, den es einige Mühe kostete, aus dem großen Sessel wieder auf den Teppich zu kommen. »Ich hoffe wirklich, diese Tante hat so viel Geld, wie ihr behauptet. Wehe, das erweist sich als Lüge, dann werde ich ihr auf der Stelle erzählen, was für ein Spiel hier mit ihr getrieben wird.«

»Auf jeden Fall ist Esther immer gekämmt«, antwortete Prosper spöttisch.

»Sehr komisch!« Barbarossa pflückte sich mit angewiderter Miene ein Katzenhaar von der Hose. Bo hatte sie ihm geliehen. »Was ist, wenn sie geizig ist? Dann nützt mir ihr Geld gar nichts. Zur Schule darf sie mich natürlich auch nicht schicken, Ernesto Barbarossa setzt sich nicht zwischen eine Herde lärmender Rotzgören, die A nicht von B unterscheiden können! Was ist, wenn diese Esther das nicht begreift?«

»Dann«, sagte Wespe und trat mit honigsüßem Lächeln auf ihn zu, »wird sich bei den Barmherzigen Schwestern bestimmt noch ein Bett für dich finden.«

»Ihr könnt gleich mal bei ihnen nachfragen«, sagte Ida. »Ich wollte dich und Prosper nämlich bitten, etwas bei den Schwestern abzuholen.«

»Abholen? Was denn?«, fragte Barbarossa argwöhnisch.

Aber Ida legte nur den Finger an die Lippen. »Das ist noch ein Geheimnis«, sagte sie. »Aber du wirst es früh genug erfahren, Barbarino.«

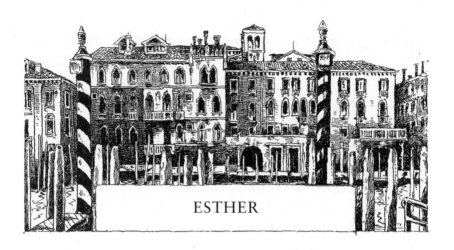

ESTHER

Esther kam allein. Sie ging direkt an dem Café vorbei, in dem Prosper mit den anderen saß, ohne zu ahnen, wer ihr durch eins der Fenster nachblickte. Sobald die Zeiger von Idas Küchenuhr auf drei zurückten, hatte Victor die Kinder aus dem Haus gescheucht, alle, bis auf Barbarossa.

»Was guckst du so?«, fragte Wespe, als sie merkte, wie Prosper durch die Scheibe nach draußen starrte.

»Sie ist wirklich gekommen«, antwortete Prosper, ohne Esther aus den Augen zu lassen.

»Deine Tante?« Neugierig lehnte Wespe sich über seine Schulter. »Das ist sie?« Prosper nickte.

»Wer?«, fragte Bo, den Mund voll Eiscreme. Einen Riesenbecher hatte er sich bestellt, den gleichen wie Riccio, nur dass der schon den zweiten verschlang.

»Niemand«, murmelte Prosper und beobachtete, wie Esther auf Idas Haus zuging. Sie trug hohe Gummistiefel und von ihrem Schirm tropfte der Regen.

»Ich hab sie mir ganz anders vorgestellt«, flüsterte Wespe Prosper zu. »Größer – und irgendwie finsterer.«

»He, magst du dein Eis nicht, Prop?«, fragte Riccio und leckte sich etwas Schokoladeneis von der Nasenspitze. »Soll ich es essen?«
»Lass ihn in Ruhe, Riccio«, sagte Wespe.

Als Esther an der Tür von Idas Haus klingelte, öffnete ihr eine dicke, mürrisch dreinblickende Nonne, die sie wortlos anwies, ihr zu folgen. Fast eine Stunde hatte Ida betteln müssen, bis Lucia sich die geliehenen Nonnenkleider über den Kopf gezogen hatte, aber jetzt bot sie einen wirklich beeindruckend echten Anblick. Mit energischen Schritten führte sie ihren Gast zu dem Raum, der sonst als Wäschezimmer und Vorratslager diente. Lucias Bügelbrett, die Wasserflaschen und Mehlvorräte waren verschwunden, stattdessen standen ein Schreibtisch da, den Victor unter lautem Fluchen vom Dachboden heruntergeschleppt hatte, ein paar schlichte Stühle und ein großer Kerzenleuchter. Die kahlen weißen Wände schmückte nur das Bild der Madonna mit Kind, das sonst in Idas Küche hing.
»Signora Hartlieb, wie ich annehme«, sagte Ida und erhob sich hinter dem Schreibtisch, als Lucia Esther hereinließ.
Neben Ida stand Victor, ohne Bart, ohne Verkleidung, einfach nur Victor, wie Esther ihn kannte. Ida dagegen trug, ebenso wie Lucia, die dunkle Tracht der Barmherzigen Schwestern. »Sag Signora Spavento, die Sachen müssen unbedingt noch vor der Dunkelheit zurück sein«, hatte die Nonne geflüstert, die Prosper die Kleider durchs Portal des Waisenhauses gereicht hatte. Und dabei hatte sie so schuldbewusst ausgesehen, als begehe sie ein Verbrechen. Aber was tat man nicht alles für die nette, großzügige Signora Spavento.
»Setzen Sie sich doch bitte, Signora Hartlieb«, sagte Ida, als Esther zögernd auf sie zutrat, und wies mit ernstem Gesicht auf die angestaubten Stühle. »Ihr Mann konnte nicht kommen?«

»Nein, er hat beruflich zu tun und war unabkömmlich. Schließlich reisen wir übermorgen ab.«

Victor beobachtete, wie Esther Hartlieb sich setzte, den Rock über die Knie zog und sich unbehaglich in dem kahlen Raum umsah. Als sie seinen Blick bemerkte, nickte er ihr zu.

»Signor Getz kennen Sie ja«, sagte Ida und nahm wieder hinter dem Schreibtisch Platz, »ich habe ihn hergebeten, nachdem die Polizei mir erzählt hatte, dass er von Ihnen mit der Suche nach Ihren Neffen betraut worden war. Im Übrigen ist er ein guter Freund des Klosters.«

Esther sah Victor an, als wäre sie nicht sicher, ob seine Anwesenheit gut oder schlecht für sie war. Dann drehte sie sich wieder zu Ida um.

»Warum haben Sie mich hergebeten?«, fragte sie und strich sich den Rock glatt.

»Nun, das ist doch wohl offensichtlich, Signora«, antwortete Ida nachsichtig. »Wir müssen uns um sehr viele Kinder kümmern, und das Geld, das uns dafür zur Verfügung steht, ist knapp bemessen, sehr knapp. Wenn wir also, wie im Falle Ihrer Neffen, erfahren, dass es Angehörige gibt ...«

»Ich bin nicht mehr bereit, mich um die beiden zu kümmern!«, unterbrach Esther sie schroff. »Ich war dazu bereit, doch der Kleine ...«, sie griff sich nervös ans Ohrläppchen, »... sicherlich hat Signor Getz Ihnen bereits erzählt, was wir mit ihm durchmachen mussten. Vielleicht hat Bo Sie ja auch mit seinem Engelsgesicht getäuscht, aber ich bin geheilt. Er ist trotzig, launisch und bissig wie ein kleiner Hund. Kurz und gut ...«, sie holte tief Luft, »es tut mir Leid, aber selbst meiner verstorbenen Schwester zuliebe bin ich nicht mehr bereit ihn aufzunehmen, und in unserer Familie gibt es auch sonst niemanden, der bereit wäre, einen der zwei Jungen zu nehmen. Wenn Sie also die beiden hier behalten können ... schließlich wollten sie ja unbedingt in diese Stadt. Das wenige Geld, das ihre Mutter hinterlassen hat, stellt die Familie sicherlich gern Ihrem Waisenhaus zur Verfügung.«

Ida nickte nur. Mit einem tiefen Seufzer faltete sie die Hände auf dem Schreibtisch. »Das ist wirklich alles sehr bedauerlich, Signora Hartlieb«, sagte sie und warf einen Blick zur Tür.

Victor hatte es natürlich auch gehört. Auf dem Flur näherten sich Schritte, genau nach Plan. Dann klopfte es. Esther Hartlieb sah sich um.

»Ja, bitte?«, rief Ida.

Die Tür ging auf, und Lucia schob Barbarossa in den Raum.

»Der Neue hatte schon wieder Ärger, Schwester!«, verkündete sie und musterte den Rotschopf, als betrachte sie eine haarige Spinne oder irgendein anderes beunruhigendes Tier.

»Ich kümmere mich darum«, antwortete Ida, und Lucia verließ mit mürrischem Gesicht den Raum.

Klein und verloren blieb Barbarossa vor der Tür stehen. Als er Esther Hartliebs neugierigen Blick bemerkte, schenkte er ihr ein verzagtes Lächeln.

»Entschuldigen Sie, Signora Hartlieb«, sagte Ida. »Aber dieser Junge ist noch ganz neu bei uns und hat viel Kummer mit den anderen. Sie haben dich also schon wieder geärgert, Ernesto?«

Barbarossa nickte und warf einen unauffälligen Seitenblick in Esthers Richtung. Dann schluchzte er los, erst leise, dann immer heftiger. »Hätten Sie wohl ein Taschentuch für mich, Mutter Ida?«, schniefte er. »Sie haben mir wieder meine Bücher weggenommen.«

»O nein!« Ida griff in ihre schwarze Tracht, aber Esther war schneller. Mit verlegenem Lächeln reichte sie Barbarossa ihr spitzenverziertes Taschentuch.

»*Grazie, signora*«, murmelte er und tupfte sich die Tränen von den langen Wimpern.

Victor warf einen unauffälligen Blick in Esthers Richtung und stellte fest, dass sie kaum die Augen von dem kleinen Rotschopf lassen konnte.

»Geh zu Schwester Caterina, Ernesto«, wies Ida Barbarossa an, »und richte ihr aus, dass sie den anderen deine Bücher wieder abnehmen soll. Außerdem soll sie sie zur Strafe auf ihre Zimmer schicken.«

Barbarossa schniefte wohlerzogen leise in Esthers Taschentuch und nickte. Dann ging er mit zögernden Schritten zur Tür.

»Mutter Ida?«, nuschelte er, als er schon die Hand auf der Klinke hatte. »Dürfte ich erfahren, wann wir endlich den Ausflug ins Accademia-Museum machen? Ich würde mir so gern noch einmal die Bilder von Tizian ansehen.«

Herrgott!, dachte Victor, nun trägt das Rotbärtchen aber wirklich zu dick auf! Doch Esthers verzückter Blick belehrte ihn eines Besseren. Offenbar wusste Barbarossa sehr genau, was er tat.

»Tizian?«, fragte Esther und lächelte dem Kleinen zu. »Du magst die Gemälde von Tizian?«

Barbarossa nickte.

»Ich mag sie auch sehr«, sagte Esther. Ihre Stimme klang plötzlich ganz weich, völlig anders, als Victor sie bislang gehört hatte. »Tizian ist mein Lieblingsmaler.«

»Oh, tatsächlich, Signora?« Barbarossa strich sich die roten Locken aus dem Gesicht. »Dann haben Sie bestimmt schon sein Grab in der Frari-Kirche besucht, oder? Am besten gefällt mir das Bild, auf dem er sich selbst gemalt hat: wie er die Madonna darum anfleht, ihn und seinen Lieblingssohn vor der Pest zu verschonen. Haben Sie es gesehen?«

Esther schüttelte den Kopf.

»Sein Sohn ist trotzdem an der Pest gestorben«, fuhr Barbarossa fort. »Und Tizian auch. Wissen Sie, Signora, Sie sehen ihr ein bisschen ähnlich, der Madonna auf diesem Bild. Ich würde sie Ihnen gern einmal zeigen.«

Bei allen geflügelten Löwen!, dachte Victor. Jetzt tropft ihm gleich das Schmalz von den Lippen, dem kleinen Schmeichler. Allerdings, wenn Victor sich recht erinnerte, sah die Madonna auf dem Bild ziemlich streng aus, vielleicht ähnelte sie Esther Hartlieb wirklich ein bisschen. Das Kompliment hatte seine Wirkung auf jeden Fall nicht verfehlt.

Rot wie Klatschmohn war Esther geworden, die spitznasige Esther. Wie ein kleines Mädchen saß sie auf der Kante ihres Stuhls und sah auf ihre Schuhspitzen. Dann drehte sie sich plötzlich zu Ida um.

»Wäre das möglich?«, stammelte sie. »Ich meine, Sie wissen, mein Mann und ich sind nur noch bis übermorgen in der Stadt, aber wäre es möglich, dass ich mit dem Kleinen ...«

»Ernesto«, unterbrach Ida sie mit kühlem Lächeln. »Er heißt Ernesto.«

»Ernesto.« Esther wiederholte den Namen, als lutsche sie ein Honigbonbon. »Ich weiß, die Bitte ist etwas ungewöhnlich, aber – wäre es denkbar, dass ich Ernesto zu einem kleinen Ausflug einlade? Ich würde mir von ihm die Frari-Kirche zeigen lassen, wir könnten ein Eis essen gehen oder Boot fahren, und heute Abend würde ich ihn hierher zurückbringen.«

Schwester Ida hob die Augenbrauen. Victor fand, dass ihr Erstaunen wirklich sehr echt wirkte.

»Das ist in der Tat ein sehr ungewöhnliches Anliegen«, sagte Ida und wandte sich an Barbarossa, der immer noch mit der unschul-

371

digsten Miene der Welt dastand, die Hände sittsam hinter dem Rücken verschränkt. Das Haar hatte er sich selbst gebürstet, so lange, bis es glänzte. »Was sagst du zu dem Angebot von Signora Hartlieb, Ernesto?«, fragte Ida. »Hättest du Lust, mit der Signora einen Ausflug zu machen? Du weißt, wir kommen frühestens in einer Woche dazu.«

Nun sag schon ›ja‹, Rotbärtchen, dachte Victor und ließ Barbarossa nicht aus den Augen. Denk an die harten Betten im Waisenhaus. Barbarossa sah zu Victor herüber, als hätte er seine Gedanken gelesen. Dann blickte er Esther an. Nicht mal ein kleiner Hund hätte einen treuherzigeren Blick zu Stande gebracht.

»So ein Ausflug wäre wunderbar, Signora!«, sagte er und schenkte Esther ein Lächeln, das so klebrig süß wie Lucias Pudding war.

»Das ist wirklich reizend von Ihnen, Signora Hartlieb«, sagte Ida und läutete die kleine Silberglocke, die vor ihr auf dem Tisch stand. »Ernesto hat es zurzeit nicht leicht hier. Was Ihre Neffen betrifft«, fügte sie hinzu, als Lucia wieder eintrat, »so muss ich Ihnen leider sagen, dass sie Sie nicht sehen wollen. Soll ich Schwester Lucia trotzdem bitten, sie herzuholen?«

Das Lächeln auf Esthers Lippen verschwand sofort.

»Nein, nein«, antwortete sie hastig. »Ich werde sie später besuchen, irgendwann, wenn ich wieder einmal in der Stadt bin.«

»Wie Sie meinen«, sagte Ida und wandte sich Lucia zu, die wartend in der Tür stand. »Helfen Sie Ernesto bitte dabei, sich zum Ausgehen fertig zu machen, Schwester. Signora Hartlieb hat ihn zu einem Ausflug eingeladen.«

»Wie reizend von ihr«, brummte Lucia, während sie nach Barbarossas Hand griff. »Da wollen wir dem Kleinen doch schnell noch mal den Hals und die Ohren waschen, nicht wahr?«

»Die sind gewaschen«, fuhr Barbarossa sie an und für einen

Augenblick klang seine Stimme weder nett noch schüchtern. Doch Esther hatte davon nichts bemerkt. Ganz in Gedanken versunken saß sie da, auf dem harten Stuhl vor Idas Schreibtisch, und blickte zu dem Bild mit der Madonna hoch. Victor hätte drei falsche Bärte dafür gegeben, ihre Gedanken lesen zu können.

»Hat der Junge noch Eltern?«, fragte Esther, als Lucia mit Barbarossa verschwunden war.

Ida schüttelte mit einem tiefen Seufzer den Kopf. »Nein, Ernesto ist der Sohn eines wohlhabenden Antiquitätenhändlers, der letzte Woche unter rätselhaften Umständen verschwunden ist. Die Polizei vermutet einen Bootsunfall auf der Lagune, vielleicht bei einem nächtlichen Jagdausflug. Seither ist der Junge bei uns. Seine Mutter hat den Vater schon vor Jahren verlassen und ist nicht bereit, sich um das Kind zu kümmern. Erstaunlich, nicht wahr? Er ist ein so entzückender Junge.«

»Allerdings.« Esther blickte zur Tür, als stünde Barbarossa immer noch dort. »Er ist so ganz anders als – als meine Neffen.«

»Verwandtschaft ist eben keine Garantie für Liebe«, stellte Victor fest. »Obwohl wir alle das gern glauben.«

»Wie wahr, wie wahr!« Esther lachte, ein klitzekleines, freudloses Lachen. »Wissen Sie, ich hätte wirklich gern ein Kind, aber ...«, sie blickte hinauf zur Decke, wo der Putz so brüchig aussah, als würde er ihr im nächsten Moment auf die wohl frisierten Haare rieseln, »... ich habe noch keines gefunden, das mich gern zur Mutter hätte. Sie sehen es ja an meinen Neffen. Die zwei halten mich, nehme ich an, für eine Art Hexe.« Wieder musterte sie die Decke. »Nein, vermutlich halten sie mich für etwas wesentlich Langweiligeres«, murmelte sie. Und lachte noch einmal ihr käferkleines, trauriges Lachen. »Ich wünschte wirklich, es gäbe irgendwo ein Kind, das zu mir passt.«

Victor und Ida wechselten einen verschwörerischen Blick.

Esther brachte Barbarossa an diesem Abend sehr spät zurück. Prosper und Bo beobachteten vom Fenster des *salotto*, wie sie Seite an Seite über den Platz kamen: Barbarossa schleckte an einem riesigen Eis, ohne sich zu bekleckern. Bo hätte wirklich interessiert, wie er das fertig brachte. Esther war behängt mit voll gestopften Einkaufstüten, aber ihre linke Hand hielt Barbarossas Hand und auf ihren Lippen lag ein glückliches Lächeln.

»Guckt euch an, wie sie ihn anhimmelt!« Riccio beugte sich über Bos Schulter. »Und die ganzen Pakete, ich wette, die sind alle für ihn. Bereut ihr es immer noch nicht, dass ihr sie so vergrault habt, dass sie euch nicht mehr haben will?«

Bo schüttelte heftig den Kopf, aber Prosper musste an jemand anderes denken, der so ähnlich wie Esther ausgesehen hatte. Er war sehr froh, als Victor ihn aus seinen Gedanken schreckte.

»Na, passen die beiden da unten nicht perfekt zusammen?«, raunte er Prosper ins Ohr. »Als wären sie füreinander gemacht, oder?«

Prosper nickte.

»Nun komm schon. Pack das sorgenvolle Gesicht für eine Weile weg«, sagte Victor und gab ihm einen sachten Stoß in den Rücken. »Zwei Tage noch, dann fliegt eure Tante nach Hause. Und Bo wird nicht mit im Flugzeug sitzen.«

»Das glaub ich erst, wenn das Flugzeug in der Luft ist«, murmelte Prosper. Und während er zusah, wie Esther Barbarossa die Eiscreme vom Mund wischte, fragte er sich zum hundertsten Mal, wo Scipio steckte. Er hätte ihm zu gern erzählt, dass seine verrückte Idee tatsächlich zu funktionieren schien.

ALLES FINDET SICH, ODER?

Esther Hartlieb flog am übernächsten Tag nicht nach Hause. Ihr Mann stieg allein ins Flugzeug, während sie mit Barbarossa den Dogenpalast besichtigte. Am Tag darauf holte sie Ernesto wieder ab, für einen Ausflug zu den Glasbläsern auf Murano, aber vorher ging sie noch mit ihm einkaufen, und als Barbarossa abends in die *Casa Spavento* zurückkehrte, trug er die teuersten Kleider, die für einen Jungen seines Alters in Venedig zu kaufen waren.

Wie ein kleiner Gockel spazierte er in den *salotto*, wo die anderen gerade auf dem Teppich hockten und mit Ida Karten spielten. »Ihr seid wirklich unfassbare Idioten«, sagte er zu Prosper und Bo, die immer noch ihre alten Sachen trugen, nur dass Lucia sie frisch gewaschen hatte. »Da schenkt die Fügung euch solch eine Tante und ihr lauft vor ihr davon, als wäre der Teufel persönlich hinter euch her. Euer Verstand muss in einen Eierbecher passen.«

»Und du, Ernesto«, erwiderte Ida, »hast da, wo dein Herz sitzen sollte, vermutlich ein Portemonnaie.«

Barbarossa zuckte nur gelangweilt die Achseln und griff in die feine Jacke, die Esther ihm gekauft hatte. »Apropos Portemonnaie«, sagte er und zog eine wohl gefüllte Geldbörse aus der Tasche. »Ich würde einen der hier Anwesenden bitten, in den nächsten Monaten regelmäßig bei meinem Laden vorbeizuschauen. Gegen ein angemessenes Entgelt, versteht sich. Nach dem Rechten sehen, etwas sauber machen, nun, ihr wisst schon. Außerdem muss dringend eine Verkäuferin gefunden werden, die etwas von ihrer Arbeit versteht und nicht ständig die Finger in der Ladenkasse hat. Das dürfte schwierig sein, aber ich verlasse mich da ganz auf euch.«

Erstaunt sahen die andern ihn an.

»Hältst du uns neuerdings für so was wie deine Diener?«, fragte Riccio unfreundlich. »Warum machst du das nicht selber?«

Barbarossa verzog herablassend den Mund.

»Weil, du struppiger Dummkopf, ich mich schon morgen mit Signora Hartlieb an Bord eines Flugzeuges begeben werde«, erwiderte er, »und mein Wohnsitz künftig außer Landes ist. Noch heute Abend wird meine künftige Pflegemutter Schwester Ida anrufen und sie um die Adoptionsgenehmigung ersuchen. Ein Rechtsanwalt ist auch bereits eingeschaltet, er wird alle rechtlichen Probleme aus dem Weg räumen. Von meinem Laden wissen meine zukünftigen Eltern nichts, und das soll auch so bleiben. Ich werde versuchen, ein Konto einzurichten, auf das man mir die Einnahmen überweisen kann. Schließlich habe ich nicht vor, künftig von Taschengeld zu leben.«

Riccio war so verblüfft, dass er seine Karten sinken ließ. Mosca ließ sich die Gelegenheit nicht entgehen und schaute schnell nach, was für ein Blatt Riccio hatte.

»Herzlichen Glückwunsch, Barbarino«, sagte Wespe. »Da hast du ja jetzt wohl ein feines Leben vor dir, was?«

Barbarossa zuckte nur verächtlich die Achseln.

»Nun«, sagte er und sah sich spöttisch in Idas *salotto* um, »sicherlich ein komfortableres als ihr.« Dann drehte er sich auf

dem Absatz um und stakste hinaus. Bo streckte seinem Rücken die
Zunge heraus. Die anderen starrten nachdenklich in ihre Karten.
»Ida«, sagte Mosca schließlich, »Riccio und ich wollen auch fort.
Ende der Woche oder so. Riccio hat ein verlassenes Lagerhaus ent-
deckt, drüben in Castello. Direkt am Wasser. Da ist sogar ein An-
leger für mein Boot.«
Ida spielte mit ihren Ohrringen. Heute waren sie golden, winzige
Fische mit Augen aus rotem Glas.
»Wie wollt ihr zurechtkommen?«, fragte sie. »Das Leben in Ve-
nedig ist teuer. Der Herr der Diebe ist erwachsen und sorgt nicht
mehr für euch. Wollt ihr wieder anfangen zu stehlen?«
Riccio spielte mit seinen Karten herum, als hätte er Idas Frage
nicht gehört, aber Mosca schüttelte den Kopf.
»Ach was. Fürs Erste haben wir genug Geld, von unserem letzten
Geschäft mit Barbarossa. Wenn das nicht auch Falschgeld ist.«
Ida nickte und blickte die andern drei an: Prosper, Bo und Wespe,
einen nach dem anderen.
»Was ist mit euch?«, fragte sie. »Ihr verlasst mich doch wohl nicht
alle auf einmal? Wer soll dann all die Vorräte essen, die Lucia
schon eingekauft hat? Wer ärgert Lucias Hunde, wer liest meine
Bücher, wer spielt mit mir Karten?«
Wespe musste lächeln, aber Bo stand auf und hockte sich an
Idas Seite. »Wir bleiben bei dir«, sagte er und setzte ihr eine von
seinen Katzen auf den Schoß. »Wespe hat sowieso gesagt, dass
sie am liebsten immer hier wohnen würde.«
»Bo!« Wespe wurde rot vor Scham.
Ida aber stieß einen tiefen Seufzer aus. »Na, da bin ich ja erleich-
tert«, sagte sie. Dann beugte sie sich zu Bo hinunter und flüsterte:
»Was ist mit deinem großen Bruder?«
Prosper blickte verlegen zu den beiden herüber.

377

»Der will auch hier bleiben«, raunte Bo. »Aber er traut sich nicht, dich zu fragen.«

Prosper stöhnte und vergrub das Gesicht in den Händen.

»Tja, wie gut, dass er für solche Fragen einen Bruder hat«, sagte Ida. Sie ordnete ihre Karten und hielt sie so, dass Bo nicht hineinschielen konnte. »Ida und Wespe, Prosper und Bo. Das macht vier!«, sagte sie. »Eine gute Zahl, vor allem beim Kartenspielen. Aber wir müssen Bo, glaube ich, noch mal erklären, dass er sich nicht ständig seine eigenen Regeln machen kann.«

Am nächsten Tag stieg Barbarossa, wie er angekündigt hatte, mit Esther Hartlieb ins Flugzeug. Ida hatte der Adoption natürlich sofort zugestimmt, und alles Übrige regelte Esther Hartliebs Anwalt.

Auf dem Bootstaxi zum Flughafen war Barbarossa schweigsam, und als Venedig am Horizont verschwand, seufzte er. Doch als Esther ihn besorgt fragte, was er hätte, schüttelte er nur den Kopf und behauptete, dass er Bootfahren noch nie vertragen hätte. Ja, so nahm Barbarossa Abschied von Venedig, aber tief in seinem trotzig gierigen Herzen nahm er sich vor zurückzukommen. Irgendwann in seinem nagelneuen Leben.

Zwei Tage und zwei Nächte später, als die Sonne schon hinter den Dächern unterging, packten Riccio und Mosca die wenigen Habseligkeiten, die sie aus dem Sternenversteck gerettet hatten, in Moscas Boot, verabschiedeten sich von Prosper, Bo und Wespe, von Ida und von Lucia, die ihnen noch zwei Plastiktüten voll Proviant in die Hand drückte, und ruderten davon, Richtung Castello, wo Venedig am ärmsten ist, mit dem Versprechen, von sich hören zu lassen, sobald sie eine feste Bleibe gefunden hatten.

Die anderen drei vermissten sie, vor allem Bo vergoss viele Tränen, aber Wespe tröstete ihn damit, dass Riccio und Mosca schließlich in der Stadt blieben. Und Victor fütterte mit Bo die Tauben auf dem Markusplatz, um ihn abzulenken. Ida zeigte Wespe die Schule, die sie und Prosper besuchen sollten, wenn der Frühling kam. Und Prosper blickte jeden Abend vor dem Schlafengehen aus dem Fenster und fragte sich, was Scipio trieb.

Aber nicht er, sondern Victor war es, der den Herrn der Diebe als Erster wieder sah. Eines Abends, als Victor von einer Beschattung kam, ging er auf dem Heimweg noch schnell zu Barbarossas Laden, um ein Schild an die Tür zu kleben, das Ida geschrieben hatte:
Verkäufer oder Verkäuferin gesucht, wenn möglich mit Erfahrung. Bewerbungen an Ida Spavento, Campo Santa Margherita 423.

Das Klebeband blieb ihm ständig am Daumennagel hängen und Victor fluchte leise vor sich hin, als plötzlich eine hoch gewachsene Gestalt auf ihn zutrat.

»Hallo, Victor«, sagte der Fremde. »Wie geht es dir? Und wie geht es den anderen?«

Victor starrte ihn entgeistert an.

»Herrgott, Scipio, musst du dich so anschleichen?«, stöhnte er. »Tauchst hier wie ein Geist aus der Dunkelheit auf. Mit dem Hut hätte ich dich fast nicht erkannt.«

Den Umhang des Conte trug Scipio auch nicht mehr, sondern einen dunklen Mantel.

»Ja, der Hut war das Erste, was ich mir angeschafft habe«, sagte er und zog ihn vom schwarzen Haar. »Wenn ich ihn trage, nennt man mich nur noch dreimal täglich Dottor Massimo.«

»Ida hat deinem Vater eine Karte geschrieben.« Victor versuchte noch einmal, den Zettel an die Ladentür zu kleben. Diesmal klappte es. »Sie hat geschrieben, dass es dir gut geht und du erst mal nicht nach Hause kommen wirst. Hast du den Aufruf deines Vaters in der Zeitung gesehen?«

Scipio nickte nur.

»Ja, ja«, murmelte er. »So ein Sohn ist wirklich lästig. Jetzt ist er auch noch verloren gegangen. Ich war gestern Nacht zu Hause. Habe meine Katze geholt. Aber es hat mich zum Glück niemand gesehen.«

Eine Weile schwiegen sie beide, standen da und blickten zum Mond hinauf. Dann sagte Victor: »Deine Idee ... du weißt schon, die mit Barbarossa, sie hat funktioniert.«

»Wirklich?« Scipio setzte seinen Hut wieder auf und zog die Krempe tief ins Gesicht. »Tja, ich wusste ja, sie ist genial. Wie geht es den anderen? Sind sie noch bei Ida?«

»Prosper, Wespe und Bo schon«, antwortete Victor. »Mosca und Riccio hausen jetzt in einem leer stehenden Lagerhaus in Castello. Aber wie geht es dir?«

Neugierig sah er in Scipios Gesicht. Sonderlich glücklich sah der Herr der Diebe nicht aus, soweit Victor das in der Dunkelheit erkennen konnte. Eher ein bisschen müde.

»Wenn du nichts Besseres zu tun hast«, meinte Victor, als Scipio nicht gleich antwortete, »dann begleite mich doch einfach ein Stück und erzähl mir unterwegs, was du so gemacht hast. Es ist zu kalt, um hier einfach nur herumzustehen, und ich muss nach Hause, ich bin schon den ganzen Tag auf den Beinen und fast verhungert.«

Scipio zuckte die Achseln. »Ich habe nichts Besonderes vor«, antwortete er. »Und das Hotelzimmer, das ich mir genommen habe, ist nicht so gemütlich, dass man Sehnsucht danach hat.«

Also machten sie sich gemeinsam auf den Weg zu Victors Wohnung. Eine Weile gingen sie schweigend nebeneinanderher. In den

Gassen zwischen Markusplatz und Canal Grande drängten sich noch immer die Menschen, denn die Luft war nicht so eisig wie an den vergangenen Abenden und der Himmel über der alten Stadt war voller Sterne.

Scipio brach sein Schweigen erst, als sie an die Rialtobrücke kamen.

»Eigentlich habe ich nichts Besonderes gemacht«, sagte er, als sie Seite an Seite die Stufen hinaufstiegen.

Tausend Lichter spiegelten sich auf dem Wasser, die Lichter der Restaurants am Ufer, die Lichter der Gondeln, der Vaporetti, die hell erleuchtet über den breiten Kanal schlingerten. Das Licht schillerte auf dem schwarzen Wasser, schwappte glitzernd zwischen den Booten und trieb gegen das steinerne Ufer. Schwimmendes Licht. Es war schwer, sich von dem Anblick loszureißen. Victor lehnte sich über die Brüstung. Scipio spuckte hinüber.

»Was tun Erwachsene so den ganzen Tag, Victor?«, fragte er.

»Arbeiten«, antwortete Victor. »Essen, einkaufen, Rechnungen bezahlen, telefonieren, Zeitung lesen, Kaffee trinken, schlafen gehen.«

Scipio seufzte. »Nicht sehr aufregend«, murmelte er und stützte die Arme auf die Brüstung.

»Tja«, brummte Victor. Mehr fiel ihm nicht ein.

Langsam schlenderten sie weiter, die Brücke hinunter und wieder hinein in das Gewirr von Gassen, in dem jeder Fremde sich mindestens einmal verläuft.

»Mir wird schon noch was anderes einfallen«, sagte Scipio. Trotz klang aus seiner Stimme. »Irgendetwas Verrücktes, Abenteuerliches. Vielleicht sollte ich einfach zum Flughafen fahren und in irgendein Flugzeug steigen, oder ich werde Schatzsucher, darüber habe ich mal was gelesen. Ich könnte auch tauchen lernen ...«

Victor musste grinsen, und Scipio bemerkte es.

»Du machst dich lustig über mich«, sagte er ärgerlich.

»Ach was!«, brummte Victor. Schatzsucher, Taucher, so was hatte er nie werden wollen.

»Gib zu, du hast es auch gern etwas abenteuerlich!«, sagte Scipio. »Du bist schließlich Detektiv.«

Dazu sagte Victor nichts. Die Füße taten ihm weh, er war müde, und er hätte jetzt gern bei Ida auf dem Sofa gesessen. Warum, zum Teufel, tat er es nicht? Trottete stattdessen in der Nacht herum.

»Du solltest dich mal wieder bei deinen alten Freunden sehen lassen«, sagte er, als sie die Brücke überquerten, von der aus man seinen Balkon sah. »Oder stört es dich, dass sie jetzt ein paar Köpfe kleiner sind als du? Ich glaube, sie fragen sich oft, wo du steckst.«

»Mach ich, mach ich«, sagte Scipio abwesend, als wären seine Gedanken plötzlich ganz woanders. Dann blieb er abrupt stehen. »Victor!«, sagte er. »Ich glaube, ich habe schon wieder eine geniale Idee.«

»Oje«, murmelte Victor und trat müde auf seine Haustür zu. »Erzähl's mir morgen, ja? Vielleicht kommst du zum Frühstück zu Ida. Ich werde auch da sein, ich bin fast jeden Tag bei ihr.«

»Nein, nein!« Scipio schüttelte energisch den Kopf. »Ich erzähl's dir gleich.«

Er holte tief Luft und für einen Moment sah er wieder aus wie der Junge, der er noch vor kurzem gewesen war. »Also, pass auf. Du bist doch nicht mehr der Jüngste ...«

»Was soll das denn heißen?« Victor drehte sich ärgerlich zu ihm um. »Wenn du damit meinst, dass ich kein Kind bin, das im Körper eines Erwachsenen herumläuft, dann hast du Recht ...«

»Nein, Unsinn!« Ungeduldig schüttelte Scipio den Kopf. »Aber du machst diese Detektivarbeit doch nun schon viele Jahre – tun dir nicht manchmal die Füße weh, wenn du stundenlang hinter jemandem herläufst? Erinner dich dran, wie mühsam es war, uns zu verfolgen ...«

Victor warf ihm einen finsteren Blick zu. »Daran will ich mich nicht erinnern«, knurrte er und schloss die Haustür auf.

»Ja, ja, schon gut.« Scipio drängte sich an ihm vorbei. »Aber stell dir doch mal vor ...«, er sprang so behände die Treppe hinauf, dass Victor ins Keuchen kam, als er versuchte hinterherzukommen, »stell dir vor, das ganze Herumgerenne, die nächtlichen Beschattungen, all das, wovon dir dir Füße wehtun, würde jemand anderes übernehmen. Jemand ...«, Scipio machte vor Victors Wohnungstür Halt und breitete triumphierend die Arme aus, »... jemand wie ich!«

»Was?« Victor blieb schwer atmend vor ihm stehen. »Wie meinst du das? Du willst für mich arbeiten?«

»Natürlich. Ist das nicht eine wunderbare Idee?« Scipio zeigte auf Victors Schild, das dringend wieder mal geputzt werden musste. »Getz könnte natürlich weiter an erster Stelle stehen, aber darunter käme mein Name ...«

Victor wollte gerade antworten, aber da öffnete sich die Wohnungstür gegenüber und seine Nachbarin, die alte Signora Grimani, schob den Kopf heraus.

»Signor Getz«, wisperte sie mit einem neugierigen Seitenblick auf Scipio, »wie gut, dass ich Sie noch antreffe. Wären Sie so freundlich, mir morgen früh, wenn Sie zum Bäcker gehen, ein Brot mitzubringen? Sie wissen ja, das Treppensteigen fällt mir an diesen feuchten Tagen so schwer.«

»Natürlich, Signora Grimani«, antwortete Victor und polierte sein Schild mit dem Jackenärmel. »Soll ich Ihnen sonst noch etwas besorgen?«

»Nein, nein!« Signora Grimani schüttelte den Kopf und musterte Scipio so verstohlen, wie man jemanden mustert, dessen Namen man vergessen hat.

»Dottor Massimo!«, rief sie plötzlich und klammerte sich an ihre Klinke. »Ich habe Ihr Foto in der Zeitung gesehen, und im Fernsehen waren Sie auch schon einmal. Das mit Ihrem Sohn tut mir Leid. Ist er schon wieder aufgetaucht?«

»Bedauerlicherweise nicht, Signora«, antwortete Scipio mit ernstem Gesicht. »Genau deshalb bin ich hier. Signor Getz will mir bei der Suche nach ihm helfen.«

»Oh, das ist gut! *Benissimo!* Signor Victor ist der allerbeste Detektiv der Stadt! Sie werden sehen!« Signora Grimani strahlte Victor an, als wäre ihm ein Paar schneeweißer Engelsflügel gewachsen.

»*Buona notte, signora Grimani!*«, knurrte Victor und zog Scipio mit in seine Wohnung, bevor er noch mehr Gerüchte in die Welt setzte.

»Na, wunderbar!«, schimpfte er, während er sich aus dem Mantel kämpfte. »Jetzt wird bald ganz Venedig wissen, dass Victor Getz den Sohn von Dottor Massimo sucht. Was, zum Teufel, hast du dir dabei gedacht?«

»Oh, das war nur so eine Eingebung.« Scipio hängte seinen Hut an Victors Garderobe und sah sich um. »Ziemlich eng«, stellte er fest.

»Tja, nicht jeder hat einen eigenen Brunnen und Decken, die fast so hoch wie die im Dogenpalast sind«, brummte Victor. »Aber mir und meinen Schildkröten reicht es.«

»Deine Schildkröten, ach ja.« Scipio schlenderte in Victors Büro und setzte sich auf einen der Besucherstühle. Victor ging in die Küche, um Salat für die Schildkröten zu holen.

»Hast du dich nicht gewundert, dass ich bei Barbarossas Laden so plötzlich vor dir stand?«, rief Scipio ihm nach. »Du bist auf der Accademia-Brücke an mir vorbeigelaufen, aber du warst so in Gedanken, dass du mich nicht bemerkt hast. Also habe ich beschlossen, dich zu beschatten. Zum Spaß. Gib zu, du hast nichts gemerkt. Das beweist doch wohl, dass ich ein erstklassiger Detektiv wäre.«

»Gar nichts beweist das«, brummte Victor und hockte sich neben den Schildkrötenkarton. »Das beweist nur, dass du dir Wunder weiß was Aufregendes unter dem Detektivberuf vorstellst. Aber meistens ist es langweilig.«

Victor warf den Schildkröten den Salat hin und richtete sich wieder auf. »Außerdem kann ich nicht viel bezahlen.«

»Macht nichts. Ich brauch nicht viel.«

»Du wirst dich langweilen.«

»Das werden wir sehen.«

Mit einem Seufzer ließ Victor sich in seinen Schreibtischstuhl sinken. »Dein Name kommt nicht auf mein Schild.«

Scipio zuckte die Achseln. »Ich brauche sowieso einen neuen. Oder glaubst du, ich laufe in Venedig weiter als Scipio Massimo herum?«

»Gut, dann die letzte Bedingung.« Victor fischte ein Lutschbonbon aus seiner Schreibtischschublade und schob es sich in den Mund. »Du schreibst deinem Vater.«

Scipios Gesicht verfinsterte sich. »Was soll ich dem schreiben?«

Victor zuckte die Achseln. »Dass es dir gut geht. Dass du nach Amerika auswandern willst. Dass du in zehn Jahren wieder mal bei ihm vorbeikommst. Irgendwas wird dir schon einfallen.«

»Verdammt!«, murmelte Scipio. »Na gut, ich werde es tun. Wenn du mir beibringst, ein Detektiv zu sein.«

Seufzend verschränkte Victor die Hände hinter dem Kopf. »Willst du nicht lieber Barbarossas Laden übernehmen?«, fragte er hoffnungsvoll. »Ida und ich suchen noch jemanden. Du bekämest die Hälfte der Einnahmen. Die andere Hälfte müsstest du dem Rotbärtchen in seine neue Heimat schicken. So haben wir es mit ihm abgemacht.«

Aber Scipio rümpfte die Nase.

»Den ganzen Tag in einem Laden stehen und Barbarossas Gerümpel verkaufen? Nein danke. Da gefällt mir meine Idee viel besser. Ich werde ein Detektiv, ein berühmter Detektiv, und du hilfst mir dabei.«

Was sollte Victor dagegen sagen?

»Na gut«, sagte er, »dann fängst du gleich morgen früh an. Und ich geh zu Ida frühstücken.«

UND DANN ...

Ein halbes Jahr später setzte Victor Scipios Namen doch auf sein Schild, wenn auch in etwas kleineren Buchstaben als seinen eigenen.

Keiner, nicht einmal Prosper, fragte Scipio je, ob er es bereute, auf das Karussell gestiegen zu sein, aber vielleicht war der neue Name, den er sich gab und auf Victors Schild setzen ließ, die Antwort: Scipio Fortunato, der vom Glück Begünstigte.

Seinem Vater schrieb Scipio, wie mit Victor abgemacht, ab und zu eine Karte. Ohne dass Signor Massimo je ahnte, dass sein Sohn nur ein paar Gassen entfernt von ihm wohnte, in einer Wohnung, die kaum größer war als das Arbeitszimmer seines Vaters, und in der Scipio glücklicher war, als er es in der *Casa Massimo* je gewesen war. Ab und zu besuchte er Mosca und Riccio in ihrem Versteck in Castello. Meistens ließ er ihnen etwas Geld da, obwohl sie ganz gut zurechtzukommen schienen. Wie viel von dem Falschgeld des Conte noch übrig war, wollten sie Scipio nicht erzählen. »Schließlich bist du jetzt ein Detektiv«, sagte Riccio. Mosca hatte sich Arbeit bei einem Lagunenfischer gesucht, aber Riccio – nun ja, bei dem vermutete Scipio, dass er sich doch wieder aufs Stehlen verlegt hatte.

Wespe, Prosper und Bo sah Scipio öfter. Mindestens zweimal in der Woche besuchte er sie und Ida zusammen mit Victor.

Eines Abends, es wurde schon wieder Herbst, beschlossen Scipio und Prosper, noch einmal zur Isola Segreta zu fahren. Ida lieh ihnen ihr Boot, und diesmal verfuhr Scipio sich nicht auf der Lagune. Die Insel sah unverändert aus. Die Engel standen immer noch auf der Mauer, aber am Steg lag kein Boot, und als Prosper und Scipio sich über das Tor schwangen, bellten keine Hunde. Im Haus und in den Ställen riefen sie vergebens nach Renzo und Morosina. Selbst die Tauben schienen fort zu sein, und als sie sich endlich durch das Labyrinth gekämpft hatten, fanden sie auf der Lichtung dahinter nichts als einen kleinen steinernen Löwen, den das Herbstlaub schon fast zugedeckt hatte.

Prosper und Scipio erfuhren nie, ob Renzo und seine Schwester schon in der Nacht verschwunden waren, als Barbarossa das Karussell zerbrochen hatte. Noch oft in den nächsten Jahren fragten sie sich, ob Renzo vielleicht doch einen Weg gefunden hatte, das Karussell zu reparieren – und ob sie sich irgendwo wieder drehten, der Löwe, der Wassermann, die Seejungfrau, das geschuppte Pferd und das Einhorn ...

Noch etwas? Ach, ja. Barbarossa ...

Esther hielt ihn eine ganze Weile für das wunderbarste Kind, das ihr je begegnet war. Bis sie ihn dabei erwischte, wie er sich ihre wertvollsten Ohrringe in die Hosentaschen stopfte und sie in seinem Zimmer eine ganze Sammlung wertvoller und auf rätselhafte Weise verschwundener Dinge fand. Daraufhin schickte sie ihn unter Tränen auf ein vornehmes Internat, wo Ernesto zum Schrecken seiner Mitschüler und sämtlicher Lehrer wurde. Man erzählte sich schlimme Dinge von ihm: dass er andere Kinder zwang, seine

Hausaufgaben zu machen und seine Schuhe zu putzen, dass er sie sogar zum Stehlen anstiftete, und dass er sich einen Namen gegeben hatte, mit dem sie ihn ansprechen mussten:
Ernesto Barbarossa nannte sich der »Herr der Diebe«.

EIN PAAR ERKLÄRUNGEN ...

Accademia	Akademie; Name des bedeutendsten Kunstmuseums von Venedig. Die Accademia-Brücke, eine Holzbrücke, ist eine der beiden Brücken über den Canal Grande
angelo	Engel
arrivederci	auf Wiedersehen!
arrivederLa	ich sehe Sie wieder!
avanti	weiter, vorwärts, voran!
Basilika	Kirche mit überhöhtem Mittelschiff
basta	genug!
benissimo	sehr gut! Wunderbar!
bricola	Fahrwasserbegrenzung in der Lagune von Venedig; Mz. *bricole*
buon giorno	guten Morgen, guten Tag!
buon ritorno	gute Rückkehr!
buona notte	gute Nacht!
buona sera	guten Abend! (Diese Grußform wird ab nachmittags gebraucht)
calle	Gasse, in Venedig auch Wassergasse
campo	eigentlich Feld; alle Plätze in Venedig heißen aber *campo*, nur der Markusplatz heißt *Piazza San Marco*
Canal Grande	großer Kanal; der Hauptkanal Venedigs
canale	Kanal
cara	mein Schatz
carabiniere	Polizist
Carabinieri	die Polizei
casa	Haus
Castello	eigentlich Burg, Schloss; hier: Stadtteil von Venedig
chiuso	geschlossen
conte, contessa	Graf, Gräfin
Dogenpalast	der Regierungspalast der Republik Venedig
Dorsoduro	Stadtteil von Venedig
dottore	Doktor; wenn ein Name folgt, heißt es Dottor
fondamenta	befestigtes Ufer eines Kanals
gondola	Gondel; Mz. *gondole*
gondoliere	Gondelführer; Mz. *gondolieri*
grazie	danke
isola	Insel
»la bella luna«	»der schöne Mond« *(S. 283)*
laboratorio	Labor
Lira	die italienische Währung; 100 Lire sind nicht ganz 10 Pfennige

Löwe	Das Hoheitszeichen der Herrschaft Venedigs ist ein geflügelter Löwe, der an vielen Stellen der Stadt und des Landes Venetien zu finden ist. Der Markuslöwe hält in seinen Vorderpfoten eine Tafel. Die Inschrift »Pax Tibi Marce Evangelista Meus« bedeutet »Friede mit dir, Markus, mein Evangelist«
Markuslöwe	siehe Löwe
mosca	Fliege (Aussprache: Moska)
palazzo	Palast; Mz. *palazzi*
pasticceria	Konditorei
pazienza	Geduld
piazza	Platz; die Piazza San Marco ist der größte und schönste Platz Venedigs
piombi	die berühmten Bleikammern von Venedig
ponte	Brücke; Mz. *ponti*
Ponte dei Pugni	»Brücke der Fäuste«
pronto	bereit, fertig; ital. Begrüßungsformel am Telefon
Rialto	das linke Ufer des Canal Grande im Stadtteil San Polo; die Rialto-Brücke ist eines der Wahrzeichen von Venedig
riccio	Igel (Aussprache: Ritscho)
»Ricordi di Venezia«	»Andenken an Venedig« (S. 39); Souvenirs
rosticceria	Grillrestaurant
sacca	große Bucht innerhalb der Stadt
salotto	Wohnzimmer
salve	lat.: »Sei gegrüßt«; gebräuchliche Grußformel in Italien
San / Santa / Santo	Heilige(r)
San Marco	auch: Stadtteil von Venedig
San Polo	hier: Stadtteil von Venedig
scusi	Entschuldigung!
Seepferd	mythologische Figur, siehe Bild auf Seite 31
sì	ja
signor, signora	Herr …, Frau …; Mz.: *signori, signore.* Aber:
signore	gebräuchliche Form von signor, wenn kein Name folgt
Uhrturm	*Torre dell'Orologio;* Bau aus dem 15. Jahrhundert am Markusplatz. Einer der schönsten Markuslöwen ist in seiner Wand eingelassen, auf blauem Grund mit goldenen Sternen. Gekrönt wird der Turm von den beiden »Mohren«, die zur vollen Stunde mit ihren Hämmern auf eine große Glocke schlagen
»Un vero angelo!«	»Ein wahrer Engel!« (S. 17)
va bene	in Ordnung, okay
vaporetto	Wasserbus; das normale venezianische Verkehrsmittel; Mz. *vaporetti*
»Va tutto bene, signore. Soltanto una revisione.«	»Alles in Ordnung. Es ist nur eine Überprüfung.« (S. 133)
vietato l'ingresso	Eintritt verboten (S. 24)

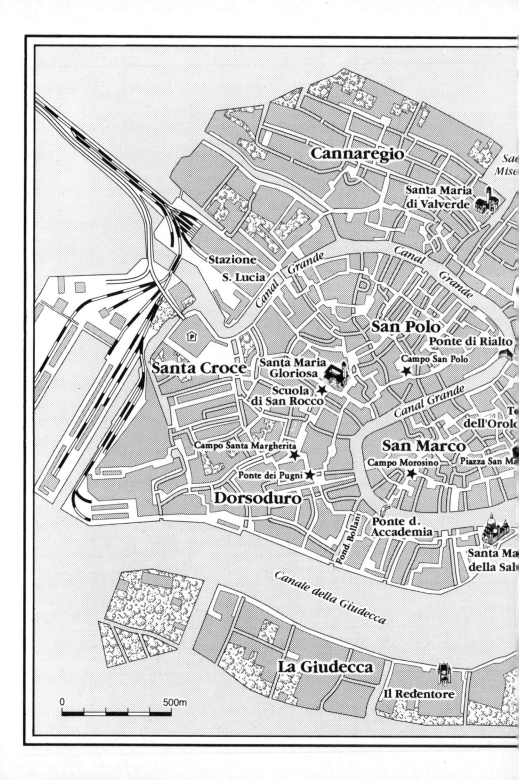

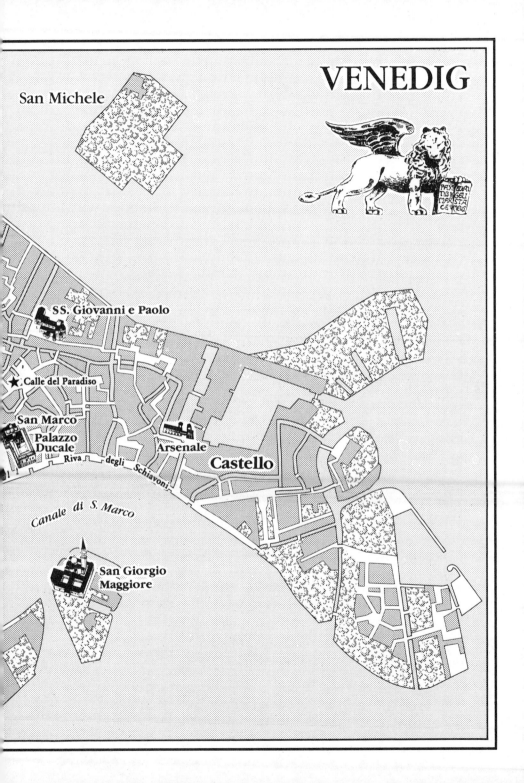

INHALT

Kundschaft für Victor 7

Drei Kinder 15

Das Sternenversteck 24

Der Herr der Diebe 32

Barbarossa 39

Ein böser Zufall 47

Pech für Victor 56

Scipios Antwort 58

Nachts ist man klein 64

Die Nachricht 70

Victor wartet 73

Treffen im Beichtstuhl 78

Ausgehorcht 88

Eine böse Ahnung 98

Prügel für Victor 104

Der Umschlag des Conte 109

Die Spur 116

Alarm 126

In der Falle 132

Nächtlicher Besuch 139

Ratlos 147

Die Casa Spavento 152

Wut und Streit 164

Der junge Herr Massimo 171

Ein Ehrenwort 178

Der Einbruch   180
Eine alte Geschichte   196
Scipio, der Lügner   203
Noch ein Besuch   209
Armer, kranker Victor   217
Vergebliche Lügen   220
Ohne Bo   227
Die Insel   231
Nur ein Zettel   244
Vater und Sohn   248
Besuch für Victor   254
Zuflucht   261
Das Waisenhaus   268
Prosper   274
Alles verloren   280
Die Isola Segreta   287
Ein Anruf in der Nacht   296
In Sicherheit   302
Der Conte   306
Das Karussell   312
Ein paar Runden zu viel   326
Barbarossas Strafe   334
Fremde Gäste   341
Eine verrückte Idee   348
Was nun?   356
Der Köder   360
Esther   366
Alles findet sich, oder?   375
Und dann …   387

Ein paar Erklärungen   390
Stadtplan von Venedig   392

Cornelia Funke, eine der bekanntesten deutschen Autorinnen von Kinder- und Jugendliteratur, hat erst nach einer Ausbildung zur Diplom-Pädagogin und einem anschließenden Grafikstudium angefangen zu schreiben. Texte zu Bilderbüchern, Bücher zum Vorlesen, für Leseanfänger und Leseratten entstanden und wurden zum größten Teil auch von ihr selbst illustriert; einige ihrer Romane sind Familienbücher im besten Sinne. Zu großen internationalen Erfolgen wurden *Herr der Diebe, Drachenreiter* sowie *Tintenherz* und *Tintenblut,* die ersten beiden Bände der Tintenwelt-Trilogie.

Auch Ehrungen und Preise gibt es für Cornelia Funke nicht nur in Deutschland (schließlich sind ihre Bücher inzwischen in beinahe 30 Sprachen erschienen), Verfilmungen sind geplant und realisiert, und ihre Fans warten stets sehnsüchtig auf das jeweils nächste Buch und sorgen dann für den Sprung auf die Bestsellerlisten.

Die Wahlhamburgerin Cornelia Funke wollte für eine Weile in Kalifornien leben und schreiben und ist deshalb im Mai 2005 mit Mann, Kindern und der Hündin Luna nach Los Angeles übersiedelt.

Mehr Infos über die Autorin unter www.corneliafunke.de

AUSZEICHNUNGEN & PREISE
FÜR DEN HERRN DER DIEBE

Evangelischer Buchpreis 2002

»Cornelia Funke ist ein großer Wurf gelungen: der seltene Fall eines Kinderbuches, das spannende Unterhaltung, virtuose Erzählung und gedanklichen Tiefgang verbindet.«

(Aus der Begründung zur Verleihung des Evangelischen Buchpreises)

➤ Nominiert für den Deutschen Jugendliteraturpreis

➤ Zürcher Kinderbuchpreis »La vache qui lit«

➤ Kalbacher Klapperschlange

➤ Preis der Jury der Jungen Leser, Wien

➤ Die Bremer Besten

➤ Kinder- und Jugendbuchliste SR/Radio Bremen

➤ Corine – Internationaler Buchpreis 2003

Cornelia Funke
TINTENHERZ · TINTENBLUT

Einband und Illustrationen von Cornelia Funke. 576/736 Seiten.
Gebunden. Mit Lesebändchen. ISBN 3-7915-0465-7/-0467-3

Vielfach ausgezeichnete Weltbestseller: die ersten zwei Romane der Tintenwelt-Trilogie von Cornelia Funke – voller Zauber und Spannung! Alles beginnt damit, dass ein unheimlicher Gast eines Nachts bei Meggie und ihrem Vater Mo auftaucht. Er warnt Mo – und damit beginnt ein unglaubliches Abenteuer, bei dem Meggie sich bald schon in der magischen, phantastischen Welt eines geheimnisvollen Buches wiederfindet. Es geht um die Macht des Vorlesens und um Leben und Tod …

»Welche Virtuosität! Wie viel Fantasie! Was für Sprachkraft!« *(Sächsische Zeitung)*

»Eine hinreißende Welt, düster und bedrohlich, doch voller Magie.
Cornelia Funke in Höchstform.« *(Neue Presse Hannover)*

»Verbindet die Poesie der Sprache mit einer Liebeserklärung ans Buch.« *(Die ZEIT)*

DRESSLER

Cornelia Funke im Cecilie Dressler Verlag:

Als der Weihnachtsmann vom Himmel fiel
Drachenreiter
Emma und der Blaue Dschinn
Greta und Eule, Hundesitter
Hände weg von Mississippi
Herr der Diebe
Igraine Ohnefurcht
Kleiner Werwolf
Lilli und Flosse
Das Piratenschwein
Potilla
Tintenherz
Tintenblut
Zottelkralle
Zwei wilde kleine Hexen

Die Wilden Hühner
Die Wilden Hühner auf Klassenfahrt
Die Wilden Hühner – Fuchsalarm
Die Wilden Hühner und das Glück der Erde
Die Wilden Hühner und die Liebe
Die Wilden Hühner – Das Bandenbuch zum Mitmachen
Die Wilden Hühner – Schülerkalender
Die Wilden Hühner – Mein Tagebuch
Außerdem als CD-ROM bei Oetinger Interaktiv:
Die Wilden Hühner – Gestohlene Geheimnisse

Mehr über Cornelia Funke und ihre Bücher unter:
www.corneliafunke.de und www.wilde-huehner.de

DRESSLER